KB196478

너를
생각해

너를 생각해

권상혁

소설집

청색종이

　소설 쓰는 길에 들어서서 걷고 있다. 이 길에 들어서서 치열하게 쓰자고 다짐했는데 생각처럼 많은 작품을 쓰지 못했다. 세상사에 부대끼다 보니 시간은 빨리 가고, 시간이 가는 만큼 나는 늘 초조하고 안절부절못했다. 가만히 앉아서 책을 읽거나 소설을 쓰는 일은 늘 마음뿐일 때가 많았다. 작품집을 준비하면서 데뷔 때부터 쓴 소설들을 하나씩 검토했다. 작품 하나하나 쓸 때의 열정과 오기가 떠올랐다. 작품 하나를 완성하고 나면 보통 보름 정도 기간을 두고 작품과 멀어진다. 되도록이면 머릿속에서 완전히 잊어버리려고 한다. 작품을 고쳐야 하는 순간이 왔을 때, 새로운 눈으로 보기 위해서이다. 한 작품을 반복해서 읽으며 고쳐나가는데 많을 때는 수십 번이 될 때도 있다. 그 과정에 많은 인내심이 필요하다는 걸 작품을 쓰고 고치면서 깨달았다. 문장 하나를 두고 지웠다 다시 쓰기를 반복하다 보면, 나중에는 손에 식은땀이 맺히고 입이 바짝바짝 마를 때가 있다. 다시 읽었을 때, 스스로가 납득하지 못하는 문장을 발견하게 되거나, 부분적인 내용이 맞지 않아 전반적인 틀을 고쳐야 할 때면 가슴에서 '쿵' 하고 덩어리 하나가 떨어지는 기분에 낙담을 한 적은 수없이 많다. 그래서 내 작품과 마주할 때마다 나는 늘 가슴이 서늘하다.

어떨 때는 밥때도 잊으며 시간 가는 줄 모르고 소설을 쓸때가 있다. 작품이 좋고 나쁘고를 떠나 올곧이 집중을 해서문장을 써내려갔다는 사실이 기뻐서, 나도 모르게 눈물을 왈칵 쏟은 적도 있었다. 다른 사람들에게는 그저 소설일 뿐인작품들이, 내게는 살 같고 피 같은 존재이기 때문에 스스로납득 가능한 이야기와 문장들이 연결될 때는, 보이지 않는문학의 신에게 엎드려 절이라고 하고 싶은 마음이 들기 때문이다.

쓰고 있는 소설의 이야기 연결고리가 떠오르거나 딱 맞아떨어지는 문장이 생각났을 때는 자다가도 벌떡 일어나서 공책에 적어두어야 편안하게 잠을 잘 수가 있다. 그렇게 애면글면하면서 쓴 작품들을 다시 보는 건 무척이나 괴로운 작업이다. 되도록 안 보고 싶은 마음이 솔직한 심정이었다. 작품을고쳐 쓸 때 겪었던 고생들이 고스란히 떠올라 또다시 가슴이 '쿵' 하고 떨어지는 기분을 느끼게 될까 두려운 마음이 컸다. 그래서였을까, 소설집 출판을 위해 작품 검토를 하는 과정을 나는 자꾸 뒤로 미루었다. 웬만한 일은 빨리빨리 처리하고, 오늘 할 일을 내일로 미루는 걸 싫어하는 성격인 내가, 작가에게 제일 중요한 책 출판, 그것도 첫 소설집 출판에 게으름을 피우다니, 그건 있을 수 없는 일이었는데도 나는 자꾸뒤로 미루고, 원고를 넘겨야 하는 시점에 이르러서야 내 작품과 마주앉게 되었다. 사실은 꽤나 낯설었다. 내가 쓴 작품인데도 남이 쓴 작품 같은 느낌이었다. 시험이 끝나면 달달 외웠던 시험과목을 미련 없이 잊어버리고 생각 안 하는 것처럼, '이런 이야기를 내가 생각하고 썼었나.'라는 내 소설을 대하는 나를 보며 꽤나 괴이해서 놀랐다. 온 마음을 다 쏟아 부으며 쓴 소설들과 이토록 빨리 헤어질 수 있다니, 나만 그런 것인지 다른 작가들도 그런 지 무척이나 궁금하다.

새로운 작품을 쓰기 위해 전에 쓴 작품과 되도록 빨리 결별하려고 발버둥친 거라고, 그래야 전에 쓴 작품에 영향을 받지 않고 전혀 다른 시선으로 작품에 몰입할 수 있다고 스스로 납득시키며 나의 무심함과 냉정함에 고개를 돌리려고 했다.

소설을 쓰기 시작하면서 좋은 소설을 많이 발표하자고 스스로 다짐했다. 그 기회를 얻기 위해 일반투고 형식으로 여러 출판사 문을 두드렸다. 채택이 되어 세상에 내놓을 수 있는 작품도 있었지만 끝내 발표되지 못한 작품도 있다. 소설가로 살아남기 위해서 늘 고민하고 생각한다. 그리고 도전한다. 길 위에 혼자 서 있고, 그 길조차 길인지 아닌지 모를 때가 많다. 하지만 수많은 소설가들이 그렇게 자기 길을 만들어 걸어갔고, 지금도 열심히 걷고 있다. 나도 그렇게 내 길을 만들어 꿋꿋하게 걸어갈 것이다.

무엇 하나 눈에 띄는 것이 없는 내 작품들에 손을 내밀어준 청색종이 출판사에 무한한 감사의 마음뿐이다. 책을 세상에 내놓을 때까지 숱하게 거절을 받고, 또 숱하게 스스로에게 실망했었다. 무명의 소설가가 내민 손을 잡아주기가 무척이나 어려웠을 텐데, 용기를 내주신 김태형 선생님께 이 감사한 마음은 평생에 걸쳐 좋은 작품을 발표하는 것으로 꼬박꼬박 나눠서 갚을 생각이다. 또한 평론을 써주신 김대현 선생님께도 깊은 감사의 마음을 전해드린다.

외동이라 어려서부터 혼자 지냈고, 행복한 가정에서 자라지 못해 부모님은 늘 내 곁에 없었다. 나는 아직까지도 아무것도 안 보이는 깜깜한 어둠 속에 있을 때면 심장이 두근거린다. 밤에 자려고 불을 끄고 누워도 어느 정도 어둠에 익숙해질 때까지 눈을 깜빡이며 마음을 다독인다. 돌아오지 않을 누군가를 기다리는 것처럼, 나는 늘 어둠 속에서 혼자 잠들기가 어려웠다. 그런 깜깜한 어둠 같은 시간을 보내는 날들에, 소설집을 출판하게 되었다. 이제야 소설가로서, 작가로서 밥값을 하게 되어 기쁘고 설렌다.

소설가로 살다, 소설가로 죽겠다고 늘 되뇐다. 소설을 쓰게 된 후로 영화나 드라마를 볼 때, 주연배우보다도 조연이나 단역, 엑스트라 배우들에게 시선이 많이 갔다. 남들이 보기에 작고 하잘것없는 역할일지 몰라도, 그 영화와 그 드라마에 반드시 필요한 존재로 각인되기까지 겪었을 숱한 어려움을 생각하니 거룩한 마음이 들어 절로 고개가 숙여질 때가 많았다. 저 한 장면을 찍기 위해 입이 부르트게 연습하고 또 연습했겠지, 카메라가 돌아갈 때 심장은 얼마나 고동을 쳤을까, 그들이 삼켰을 눈물을 헤아리자면 바다를 이루고도 남겠지, 하지만 그들 모두 값진 배우이고 예술가이다, 그런 생각들 말이다.

나 스스로 내가 걷는 이 길에서 하잘것없는 존재라고 생각
될 때마다, 여기서 포기하면 정말 하잘것없는 존재가 된다는
것을 잊지 말고, 내가 서 있는 길과 걷고 있는 길에서 나만의
색깔과 빛깔로 각인이 되는 작가가 되자고 욕심을 내본다. 결
국은 내가 숨 쉬는 이곳을 좀 더 나은 세상으로, 좀 더 따뜻한
세상으로, 좀 더 서로 공감하는 세상으로 만들어 가기 위해
소설을 쓰고 있기 때문이다. 그러한 내 생각이 나를 이 길에
서 계속 걷게 해주리라 믿는다.

　첫 소설집이다.
　세상으로 나가, 따뜻한 색깔과 빛깔로 사람들과 연결되기
를, 그래서 되도록 많은 사람들에게 그리고 내게 힘이 되기를
간절히 바란다.

권상혁

너를 생각해

권상혁 소설집

독(毒)

세 번째 임신이다. 첫 번째는 8주 만에 두 번째는 22주 만에 유산(流産)됐다. 얼굴도 모르는 내 아이들은 어디로 흘러갔을까. 남편에게 전화를 하려고 휴대폰을 만지작거리다 그만둔다. 남편은 지금쯤 후쿠오카 공항에 막 도착했을 것이다. 진료비를 계산하고 나오는데 수간호사가 '백 선생님'이라고 나를 부르며 따라나온다. 두 손으로 내 손을 마주잡더니 축하한다며 환하게 웃는다. 3년째 보는 얼굴이다. 그사이 수간호사도 흰머리가 많이 생겼다. 수간호사가 나를 꼭 안아준다. 그 품에서 잠깐, 이제 갓 생긴 내 아이에게 말을 건다. 안녕, 베이비. 오래 견뎌줘, 라고.

9호선 고속버스터미널 역은 지나치게 깨끗하다. 마치 인천국제공항이라도 온 기분이다. 한 발짝 걸을 때마다 나도 모르게 조심스러워진다. 천장은 높고 소리는 옆으로 퍼진다.

탑승객과 환승객이 뒤섞여 소음은 귀에서 윙윙거린다. 걸음이 빨라진다. 지하철 승강장까지 내려가는 에스컬레이터 오른쪽에 선다. 바삐 내려가는 남자의 가방에 어깨가 부딪친다. 손잡이를 잡고 있었는데도 몸이 살짝 기우뚱한다. 나도 모르게 왼손으로 배를 감싼다. 퇴근 시간 직전이라 아직 복잡하지 않다. 그래도 지하철 좌석에는 사람들이 빼곡하다. 노약자석이 혹 비어 있다 해도 앉기가 께름칙해 미련을 두지 않는다. 일반석 중 임산부 보호마크가 큼지막하게 있는 자리 앞에 선다. 역시나 내가 막 임산부가 된 사실을 알 리가 없다. 의사로부터 임신 사실을 듣고 나서부터 줄곧 가늘게 몸을 떨고 있다. 오늘도 혹서(酷暑)라는데, 난데없는 한기(寒氣)인가, 여름 감기에 자주 걸리는 편이라 마음이 쓰인다. 서늘하다 못해 싸늘한 에어컨 바람 때문인지 허리 통증이 왼쪽 네번째 발가락까지 내려간다. 찌릿하다. 오래된 병이다.

첫 번째 유산 때는 별다른 증상이 없었다. 산부인과에서 초음파를 통해 임신낭에서 태아가 사망했다는 소리를 들었다. 많이 있는 일이고 무엇보다 아직 젊고, 그러니 너무 실망하지 말라는 여의사 얼굴을 하마터면 때릴 뻔했다. 남편도 크게 놀랐는지 입술이 바짝 말라 있던 것이 아직도 또렷하다.

두 번째 유산은 심한 출혈과 함께 응급실로 실려 오면서 시작되었다. 더군다나 태아와 태반 일부만 배출되고 일부는 자궁 내에 남아 있는 불완전 유산이어서 더욱 위험했다. 혈압이 심각하게 떨어졌다. 과다출혈로 인한 쇼크까지 왔다. 그래도 나는 살아남았고 아기는 죽었다. 안정이 되어 중환자실에서 일반실로 옮겼을 때, 유산을 해도 병원에서는 미역국이 나왔다. 아무것도 넘길 수 없을 거 같아 남편 쪽으로 식판을 밀었다. 먹지 못하는 건 남편도 마찬가지였다. 남편과 나는 하루 종일 한마디도 하지 않았다.

집에 돌아오니 고요하다. 지하철역에서 들었던 윙윙하는 소리가 귓가에서 맴돈다. 아까부터 왼쪽 다리를 살짝 절고 있다. 통증은 가라앉지 않는다. 식탁 가장자리에 놓아둔 약통에서 허리가 아플 때마다 먹었던 소염진통제를 찾다가 멈칫한다. 다행히 몸속에 흐르던 한기는 가신듯하다. 감기 기운이 아니었다면 무엇이었을까. 내 자궁에 새로 생긴 아이를 지킬 수 있을지에 대한 공포일까. 크게 아프지 않다면 앞으로 약은 주의해야 한다. 약통에는 신경안정제와 피부소양증치료제를 비롯한 십 여종이 넘는 남편의 약이 종류별로 가지런히 정리되어 있다. 두 번째 아이를 임신하고 얼마쯤 지나 남편이 갑상선암에 걸렸다는 사실을 안 뒤 약통에는 '신지로이드'라는 새로운 약이 더 늘었다. 남자는 갑상선질환에 잘 걸리지 않는다며 유전력이 있는지 묻던 의사의 얼굴이 생각난다. 남편은 그만그만한 약통에 담긴 약을 꼼꼼하게 챙겨 순서대로 복용한다. 남편의 스마트폰에는 약을 먹었는지 안 먹었는지를 체크하는 앱까지 있다. 나는 숨이 막힌다. 저 많은 약이 남편의 몸속으로 들어가 무슨 작용을 일어나게 하는지 알 수 없다. 그 약의 복잡한 화학성분들이 내 아이에게까지 미치지 않기

독(毒) · 15

를 바랄 뿐이다. 목울대가 뜨겁다. 담당의사는 아니라고 하지만 흘러간 내 아이들에게 남편의 약들이 독(毒)이라도 되는 것처럼 이물스럽고 끔찍하다.

"후쿠오카 출장이야. 이번에 후쿠오카로 신규 취항하게 됐어. 일주일 정도 걸려."

"산부인과 예약해 뒀어. 임신 테스트기는 양성이네. 당신 프로페시아는 끊었지?"

'프로페시아'는 남성형 탈모증 치료제이다. 연애 시절 숱 많던 남편의 머리는 결혼 후 숭숭 빠지기 시작하더니 이제는 맞춤형 가발을 쓰고 다닌다. 남편의 할아버지도, 남편의 아버지도, 남편의 외가 쪽 그 누구도 선천적 유전으로 인한 남성형 탈모는 없다고 했다. 남편의 유난히 풍성하고 찰랑거리는 머릿결에 흔들리는 마음 붙잡지 못해 당혹스러운 때가 있었다. 프로페시아는 임산부에게 치명적이다. 임신 가능성이 있는 부부에게는 처방도 해주지 않지만, 처방을 했다고 해도 임산부가 약 조각을 만지지 않도록 각별히 주의해야 한다. 남성의 머리카락은 유지하고 보존해 줄지 몰라도 여성의 뱃속에 있는 태아를 기형아로 만들 수 있다. 프로페시아를 끊었냐는 내 말에 남편이 잠시 멈칫하더니 첫 번째 유산 후 먹지 않고 있는 걸 알지 않느냐고 반문했다. 나는 남편이 미덥지 않았다. 남편은 M저가항공사에 8년째 근무 중이다. 항공사가 생기고 지금까지 생사고락을 함께했다. 최근 저가항공사 중 국내선 승객 점유율 1위를 탈환하더니 대형 항공사의 황금노

선인 한일 국제선도 노리고 있다고 했다. 남편의 항공사는 가파르게 하늘을 오르고 있었으나, 남편은 빠져나가는 머리카락만큼이나 말수가 줄어들었다. 남편이 공항으로 출발할 때 나는 학교에 하루 병가를 내고 산부인과로 발길을 옮겼다. 목에서 쓴 물이 올라왔다.

휴대폰을 확인해 보니 남편에게 한 통의 전화가 와 있다. 뒤이어 잘 도착했다는 문자도 액정화면에 찍혀 있다. 나는 세 번째 임신사실을 문자로 보낸다. 휴대폰 문자를 누르는 손톱이 새하얗다. 늦은 점심을 해 먹어야 하는데 입맛이 없다. 그래도 뭔가를 먹어야 한다는 생각에 냉장고에 있는 녹두죽을 전자레인지에 데운다. '임신과 육아'라는 책에서 녹두죽은 몸에 있는 독을 체외로 배출하는 효능이 있다고 했다. 유산 후 나는 습관처럼 녹두죽을 챙겨 먹는다. 그사이, 첫 번째 임신 때부터 준비했던 아기방에 들어가 본다. 먼지가 수북하다. 방 안 공기가 후끈해 창문부터 연다. 다용도실과 연결되어 있는 아기방은 창문을 열어도 답답하다. 귓불을 타고 땀 한 줄기가 흘러내린다. 천장에 달려 있는 모빌이 군데군데 비어 있다. 저 혼자 빙그르르 돌아 반짝인다. 그나마 방바닥에서 찬 기운이 올라온다. 이곳에 들어오면 마음이 가라앉았는데 한동안 들어오지 않았다. 마음이 차분해지니 오늘의 피로가 한꺼번에 밀려온다. 가만 방바닥에 누워본다. 머리 위로 빙글빙글 모빌이 돌아가고 있다. 이상하네, 남자는 갑상선암에 잘 걸리지 않아요……, 혹시 직계 가족 중에 갑상선암 환자가 있나요……? 당신 프로페시아는 끊었지……. 반복 재생하듯 부유물처럼 말들이 허공을 떠돈다. 산부인과에서 돌아오는 길에 지하철역에서 들었던 윙윙거리는 소리도 다시 귓가에 맴돈다. 동굴 같은 지하철역 플랫폼에 서 있는 듯 어지럽다. 이곳, 아기방이 무덤처럼 나를 덮는다. 머리 위에서 돌고 있는 모빌은 점점 더 몽롱해지고 소리는 더욱 깊게 울린다.

첫 번째 아기가 걸어간다. 한 걸음 걸으니 눈이 없어지고, 두 걸음 걸으니 코가 없어진다. 세 걸음 걸으니 손과 발이 녹아내리고, 네 걸음 걸으니 팔과 다리마저 흩어진다. 뎅그렁, 몸뚱어리만 남아 꿈틀거린다. 그마저도 열선에 흔적조차 없이 녹아버린다. 아이의 두근거리는 심장만이 덩그러니 남아 끓어 넘치는 공간에서 펄떡거린다. 손을 뻗어 아이의 심장을 잡으려고 하나 뻗은 손마저 순식간에 흩어진다. 살이 흘러내리고 뼈가 드러나더니 그 뼈조차 온데간데없다. 세상은 온통 검붉다. 검붉은 바다가 출렁인다. 검붉게 불타는 바닷속에서 두 번째 아이가 걸어 나온다. 나는 도망가라고 외치고 있다. 차라리 바닷속에서 나오지 말라고 목청껏 외치고 있는데도 소리가 되어 나오지 않는다. 나머지 한 손을 뻗어 아이를 붙잡으려고 하자마자 열선에 노출된 팔은 녹아 사라져버린다. 폭풍이 바다를 뒤집는다. 불타오르는 공간을 뒤집는다. 두 번째 아기가 강력한 폭풍에 휩쓸려 검은 바람 속으로 휘말려 들어간다. 검은 바람은 거대한 기둥을 만들어 하늘 높이 솟아오른다. 내 몸에서는 아황산가스 냄새가 난다. 아무 것도 남아 있지 않은 텅 빈 공간에 지하 동굴처럼 음습하다. 세상에 온통 검은 비가 내린다. 아기들의 살과 뼈가 녹아 검은 비가 되어 내린다. 검은 비를 뚫고 한 사내가 걸어 나온다. 말끔한 정장차림이다. 사내가 검은 비가 된 아기들에게 윙크를 한다. 헤이, 리틀 보이(Hey, Little Boy)!

눈을 번쩍 뜬다. 또 같은 꿈이다. 두 번째 유산 후 같은 꿈을 반복적으로 꾼다. 벌써 1년이 넘었다. 병원치료도 소용없었다. 병원에서 주는 약을 먹으면 나도 모르게 실실 웃게 된다. 마법의 세계라도 빠진 듯이 하늘을 향해 손을 뻗어 날아가고 싶어진다. 그러고 나서 정신을 차리면 더욱 참담해진다. 그사이 후텁지근한 열기가 방바닥까지 밀고 들어왔는지 끈적끈적하다. 모빌은 여전히 내 머리 위에서 뱅그르르 돌고 있다. 온몸에 땀이 흥건하다. 주먹을 얼마나 쥐었는지 손바닥에 손톱자국이 뚜렷하다. 헤이, 리틀 보이. 꿈속 사내의 마지막 말이 아직까지 머릿속에 남아 있어 소름이 돋는다. 간신히 한기가 물러갔나 했더니 내 몸 어딘가에 도사리고 있다 가차 없이 나를 뒤덮는다. 전자레인지에 있던 녹두죽은 이미 차갑게 식어 있다. 화장실에 들어가 찬물을 틀어놓고 세수를 한다. 씻은 얼굴이 거울 속에서 나를 바라보고 있다. 뱃속에 있는 세 번째 아이를 지켜내야 한다, 무슨 일이 있어도 이 아이만큼은 세상 빛을 보게 해주고 싶다. 어느 순간, 보이지도 들리지도 냄새가 나지도 않는 사내가 다가와 내 아이를 긁어

갈지 모를 일이다. 끝 모를 불안이 왼쪽 네 번째 발가락까지 내려간 통증을 자극해 아득해진다.

첫 번째 아이가 뱃속에서 살아 무사히 태어났다면 지금쯤 어린이집에 다닐 나이였다. 어린이집 이름이 큼지막하게 새겨진 노란 가방을 메고, 개나리 같은 노란 모자를 쓰고 병아리처럼 종알종알거리며 어린이집 버스를 탔을 것이다. 두 번째 아이가 절반은 내 뱃속에 남고 절반은 덩어리가 되어 내 몸 밖으로 찢어진 채 나오지만 않았어도, 지금쯤 어린이집에서 돌아오는 제 형제나 자매가 되는 첫째 아이를 유모차 안에서 기다리고 있었을 것이다. 그때 내가 어린이집 버스에서 폴짝 뛰어내리는 아이에게 손을 흔들면서 웃었을지, 아니면 아이에게 다가가 가방을 건네받았을지, 아니면 아이 얼굴에 내 볼을 부비며 '아이고 기특해라.'하면서 흐뭇해했을지 나는 알 수 없는 일이었다. 그저 가슴이 먹먹할 뿐.

두 번째 아이를 유산하고 눈을 뜨니 중환자실이었다. 정신을 잃고 헤매는 동안에도 내 꿈속에서는 검붉은 화염이 솟고 검은 비가 계속 내렸다. 내 몸에서는 끊임없이 아황산가스 냄새가 났다. 살이 녹아내리는 열선 속에서도 나는 아이를 끌어안고 있었다. 내 녹아내린 살과 아이의 녹아내린 살이 엉겨붙어 한몸이 되었다. 차라리 다시 엄마 몸속으로 들어오렴, 다시 들어와……. 남편이 바싹 마른 얼굴로 나를 내려다보고 있었다. 눈에 핏대가 선 걸로 보아 잠을 자지 못한 듯했다. 그 와중에도 가발을 쓰고 있는 남편 모습이 보였다. 까칠까칠한 남편의 얼굴에 버짐이 퍼져 나가듯 살들이 거칠게 일어나 있었다.

"…당신 때문이지? 내 아이 이렇게 된 거……."

남편의 얼굴이 순식간에 굳어버렸다. 뭐라 말하려고 입을 달싹이다 다물어버렸다.

"당신 몸, 당신 몸에 흐르는 피……."

"아니야, 아니라고 했어. 저번 염색체 검사에서도 나는 이상 없다고 의사가 이야기했잖아."

"그럼, 당신 약, 그 많은 약은 왜 먹는데? 이상이 없다면 그 따위 약은 먹지 말아야지."

남편의 눈가가 검붉게 넘실댄다. 남편의 동공에도 불이 번쩍인다. 나는 그 불이 무서워 눈을 감았다.

남편은 피폭 3세이다. 대학 때 남편에게 처음 그 소리를 듣고는 몇 번 되물었다. 원자폭탄이란 것을 들어는 봤어도 생경스러웠다. 원폭이니 피폭이라는 말은 더 멀게만 느껴졌다. 이웃나라 일본에서 터져 전쟁을 종식시킨 것에 의미를 두었지, 그 폭탄으로 히로시마에서만 7만 명이 즉사했고 피폭 후유증으로 인한 사망까지 합치면 20만 명이나 되는 사람들이 그해 참혹하게 죽었다는 것은 남편으로부터 처음 들었다. 그중에 조선인도 2만 명이 넘게 있었다고 했다. 살아남은 조선인은 해방 후 더러는 일본에 남고 더러는 죽을 고비를 넘기며 한국으로 돌아왔다고 했다. 그중에 한 명이 남편의 조부였다는 것도, 그렇게 피폭 1세가 한국의 합천이란 곳에 정착했다는 것도 모두 생소했다. 남편은 두 손을 모으고 말을 했으나 손은 몹시 떨고 있었다. 남편의 손가락이 길고 하얗다는 것을 새삼 느끼면서. 원자폭탄보다 무서운 것은 눈에 보이지도 않고, 손으로 잡을 수도 없는 피폭 후유증이라고 했다. 그보다 더 끔찍한 것은 사람들의 시선이란 것도, 그래서 지금 남편을 바라보고 있는 내 시선이 가장 무섭다고 했다. 남편이 내 앞에서 바들바들 떨고 있는 모습이 애처로웠다. 그때는 당장 죽지 않으면 그것으로 됐다고 생각했다. 지금 당장 어떻게 되지 않는다면 그것으로 괜찮을 거라 생각했다. 눈에 보이지 않는 것 때문에 당장 눈앞에 있는 남편과의 시간을 지울 수 없었다. 무엇보다 그의 찰랑거리는 머리카락이, 그의 건강한 피부가, 그의 가지런한 치아가, 그의 건강함을 증명하고 있었다. 내 앞에 있는 남자를 보며 순간이 영원처럼 이어지리라 생각했다. 나는 너무 무지했다.

화장실에서 나와 책상에 앉는다. 오늘은 학교에 병가를 냈기 때문에 내일 수업준비에 보충수업준비까지 밀려 있다. 서둘러 문제집을 펼친다. 글자들이 부옇게 흩어진다. 지난 시간 진도를 확인한다. 고등학교 교사가 된 후로 시간에 쫓기며 산다. 비좁은 책상에 앉아 분초를 다투며 임용고시를 준비하고 합격해 교사가 된 지 8년이 지났는데도 나는 여전히 허둥댄다. 아이들을 가르치는 것도 학부모를 만나는 것도 동료교사들과 어울리는 것도 점점 더 낯설고 어려워진다. 남편은 내가 임용고시를 준비할 때 만났다. 밥 먹는 시간도 아까워 종종걸음치며 식당으로 달려가 밥, 국, 김치만 식판 위에 올려놓고 먹었던 때였다. 학교 식당에서는 반찬마다 가격을 붙여서 각각 따로 팔았다. 맛있는 반찬이 참 많았지만 먹고 싶은 것을 다 먹을 만큼 넉넉하지 않았다. 두부김치, 제육볶음, 참치회무침, 삼치구이, 탕수육, 계란프라이, 과일…… 꾹 참았다. 내년에는 이렇게 학교 식당에서 쭈그려 앉아 홀로 밥 먹지 않겠다고 이를 갈면서 까끌까끌한 밥을 꾸역꾸역 삼켰다. 빨리 먹고 올라가서 모의고사 문제 푼다고 밥도 급하게 먹어서 위장병에 시달렸다. 시험이 코앞이니 위장병 따위에 아파할 틈도 없었다. 나는 초조했고 강퍅했으며 쓸쓸했다. 그때, 불쑥 남편이 내 앞에 나타나서는 주춤주춤 식판을 내려놓았다. 그러더니, 계란프라이가 담긴 반찬 접시를 내 쪽으로 밀었다.

"먹던 거 아닙니다, 보려고 본 건 아니지만 항상 식당에서 마주쳐서 며칠 봤어요. 그렇게 먹다간 쓰러집니다."

나는 그때 처음 알았다. 남자들만 여자들 머릿결에 녹아내리는 것이 아니란 걸. 여자도 찰랑거리고 풍성한 남자 머리카락에 그만 맥이 탁 풀려버릴 수 있다는 걸. 계란프라이 하나에도 눈물이 투두둑 떨어질 수 있다는 걸.

보충수업 문제집 속에 문제들은 보이지 않고, 아무것도 몰라 온전히 설레었던 시간이 떠올라 마음이 스산하다. 한순간에 낯선 타인을 전부 이해했다고 생각했던 찰나의 감정이 그저 우습다. 다른 사람이 모두 등을 돌려도 나만은 그러지 않을 거라 호언장담했던 날들이 가소롭다. 이러고도 아이들을 가르친다고, 사람과 사람 사이에서는 믿음이 있어야 한다고 목청을 높였던 내가 그저 가증스럽다. 잡고 있던 샤프펜슬의 샤프심을 자꾸 꺾어 부러트린다. 밤 11시가 넘었다. 전화가 왔다는 진동음이 들린다. 남편이다.

"좀 늦었지, 이제 끝났어. ……임신, 확실해?"

"그래, 4주 정도 됐대."

잠시 말이 없다. 남편도 나도. 지금 후쿠오카는 한국보다 뜨겁다. 남편이 땀이라도 닦아내는지 스르락스르락 움직이는 소리만 요란하다.

"……이연아, 나는… 자신이 없다."

"무슨 뜻이야?"

왼쪽 네 번째 발가락까지 내려간 허리 통증이 날카로워 신음이 절로 나온다. 왼손으로 허벅지 통점을 꾹 누르며 입술을 여며 묻다.

"이번에는 너마저 잃을 것 같아서, 나는 자꾸 겁이 난다. 겁이 나, 이연아."

다리가 저렸다. 피가 돌지 않아 왼쪽 발이 새파랗다. 두 번째 아이의 초음파 사진을 휴대폰 액정화면에 깔아두고 흐뭇하게 웃던 남편 얼굴이 스쳐 지나간다.

"……돌아와서 이야기해."

후쿠오카의 뜨거운 바람 안에 있는 남편의 한숨 소리가 더욱 위태롭게 내 귓속을 파고든다.

두 번째 유산 후 나는 남편이 쓰던 식기들을 소독하기 시작했다. 남편이 쓰던 숟가락과 젓가락, 밥그릇과 국그릇을 팔팔 끓는 물에 넣고 녹여버리기라도 하겠다는 듯이 다시 끓여내고 또 끓여냈다. 남편이 쓰던 칫솔은 똑같은 것을 여러 개 사서 수시로 버렸고, 살균기능이 강화된 칫솔 전용 소독기를 구입해 썼다. 남편이 쓰는 침대 시트와 베개는 하루가 멀다 하고 걷어내 빨아 햇빛에 말렸다. 남편이 쓰던 컵과 내 컵을 분리했고, 남편 빨래와 내 빨래를 구별했다. 남편이 가래라도 뱉을라치면 주방에 일이라도 있는 듯 일어나 남편에게서 떨어졌다. 그럴 때마다 남편이 석고처럼 굳어가는 걸 나는 알고 싶지 않았다. 학교에 질병휴직을 낸 6개월 동안 나는 유산 우울증으로 정신과를 들락거렸다. 그때 남편이 갑상선암 진단을 받았다. 매년 직장에서 하는 신체검사 상에 갑상선호르몬 수치가 지나치게 높게 나왔다고 했다. 갑상선 전문 병원에 가서 초음파 및 세포진 검사 결과 갑상선암 중에서도 유전적인 요인으로 발생할 수 있는 유두암(乳頭癌)이라는 진단이 나왔다. 수술 날짜가 잡히고 갑상선 양쪽 모두에 암이 발견돼 갑상선을 전부 제거하는 전적출술을 하기로 했다.

"특이한 케이스네요. 남자는 갑상선암에 잘 걸리지 않아요. 유전일 가능성이 높습니다."

의사는 갑상선 질환의 90% 이상이 여성이라는 점을 들면서 남편의 유전 가능성을 물어왔으나 남편은 고개를 저었다. 얼굴도 모르는 남편의 아버지는 피폭 2세로 위암으로 죽었다. 피폭 1세인 남편의 조부는 각혈을 동반한 잦은 기침으로 괴로워했고, 결국 폐암으로 죽었다고 했다. 남편의 조모나 어머니는 피폭당하지 않았다. 그렇다고 돌아가신 조모나 살아 계신 어머니 어느 쪽도 갑상선 질환이 있었던 것도 아니었다. 남편의 얼굴이 검게 변했다. 왜 갑자기 이런 일들이 연달아 일어나는지, 정말 피폭에 의한 것인지, 그렇다면 왜 이제야 증상이 나타나는 것인지 알 수 없었다. 병이라는 것이 언제 오는지 알 수 있는 것은 아니었지만, 두 번째 유산 직후라서인지 당황스러움과 당혹스러움에 현기증이 났다.

"너무 걱정 마세요. 그래도 이 정도에 발견한 것이 다행입니다. 임파선 쪽이나 주위 조직으로 전이된 것 같지는 않고요, 갑상선암 중에서도 비교적 예후가 좋고 완치율이 높은 암입니다."

그날, 저녁 식사를 마주한 남편과 나는 말이 없었다. 첫 번째 임신 때, 마을버스 운전기사가 빗길에 급브레이크를 밟아 버스 안에서 내가 넘어진 적이 있었다. 나는 첫 번째 유산의 탓을 오로지 내 잘못이라고만 여겼다. 뱃속에 있다고 했다가 뱃속에서 죽었다고만 하니 체했을 때처럼 속이 더부룩했던 것과 약간 어지러웠다는 것을 빼면 정말 내가 임신을 한 건지 실감하지 못했다. 생각을 거듭하다 남편의 피폭까지 생각이 미쳤으나 고개를 저으며 무슨 사위스러운 생각이냐며 눈을 질끈 감고 고개를 가로저었다. 그러나 두 번째 유산은 달랐다. 첫 번째 유산 후 불안감 때문에 나는 학교에 3개월 병가를 냈다. 엽산을 꼼꼼하게 챙겨 먹었고 혹시나 몰라 풍진이나 수두 항체검사도 했다. 이미 항체가 형성되어 있어 예방접종은 하지 않았으나 A형 간염 예방주사를 맞는 등 몸 관리를 소홀히 하지 않았다. 마을버스는 근처에도 가지 않았다. 그러나 내 아이는 핏덩이가 되어 나왔다. 나는 암에 걸린 남편이, 남편의 몸속에 흐르는 피폭자의 유전자가, 그걸 견디지 못하고 몸서리치는 내가 무서웠다. 무서워서 견딜 수가 없었다.

자명종 시계 소리가 요란하다. 밖이 환하다. 세수를 하고 서둘러 옷을 갈아입는다. 오늘 진도 나가야 하는 부분을 예습하지 못했다. 일찍 출근해서 대충이라도 훑어보려면 서둘러야 한다. 현관문을 막 나서려는 데 갑자기 코피가 흘러내린다. 남편의 조부는 히로시마 원폭지로부터 반경 4km 안에 있었다. 폭심지 중심이 6,000도를 넘었고 반경 2km 안에 모든 것을 녹였다. 남편의 조부는 가까스로 살아남았으나 다음 날 내린 검은 비에 전신이 젖었다. 맞으면 아플 정도로 세찬 비가 내렸으나 그것이 폭발했을 때 발생한 엄청난 재에 섞인 방사능 덩어리였다는 걸 아무도 모르고 빗물을 받아 마시며 타들어 가는 목을 축였다. 남편의 조부가 마지막으로 눈을 감을 때 검은 피를 잔뜩 토하고 죽었다고 했다. 나는 가방에서 휴지를 꺼내 코를 틀어막고 엘리베이터 버튼을 누른다. 휴지에 묻은 내 피는 선홍빛으로 물들어 있다. 피가 검붉지 않은 것에 나도 모르게 마음이 가라앉는다. 아파트 밖으로 나오자 아침부터 햇볕이 타는 듯하다. 지하철역까지 걸어가는 세 블록 사이의 거리에 이미 온몸이 땀으로 번들거린다.

두 번째 유산 후 휴직을 하고 6개월 동안 나는 습관성유산 검사를 했고, 엽산과 철분제를 챙겨 먹으며 올해 안 되면 내년에는 시험관 아기를 하려고 했다. 병원 수간호사는 아예 임신 자체가 불가능한 사람들도 많다며 그에 비하면 임신이 가능한 건 다행이라고 나를 위로했다. 병원에서 날짜 받고 배란유도제도 먹어보고, 다산 여왕이라는 유명 연예인이 출판한 책을 보고 임산부 운동을 배워가며 몸과 마음을 치유했다. 가끔 있는 허리통증이 혹여나 임신에 좋지 않을 영향을 미칠까, 요통에 수영이 좋다고 해서 임산부 수영교실도 다니며 새로 생길 아이를 기다렸다. 남편은 어디서 들었는지 임산부에 장어가 그만이라며 이틀이 멀다 하고 장어를 사와 나중에는 입에서 장어 비린내가 났다. 시어머니는 복분자즙이 아랫배를 따뜻하게 해준다 해서 때마다 올려보냈다. 복분자를 보내주면서 양파즙도 딸려 보냈으니 남편 못지않게 온갖 잡다한 약과 건강식품을 챙겨 먹은 건 바로 나였다. 남편은 이미 정액 검사와 염색체 및 면역검사를 끝냈고 별다른 이상이 없었다. 나도, 남편도, 합천에 시어머니도 모두 뚜렷하게 알고 있는 두려움을 애써 외면하며 필사적이었다.

출근하니 학년부장이 급하게 나를 찾는다. 2반 담임이 오늘 지참을 하니 비담임인 내가 대신 조회에 들어가라며 면구스러워한다. 현관에서 코피를 쏟고 나서 관자놀이 부근이 뻐근하다. 반 아이들에게 전달사항이 없냐고 물으니 7교시에 강당에서 성폭력 예방교육이 있다고 한다. 혹시 그때까지 2

반 담임이 오지 않으면 질서 지도 부탁한다며 붉어진 얼굴로 미안해하는 모습에 나는 걱정 말라며 흐릿하게 웃어 보인다. 순간, 아랫배에 선뜩한 통증이 항문까지 수직 하강해 찌릿하다. 미간을 잔뜩 찡그린다. 학년부장을 향해 웃어 보이려는 표정이 본의 아니게 신경질적인 표정으로 바뀌어버려 당혹스럽다. 학년부장은 병가 다음날 출근하자마자 죄송하다며 내 눈치를 살핀다. 나는 출석부함에서 2반 출석부를 챙겨 서둘러 화장실로 들어간다. 다행히 아무도 없다. 나는 오른손으로 배를 감싸 쥐며 중얼거린다. 아가 걱정하지 말아라. 엄마는 건강하니까. 엄마는 무척 건강하니까. 그러니까 괜찮아. 너는 괜찮을 거야. 아니, 분명 괜찮아, 괜찮아. 거울 속에 내 얼굴이 비바람 속의 나뭇잎처럼 흔들리고 있다.

유산 후 별별 생각이 다 들었다. 남편과의 섹스 때 무의식적으로 움츠러드는 건 아닌지 감염 따윈 되지 않는다는 걸 잘 알고 있으나, 혹시 나도 피폭 감염이 되는 건 아닌지, 그가 내 입속으로 혀를 넣으면 내 혀는 도르르 말리거나, 그가 내 안으로 들어올 때 나도 모르게 허리를 비틀거나 하지 않았는지, 그 때문에 내 아기들이 사산된 건 아닌, 오만가지 생각에 정신을 차릴 수 없었다. 심지어는 중학교 때 단체로 소풍을 갔던 롯데월드 바이킹까지 생각이 미쳤다. 모든 학생들이 자유이용권을 갖고 있었기 때문에 나는 몇 번이나 바이킹을 탔는지 나중에는 땅을 밟고 있어도 세상이 돌고 있는 것 같았다. 그때는 그렇게 세상이 돌아버렸으면 좋겠다고 생각했다. 문득문득 내 몸 여기저기에서 아황산가스 같은 고약한 냄새가 날 때마다 소름이 돋았다. 그때마다 친구들에게 내 몸에서 무슨 냄새가 나지 않느냐고 거듭 물었다. 비누 냄새만 난다고 했던가. 그렇게 말하는 친구들 얼굴을 보며 흔들리는 눈을 감추고 침을 삼켰다. 그때 바이킹을 너무 심하게 타서 그런 건 아닌지, 바이킹 맨 뒷자리에서 소리를 있는 대로 지르며 손을 번쩍번쩍 들어 그런 건 아닌지, 잔챙이가 머리 위에서 윙윙거리는 것처럼 한번 꽂힌 생각에 벗어날 줄 몰랐다. 그러다 하얀 커튼처럼 내 생각에 막이 생기고, 커튼 너머의 흐릿흐릿 보일 듯 말 듯한 환영에 불에 덴 듯 뒷걸음질을 치다 생각을 딱 멈추게 됐다. 발가락까지 이어지는 허리통증을 간신히 참고, 진저리를 치며.

남편은 계속 살이 쪘다. 아침마다 챙겨 먹는 많은 약들 때문이라고 내가 잔소리를 하자 당치 않다며 얼굴을 붉혔다. 남편은 '플루트 모닝'이라며 아침에는 반드시 과일만 먹었다. 아침을 먹느니 그 시간에 잠을 더 자겠다는 내 생각과는 달리 그는 어김없이 제철 과일을 챙겨 먹었다. 저녁 식사는 '탄수화물'과 '단백질'을 같이 먹지 않았다. 우리 몸을 망가트리는 주범이며 소화기관을 가장 최악으로 만든다는 소리를 내가 알지도 못하는 일본의 어느 건강 학자 이름까지 대면서 열성이었다. 갑상선암이 걸려 수술한 뒤 부쩍 건강을 챙기는 건 이해했으나 그러면 그럴수록 그는 더 살이 쪘다. 되레 점심과 저녁만 먹는 나는 살이 빠졌다. 살이 빠진 날 보고 그는 내 몸이 정상이 아니라고 했다. 그러면서 병원에 가 봐야 하지 않겠냐고 걱정을 했다. 살이 쪄서 조금만 움직여도 몸 여기저기에서 땀방울이 맺히고 온몸이 장마처럼 축축해지는 남편을 볼 때면 나는 가끔, 아주 가끔 그를 베란다 밖으로 밀어버리고 싶어졌다. 화가 나서 그런 생각이 들었다고 도리질을 치고 악마 같은 생각이라 자책감이 들었어도 멈출 수 없었다. 남편의 몸에서 흘러나오는 땀처럼, 그 땀이 음습하고 축축하게 남편의 몸을 감싸고, 집안 전체를 곰팡이가 잔뜩 낀 것 같이 숨이 막히게 하는 것처럼, 남편의 몸에서는 독이 흘러나온다고 나는 생각했다.

2반 담임은 결국 7교시까지 오지 않는다. 아침까지 싸하게 아팠던 아랫배 통증은 사라졌으나 관자놀이 부근의 묵직한 통증은 여전하다. 마침 교무실에 내려온 2반 회장에게 쉬는 시간에 전부 강당으로 이동하라고 다시 한 번 주의를 준다. 조회시간에 담임교사가 늦게 온다는 말에 아이들의 긴장이 풀어진 걸 놓치지 않았다. 교무부장이 방송을 통해 1학년, 2학년 학생들과 각반 담임교사들은 신속히 강당으로 이동하라고 한다. 아이들이 5층에서부터 우르르 쏟아져 내려오는 소리에 1층에 있는 교무실이 흔들린다. 관자놀이에 머물던 통증이 머리 전체로 흩어진다. 가벼운 지시봉을 하나 들고 강당으로 간다. 천 명 가까이 되는 아이들이 한마디만 해도 천 마디가 되니 소리는 울리고 퍼져서 커다란 고무공 안에 들어가 있는 것 같다. 지하철 9호선 고속버스터미널 역에서 느낀

공명을 강당에서도 느낀다. 생활지도부 남교사들이 드센 남자아이들 몇을 끌고 나와 벌을 주고 윽박지르고 마이크로 '조용히 해!'라는 소리를 열 번쯤 하자 웅성거리는 아이들 소리가 잦아든다. 고무공 안에서 간신히 탈출한 기분이다. 성폭력 상담소에서 나온 성폭력예방교육 강사가 남녀 피임법 설명을 하면서 PPT 화면을 띄우고 간간이 동영상을 보여주고 있다. 2반 아이들이 앉아 있는 곳에서 이어폰을 끼고 음악을 듣고 있는 아이에게 주의를 주고 강당 맨 뒤 의자에 몸을 기댄다. 학교에서의 성폭력예방교육이란 것이 예의 그렇듯 길고 지루하다. 아이들은 이미 꾸벅꾸벅 졸기 시작한다. 강사의 목소리가 점점 멀어진다.

검붉게 불타는 바닷속에서 세 번째 아이가 걸어 나온다. 세 번째 아이의 몸이 온통 시뻘겋다. 그 몸 안에서 두 번째 아이의 몸이 흘러나온다. 아이의 찢어진 몸뚱어리가 세 번째 아이를 감싸고 있다. 그 사이에서 첫 번째 아이가 고막을 잡아 찢듯 울어 젖히며 두 번째 아이의 몸속에서 기어 나오고 있다. 뒤틀리고 쪼그라든 살들이 흘러내려 손톱 끝에 걸려 너덜거린다. 나는 가슴이 턱 막혀 꺽꺽대고 있다. 손을 뻗어 잡으려 하면 살들이 녹아내린다. 첫 번째 아이의 가슴을 뚫고 또 한 명의 아이가 얼굴을 드러내고 있다. 누굴까, 너는 누구니, 너는 누군데 내 아이의 몸속에서 나오는 거니. 나는 녹아서 뭉툭해져버린 손으로 가슴을 치며 울부짖는다. 검붉게 불타는 바닷속에서 그보다 더 검붉은 손이 하나 올라온다.

32

뜨거운 열선에도 아랑곳없이 손은 곧장 뻗고 뻗어 내 가랑이 사이까지 온다. 누렇게 변색된 손톱에 묵은 때가 끼어 있다. 손등에 듬성듬성 굵은 털들이 엉켜 있다. 여전히 뜨겁다. 늘 가려 있기만 했던 하얀 커튼이 열린다. 가만있어. 아저씨가 재미있는 거 보여줄게. 나는 그만 뒷걸음질을 친다. 아저씨가 서서히 나에게로 걸어온다. 아저씨의 굵은 손이 내 가랑이를 벌리고 있다. 발버둥치면 칠수록 벗어날 수 없다. 가만히 있으라니까. 아저씨가 성교육해주는 거야. 나는 두 손을 모아서 살려달라고 한다. 부들부들 떨리는 온몸이 말을 듣지 않는다. 도망가야 하는데, 아저씨한테 잡힌 허벅지는 꿈쩍도 하지 않는다. 내 아이들이 검붉은 바다에서 나를 보며 울고 있다. 첫 번째 아이에게서 나온 또 한 명의 아이가 아저씨 근처로 다가온다. 아저씨를 닮은 얼굴이다. 그러더니 내 얼굴로 바뀐다. 내 얼굴로 바뀐 아이가 나를 보며 차갑게 웃고 있다. 아저씨, 제발 살려주세요. 나는 마지막 힘을 다해 부탁한다. 아저씨하고 하나가 되는 거야. 자, 좀 더 다리를 벌려. 안 그러면 아저씨가 너를 때릴지도 몰라. 아저씨가 내 팬티를 벗기더니 돌돌 말아 그대로 내 입을 틀어막는다. 아저씨의 몸은 열선처럼 뜨거웠고, 내 가랑이 사이에서는 검은 비가 흘러나왔다. 아저씨의 티셔츠에서 아황산가스 같은 땀 냄새가 났다. 티셔츠 정중앙에 쓰여 있던 영문이 눈에 칼날처럼 와 박힌다. 헤이, 리틀 보이(Hey, Little Boy)!

눈을 번쩍 뜬다. 옆에 앉아 있던 3반 담임선생의 놀란 얼굴이 보인다. 끙끙 앓는 소리를 내서 깨웠다고 한다. 깜빡 졸았던 모양이라고, 무슨 꿈을 꿨는데 그러냐고 묻는 말에 아무것도 아니라고 대충 얼버무린다. 흔들리는 눈동자만큼이나 흔들리는 손을 어찌하지 못하고 있다. 그때까지도 웅성웅성하던 아이들이 동영상 화면이 나오자 제법 집중을 한다. 여자아이가 적나라하게 성폭행을 당하는 영화의 한 장면을 모자이크 처리해 보여주고 있다. 개봉 당시에도 실제 나이 12살인 아역배우의 성폭행 장면이 지나치게 선정적이고 폭력적이라 문제가 많았던 바로 그 장면이다. 무엇보다 가족처럼 지냈던 이웃집 아저씨에 의한 성폭행 장면이라 더욱 논란이 거셌다. 성폭행당한 아이가 아파트 베란다에서 뛰어내리자 여자아이들이 여기저기서 안타까운 한숨 소리를 내고, 야한 장면에서 휘파람을 불며 소란스럽게 했던 남자아이들도 그 장면에서는 입을 다물거나 야유를 보낸다. 담당 강사는 낙태금지국인 우리나라에서는 강간당한 후 임신이 되었을 때 예외적으로 낙태를 허용한다고 했다. 그러나 그에 따른 부작용을 설명하며 차후 임신에 여러 가지 장애가 수반될 수 있다고 했다. 나는 그만 눈을 감아버린다. 멀미가 난 것처럼 속이 울렁거린다. 2반 아이들도 아랑곳없이 나는 서둘러 강당을 빠져나온다. 강당을 빠져나오고 나서야 꿈을 깨고 나서 줄곧 얼굴에 흐르던 것이 땀이 아니라 눈물이라는 것을 깨닫는다. 정신없이 교무실로 들어와 가방을 챙겨 학교를 빠져나온다. 등 뒤에서 학년부장이 몇 번이나 불렀지만 고개를 돌리지 않는다.

새까맣게 잊고 있었다. 잊었다고 믿었다. 그건 꿈같은 것이었다고 병원에 누워 있던 나에게 엄마가 귓속말로 속삭였다. 무서운 꿈을 꾼 거라고. 너는 독사에 물린 거라고. 어렸을 때는 누구나 독사에 물릴 수도 있는 거라고, 독사에 물렸으니 그 독을 빼내는 치료를 하려고 병원에 있는 거라고. 엄마 그건 독사가 아니었어, 304호 아저씨였어. 너무 아프고 무서웠어. 문밖에는 여전히 아저씨가 있을까 봐 겁이 나서 베란다 밖으로 뛰어내린 거야. 그러면 도망칠 수 있을 것 같았어. 엄마가 내 입을 틀어막고 낮고 단호하게 이야기했다. 그건 독사였어. 귀신같은 거. 네가 본 건 사람이 아니야. 그러니 너는 아무 일도 없었던 거야. 아무 일도. 그러니 괜찮아. 엄마가 있잖아. 그리고 이 일은 우리만 아는 거야. 엄마하고 아빠하고 너하고. 이렇게 셋이서만. 남에게 알려져서 좋을 건 없잖아. 독사에게 물렸다는 걸 알면 다들 너를 무서워할 거야. 그러면 너는 친구가 없어지게 되는 거야. 네 주변에 아무도 없게 돼. 그러니 꿈을 꾼 거야. 알겠지? 이연아. 이건 꿈이야. 악몽을 꾸고 너는 지금 깨어난 거야. 베란다에서 발을 헛디뎌 떨어졌을 뿐이야. 우리 집은 3층이잖아. 허리를 조금 다쳤을 뿐이야. 그뿐이야. 하지만 엄마는 모르고 있었다. 그건 꿈같은 것이 될 수는 있어도, 자고 일어나면 흐릿해져 기억조차 안 나는 진짜 꿈은 될 수 없다는 것을.

학교에서 뛰쳐나와 집까지 오면서 눈물로 얼룩진 얼굴이 이젠 땀으로 번들번들하다. 온몸이 뜨겁다. 숨이 막혀온다.

무슨 정신으로 집 앞 현관문까지 왔는지 모른다. 아파트 입구까지 가는 계단을 오르다 두 번이나 발을 헛디며 넘어질 뻔했다. 결국 현관문을 열다 손톱이 부러지고 만다. 남편에게 전화가 온다.

"내일 돌아가. 일정을 좀 앞당겼어. 학교는 출근한 거야?"

나는 서둘러 볼을 문지르고 태연한 척 전화를 받는다.

"…응. 이제 막 들어왔어. 내일 아침 몇 시 비행기야?"

"아침 9시. 저, 이연아, 혹시 이번에도 잘 안 되면, 우리 입양하는 건 어때, 생각해 보니까……."

"무슨 소리야?"

"요새는 공개 입양도 하고 하니……."

"지금 대체 무슨 소리를 하는 거야? 이제 막 임신 사실을 알았을 뿐인데. 나 이 아이 낳을 거야. 나는 건강해. 당신이 문제지. 나는 *깨끗하다고*!"

"누가 당신보고 더럽대? 그래, 당신 말대로 내가 문제야. 그 아이 낳아도 10년 뒤 20년 뒤 무슨 병이 생길지도 모르고, 팔이나 다리가 없는 장애아일 수도 있고, 지능이 떨어지거나 태어날 때부터 암이나 심장병을 갖고 태어날 수도 있잖아."

"장애라도, 그보다 더한 아이라도 살아 있으면 되는 거야. 살아 있으면! 당신이 먹는 그 끔찍한 약들만 아니면 문제없어."

남편 쪽에서 한숨 소리가 들린다. 휴대전화를 든 손이 부들부들 떨린다. 남편이 마른침을 삼키는 소리가 느껴진다.

"나도 엽산을 먹고 있었어. 그럼 정자를 튼튼하게 해 준다고 했어. 당신이 끔찍해하는 그 약들, 비타민 C고, 비타민 E야. 아연이고, 셀레늄이고, 미네랄이야. 그 약들 모두 정자 활동을 활발하게 하는 약이야. 그래서 먹었어. 아침마다 먹는 과일에는 그 모든 것들이 들어 있기도 하고. 갑상선암 수술 후 먹은 신지로이드 같은 치료약 말고 내가 먹은 약들은 다 그런 약들이야. 내가 할 수 있는 거라고는 그런 것밖에 없었어. 입양이 싫으면, ……대리부도 있어. 내가 오죽하면 이런 소리까지 하겠어. 나도 당신만큼 우리 아이 원해. 작년에 누나까지 갑자기 대장암으로 죽고, 나도 무섭다고."

혹여나 호텔방 밖으로 목소리가 새어나갈까 봐 겁을 먹고 있는 것처럼 남편 목소리는 잔뜩 짓눌려 있다.

남편은 아무것도 모르고 있다. 꿈같은 일이었을 뿐이니, 나는 새까맣게 잊어버린 일이었으니, 남편이 알 필요도 없고 알아서는 안 되는 일이다. 어려서 교통사고처럼 큰 사고를 당한 것이었다고 생각한다. 아니면 엄마 말대로 독사에게 물린 것뿐이다. 그 독은 이미 내 몸에서 제거되었다. 만일 독사의 독이 내 몸 어딘가에 0.1%라도 남아서 돌고 있다고 해도 두 번의 유산과는 아무런 관련이 없는 것이다. 아무 관계가 없어야 한다. 오히려 남편이 염색체나 정액 검사에서 이상이 없었다고 하지만, 남편은 분명 갑상선암 환자이고 무엇보다 피폭 3세가 확실하다. 그 사실은 절대 바뀌지 않는다. 내가 독사에 물렸다는 걸 나는 끝까지 남편에게 말하지 않을 생각이다. 어쩌면 남편의 몸이 아니라, 내 몸에서 독이 나오는 것일지 모른다 하더라도 말이다.

세 번째 임신이다. 나는 뱃속의 아기에게 인사를 한다.

안녕, 베이비. 오래 견뎌줘, 라고.

누수(漏水)

천장 벽지는 이사 올 때 도배하지 않았다. 전세로 오는 이사라 도배는 임차인이 하는 거라고 했다. 천장은 깨끗해 보였고, 돈을 아끼기 위해 천장을 제외하고 벽지를 새로 바꿨다. 어차피 2년 뒤 계약이 끝나면 이사를 나가야 할지도 모를 집이었다. 깨끗한 천장까지 뜯어내서 도배비를 올릴 필요가 없었다. 아들의 일본유학이 결정되면서 집을 옮기기로 했다. 신축된 지 10년도 안 된 아파트였고, 한강이 보이는 전망 좋은 7층에서, 건축한 지 25년이 넘어 재개발을 기다리고 있는 아파트 1층으로 오기까지 우리 부부는 망설이지 않았다. 외국어고등학교에 합격해 잘 다니고 있던 아들이 쓴 30장에 걸친 일본유학과 진로에 관한 소논문을 읽고 우리 부부는 아이의 결심을 존중하기로 했다. 남편은 아들이 워드로 작성한 소논문 한 페이지 한 페이지를 넘기면서 경이로움에 가까운 표정을 지었다. 아들이 외고에 합격했을 때 지었던 남편의 표정이 떠올랐다. 남편은 붉은 꽃물이 점점이 번져가는 듯 얼굴에 기쁨을 감추지 못했고, 두 손을 불끈 쥐며 '됐어', '됐어'라고 침을 튀기며 중얼거렸다. '캬악' 소리를 지르고 바르르 몸을 떤건 나였다. 남편은 지방대를 나와 중소기업에 다녔고, 나 역시 같은 대학을 나와 도서관 사서 보조직을 하고 있었다. 도서관에서 폐기할 책들을 고스란히 가져와 우리 집에 쌓아두었다. 음식을 남기면 지옥에 가서 그 남긴 음식을 다 먹는다는 미신처럼, 나는 책을 버리면 버리는 대로 그걸 머리에 이고 있어야 할 것 같은 두려움이 있었다. 덕분에 아들은 초등학교 때부터 책을 손에서 놓지 않았다. 외고에서 가장 경쟁률이 낮은 독일어과에 합격했지만 과는 우리 부부에게 중요하지 않았다. 중요한 건 서울에 있는 가장 유명한 외고에 합격했다는 사실이었다. 아들은 일본어과나 중국어과에 가고싶어 했지만, 우리의 생각과 중학교 담임교사의 생각은 일치했다. 독일어과라면 아들의 내신 성적으로 합격이 가능하다는 말에 우리는 아들의 생각을 다 들어보지도 않고, 담임교사의 말이 신의 말이라도 되는 것처럼 생각하며 그대로 입시준비를 했다. 아들은 합격했고, 딱 한 학기가 지난 뒤에 일본 국제학교 입학과 커리큘럼, 졸업 후의 진로에 관해 모 대학 일문과 대학교수의 자문까지 받아 소논문을 작성해 우리 부부에게 들이밀었다..아들은 여전히 일본어나 중국어를 전공하고 싶어 했고, 유학준비를 하며 일본으로 선회를 한 듯했다. 이름도 들어보지 못한 일본의 국제학교는 센다이에 있었다. 수업은 영어로 진행되며 국어와 국사만 일본어로 수업이 이

루어진다고 했다. 입학생의 절반이 외국국적의 학생이고, 절반이 일본국적의 학생이라고 했다. 1년에 학비는 기숙사비를 포함해 4,500만 원이 좀 넘었다. 돈도 돈이었지만, 소논문을 보기 전에 일본유학을 센다이 쪽으로 가고 싶다는 말을 아들이 우물쭈물 식탁에서 했을 때, 우리 부부는 난색을 표했다. 멀쩡하게 잘 다니고 있는 외고를 왜 그만두며, 그렇게 일본어나 중국어를 공부하고 싶으면 EBS 교재 같은 걸 사서 방송을 보며 혼자서 하면 되는 거 아니냐고 했다. 또한 외고에 부전공 제도가 있는데 그걸 활용해서 하고 싶은 언어를 공부하라고 했다. 무엇보다 일본 센다이는 2011년 동일본대지진이 있었던 후쿠시마와 가까웠다. 아들에게 방사능 피해의 단 1%라도 미치는 것을 우리 부부는 원치 않았다. 하지만 아들은 학교 수업이 끝나고 야간자습까지 마치고 돌아와서는 방에 틀어박혀 컴퓨터만 두드리며 며칠 동안 두문불출했다. 학교 과제가 있다고는 했지만, 아들은 남편이나 나의 근심 어린 표정을 돌아보지도 않고 손에 쥐고 있는 자료나 컴퓨터 화면에 시선을 고정했다. 아들의 벌어지는 어깨를 보면서 남자의 냄새가 난다고 느낀 지는 오래됐지만, 동그랗게 말린 아들의 등이 딱딱하게 굳어가고 있다는 걸 우리 부부는 알고 있었다. 침대에 누워 우리 부부는 각자 다른 방향을 보며 잠들어 갔지만 아들에 대한 생각으로 번갈아가며 한숨을 들이쉬고 내쉬었다. 아들은 단호했으며 또한 모 대학 일문과 교수의 지도를 받은 소논문은 완벽했다. 나중에 안 사실이나, 아들은 모 대학 사이트에 들어가서 교수의 이메일을 알아내 직접 편지를 보내고 연구실을 찾아갔다고 했다. 당돌하고 맹랑한 아이 같아 얼굴이나 한번 보자고 한 교수는 아들이 하는 말 한마디 한마디에 수긍을 했고 고개를 끄덕였다고 했다. 너 같은 아이가 우리 대학 일문과에 입학하면 좋겠다는 이야기를 아들은 들었다고 했지만, 아들은 교수의 말을 귀담아듣지는 않았다고 했다. 아들의 소논문에서 서울 수도 중심의 방사능 양이 일본 센다이 지역의 방사능 양보다 많다는 사실을 객관적 자료와 과학적 근거를 들어 설명한 부분에서 우리 부부는 입을 다물지 못했다. 설혹 그것에 거짓말이 약간 녹아들어가 있다고 해도, 자료를 준비한 정성과 사진을 첨부하고 그래프를 편집 정리한 기술은 중소기업에서 오래 몸을 담은 남편이나 사서 보조직으로 매일 같이 컴퓨터를 보는 나에게도 정갈하고 완벽해 보였다. 이 아이가 17살이 맞나 싶었다. 그만큼 아들은 유학에 있어서 흔들리지 않겠다는 신념이 눈빛에 서려 있었다. 대학에 입학에서 교환학생을 가도 되지 않느냐는 남편의 말은 예상했던 반론이라고 생각했던지 남편의 질문이 끝나자마자, 1년 가서 무슨 일본어가 늘고, 무엇을 깊이 있게 배울 수 있겠냐고 반박했다. 언어라는 것은 나이가 어리면 어릴수록 유리한 것을 아빠도 알고 있지 않느냐고 했다. 아들은 맞는 말은 했고, 지나치게 맞는 말을 하다 보니 우리 부부는 괜스레 부아가 날 정도로 숨이 거칠어졌다. 4,500만 원이 넘는 학비와 기숙사비 걱정을 덜게끔, 장학제도가 잘 발달되어 있는 국제학교가 센다이에 있으며 아들은 전교 학생 모두 30% 학비 감액 장학금을 받는다는 설명도 잊지 않았다. 4,500만 원에서 30%라면 1,350만 원을 장학금으로 받는다는 소리였다. 남은 돈 3,150만 원을 우리 부부가 감당하면 되고, 입학 후 열심히 공부해서 성적장학금을 받겠다고 했다. 성적장학금은 수업료의 50%까지 감액이 된다고 했다. 더이상 할 말을 없게 만드는 아들의 태도에 숨이 거칠어지기는 했지만, 그것은 어디까지나 아들보다 못하다는 우리 부부의 못난 자존심 탓이었고, 그 끝에는 아기인 줄만 알았는데 이만큼 자라주었다는 감사함과 기특함 그리고 놀라움이 섞인 대견함이 있었다. 거기까지 생각할 필요가 없다고 여긴 것은 우리 부부의 공통된 생각이었다. 아들의 결심이 이 정도라면 망설일 필요가 없다고 생각했다. 아들의 유학이 확정되면 우리는 지금 살고 있는 집의 평수를 줄여도 전혀 상관없다고 생각했다. 그리고 아들은 무난하게 일본 센다이에 있는 국제학교에 합격했고, 입학금을 제외한 수업료와 기숙사비 30%를 감액받았다. 그토록 우리 부부의 자랑이자 삶의 보람이었던 외국어고등학교에 자퇴서를 내고 돌아나 올 때, 우리 부부는 통쾌함 비슷한 감정을 느꼈다. 남들은 오고 싶어서 안달이 난 곳에 자퇴서를 내고 유학을 간다니, 지나가는 사람들을 붙잡고 우리가 그런 아들을 낳고 기르며 살고 있는 사람들이라고 이야기하고 싶어 입이 간지러워 입술에 자꾸 침을 발랐다. 하지만 아들은 침 냄새가 난다며 우리 부부에게서 멀어져갔다.

남편의 심장혈관 조영술은 오늘이었다. 아침 7시까지 당일 입·퇴원 병실에 가입원을 하라는 문자를 받은 지 일주일이 지났고, 간호사에게 직접 전화를 받은 건 삼 일이 지났다. 하루 MT를 간다고 생각하시면 쉬워요, 라는 간호사의 목소리가 귓가를 맴돌았다. 심장혈관 조영술을 하다가 막힌 혈관을 발견하면 그 자리에서 풍선확장술과 상황에 따라 스텐트 삽입을 하게 될 수도 있는 엄연히 중대한 심장수술로 이어질 수 있는 상황이었다. 그런데 20대가 막 지났을 법한 간호사의 목소리는 정말 MT라도 가는 듯 즐거운 마음으로 병원을 방문하라는 것처럼 목소리는 높았고 심지어 경쾌하기까지 했다. 정말 간단한 시술일까, 수술이라고도 하지 않고 시술이라고 하는 걸 보면 그렇게 복잡한 수술은 아닐지도 모른다는 생각도 들었고, MT를 간다고 생각하라는 간호사의 말도 있어 나는 정말 MT를 가듯 남편의 속옷과 세면도구를 챙겼다. 무엇을 더 가지고 가야 하지 않을까 망설였지만, 짐만 더 커진다고 남편이 볼멘소리를 해서 관두었다. 센다이에 있는 아들에게는 간단한 건강검진을 하는데, 심장 관련 검사를 자세하게 한다고만 이야기해뒀다. 남편의 아버지가 심근경색으로 사망한 것을 아들은 알고 있었고, 심장병은 가족력이 상당히 영향이 있다는 걸 나도 알고 있었다. 아들이 그런 생각을 할까 봐 나는 오랜만에 하는 아들과의 국제 카톡 전화를 서둘러 끊었다. 좋은 세상이었다. 국제전화를 인터넷만 연결되면 무료로 할 수 있으니 말이다. 산꼭대기에 지은 아파트로 이사 와서 언덕배기를 오를 때마다 남편은 숨가빠했고, 왼쪽 가슴을 자꾸 손가락으로 꾹꾹 눌렀다. 아파트 입구에 다다르면 눈 주위가 파랗게 되고 얼굴은 새하얗게 변해 핏기가 없었다. 이건 아니다 싶어 심장내과 병원 예약을 하고, 검사를 한 결과 큰 병원에 가서 심혈관 조영술을 받으라는 것과 가족력에 의한 동맥경화가 의심된다는 진단이 내려졌다. 아들이 걱정되었다. 그 피가 아들에게도 흐르고 있을 것이니 말이다. 심혈관 조영술을 받기 위해 아침 7시에 대학병원에 도착했다. 비가 부슬부슬 내려서 10월 초순인데도 바람이 차가워 자꾸 움츠러들었다. 응급실 수납창구에서 접수를 하라는 문자를 받았으니 응급실로 가야 하는데, 응급한 환자가 아닌데 응급실로 가라고 하는 안내가 마음에 걸렸다. 수술이 아닌 시술이다, MT를 하루 가는 거라고 생각하면 쉽다며 간단하게 이야기했지만, 대학병원 응급실을 거쳐 가야 한다고 생각하니 결코 간단한 마음도 가벼운 마음도 들지 않았다. 자꾸 화가 나는데 왜 화가 나는지 형태는 없고 풍선처럼 부풀기만 하는 불안감이, 그게 그만 터져버릴까 봐 나는 침을 꼴딱 삼켰다. 남편은 지하철을 타고 오는 내내 말이 없었다. 새벽에 아파트 천장에서 물이 떨어져 내리기 시작해 우리 부부는 새벽 3시에 일어나 그 뒤로 잠을 자지 못했다. 간호사에게 문자를 받던 삼일 전 저녁 식탁에서 남편이 천장을 손가락으로 가리켰다. '어!'라고 하면서. 나는 그 손가락을 따라 식탁 바로 위 천장 부분에 번져가고 있는 누런 물기를 보았다. 손바닥만 한 물기가 도배지에 깊게 스며들어 있었다. '물 샌다.' 남편이 말하고, 나는 이사 와서 귀찮은 일 하나 더 생겼다고 이사 올 때 천장도 뜯어 봤어야 한다고, 볼멘소리를 식사 내내 했지만 그만한 정도에서 누수가 멈출 줄 알았다. 1층인데도 불구하고 산꼭대기에 있어 아파트 수압은 전에 살던 집처럼 강하지 못했고, 1층이라 지하처럼 어두웠다. 놀이터가 우리 집 바로 앞에 있어 밤 11시가 다 되어서까지 어린아이들이 뛰어다니며 소리를 질렀다. 그야말로 악을 써댔다. '아악!' '악!' 누가 누가 더 소리를 잘 지르는지 내기라도 하는 것처럼 아이들은 탁 트인 놀이터 공간에 나와 마음껏 소리를 질렀다. 처음에는 상자 같은 아파트 안에서 뛰어다니지도 못하고 말소리도 크게 못 내는 아이들이 놀이터라도 나와서 마음껏 뛰어놀아야 잘 크겠거니 하며 참았다. 하지만, 1층이라 아이들이 악쓰는 소리는 여과 없이 바로 우리 집 창문 틈을 비집고 들어와 곳곳에 퍼져 갔고, 벽을 울려대고 마침내는 내 머릿속까지 휘저어 놨다. 남편은 퇴근하고 들어오면 아예 귀마개를 했다. 관리실에 이야기를 할까 하다가, 놀이터에서 아이들이 놀지 그러면 어디 가서 놀라는 거예요, 라는 소리를 들을까 봐 말도 꺼내지 않았다. 달랑 한 동짜리 아파트라 몇 호 집구석 여편네가 놀이터에서 아이들이 뛰어노는 것까지 시끄럽다고 유난을 떨고 있다는 뒷담화까지 지레짐작이 가 진저리가 났다. 그저 입을 꾹 닫고 아이들이 빨리 집안으로 들어가길 간절히 바랄 뿐이었다. 집을 팔고 전셋집으로 왔지만 우리 부부는 잘 참았다. 가끔 수도에서 녹물이 나오고, 세탁기 온수에서 흙탕물이 벌컥 나와 남편 하얀 와이셔츠에 그대로 스며들어 새로 산 와이셔츠를 버리기도 했지만, 정수시설을 설치하면 된다고 애써 마음을 달랬다. 그때 아들은 카톡으로 중간 성적표를 사진으로 찍어 우리 부부에게 똑같이 보내주었다. 단 한 과목을 빼고는 A+ 성적이었다. 일본어는 B+였으나 그건 당연한 결과라고 생각했다. 유학을 떠난 지 10개월 남짓밖에 되지 않았다. 줄곧 독일어만 공부했던 아들이 유학 1년도 안 돼 일본어 성적 그러니까 국어에서 B+ 성적을 받았다는 것은 선방했다는 의미이기도 했다. 이 정도면 녹물이 나오는 아파트에 산다고 해도 우리를 무시할 사람은 아무도 없다고 생각했다. 그러다 천장에서 물이 스며들기 시작했고, 하룻밤을 자니 주방 천장에 흙탕물을 뿌려놓은 듯 흙물이 절반쯤 번져 있었다. 2층에 사는 사람에게 천장 누수로 인한 피해 사실을 알리고 누수공사를 하라고 했다. 누수공사가 끝나는 대로 우리 집 도배공사도 하려고 했는데, 도배공사는 누수공사를 마무리하고 천장이 완벽하게 마른 뒤에 하지 않으면 누수 된 누런 물이, 새 도배지에 스며든다고 했다. 그러면서 도배는 한참 뒤에 생각하라고 관리소장이 말을 했다. 우리 집 임대인에게 천장 누수 사실을 알렸다. 고생스럽게 됐다며 안타까워하는 이모티콘을 붙인 카톡 메시지를 보내왔지만, 우리 부부는 임대인 여자를 좋아하지 않았다. 전세계약 당시 예정에도 없던 500만 원을 더 올려받아야 할 사정이 생겼다고 했고, 그렇다고 계약을 취소하고 다른 집을 알아보는 것도 성가신 일이라 500만 원을 더 주고 계약을 체결했다. 나는 계속 임대인 여자의 푹 꺼진 눈두덩을 생각하며 이런 다 낡아빠진 집 한 채 가지고 있다고 갑질을 한다고 비웃었다. 그런 집에 누수가 발생했다. 우리 탓이 아니었고, 우리 집 임대인 탓도 아니었다. 2층에 살고 있는 사람을 보니 2층도 우리 집처럼 세를 살고 있고, 2층 임대인은 인도네시아 족자에 살고 있어 연락이 어렵다고 했다. 2층 사람도 당황한 기색이 역력하고 2층 임대인에게 연락해서 피해보상을 해드리겠다는 말을 들어두었지만, 어딘가 믿음직스럽지 않았다. 그러니까 하루만 전에라도 누수공사를 했으면 오늘 새벽에 그것도 남편의 심장혈관 조영술이 있는 중요한 날 새벽부터 마른천장에서 마른하늘 날벼락 같은 물벼락을 맞는 일은 없었을 것이다. 내가 요의를 느껴 새벽에 일어나 안방 문을 여는 순간, 폭포수가 떨어지는 건지 잠시 착각을 했다. 꿈을 꾸고 있나, 어디 폭포 근처에 와서 구경을 하고 있는 건 아닌지, 정말 잠깐이지만 방문을 꼭 잡은 채 천장에서 콸콸 쏟아져 내리는 물을 멍하니 보고 있었다. 사실은 어떻게 해야 할지 몰랐다. 이럴 때 머리가 하얗게 된다거나 까맣게 된다거나 하는 말이 실감이 났다. 떨어지는 물줄기에 천장 벽지는 완전히 떨어져 나가 바닥에 닿아 있었고, 주방 바닥에서부터 거실 바닥까지 흥건하게 흙물이 흐르고 있었다. 정신을 차리자마자 집안에 있는 걸레라는 걸레는 전부 끄집어내서 바닥을 닦기 시작하고, 떨어지는 흙물에 머리를 적실까 봐 그와 중에 야구 모자를 찾아 썼다. 남편은 베란다와 보일러실에 있는 양동이와 바가지같이 생긴 물을 받을 수 있는 통들을 전부 끄집어내어 물이 쏟아지는 장소 바로 아래에 받쳐두었다. 나 역시 발가락이 시리도록 젖어버린 발이었지만, 남편의 맨발이 흙물에 젖어가는 걸 보니 부아가 나 견딜 수가 없었다. 우리 부부는 저절로 쌍욕이 튀어나왔고, 남편은 이런 거지 같은 집이 다 있냐고 찰랑거리는 작은 양동이 물을 개수대에 쏟아버리며 새벽에 고래고래 소리를 질렀다. 심장에 나쁘니까 그만 진정하라고 해도 남편은 화가 풀리지 않는지 지금 당장 2층에 올라가서 항의를 해야 한다고 외투를 걸치자 나는 바닥을 닦던 걸레를 내던지고 남편의 옷자락을 붙잡고 참으라고 했다. 지금 새벽 4시다. 적어도 6시는 되어야 하지 않겠느냐 라며 간신히 남편을 달랬다. 전날 수도를 잠갔다고 했지만, 퇴근하고 들어온 2층 바깥양반이 물을 써야 하니 수도를 틀고 그걸 그대로 잊어버리고 잠이 든 모양이었다. 여름도 아닌데 물난리를 겪으면서 나는 아들은 이 꼴을 보지 않아 다행이라는 생각을 했다. 걸레만으로 부족해서 수건을 죄다 꺼내 바닥에 깔았다. 어디서 굴러들어온 지 알 수 없는 새 수건들이 구석구석 많았기 때문에 이번 기회에 너덜너덜한 수건들은 모두 다 처분해도 될 듯싶었다. 포장도 뜯지 않은 수건이 넘쳐났기 때문이었다. 새벽 5시가 되었을 때쯤, 물이 집중적으로 떨어지는 주방 쪽에 양동이들을 죄다 받쳐놨기 때문에 더이상 거실로 물이 흘러들지는 않게 되었다. 병원에도 가야 해서 일단은 씻어야 했다. 그나마 다행인 것은 남편은 심혈관 조영술로 금식을 해야 했기 때문에 아침 식사를 먹지 않아도 되었다는 거였다. 나는 어제 먹고 남아 랩으로 싸둔 사과를 냉장고에서 꺼내 빠르게 씹어 삼켰다. 단것이 먹고 싶었고, 배도 고팠다. 이런 상황에서도 뭔가를 먹어야 한다는 것이 놀라웠지만, 사과는 무척이나 달고 맛있었다. 6시까지 참지 못했다. 6시에 집을 나가야 병원에 예정대로 도착하는 것도 있었지만,

대충 봐도 7~8개가 되는 크고 작은 양동이에 물이 넘치려고 하고 있었기 때문이었다. 5시 10분쯤에 2층 사는 사람에게 미리 받아놓은 전화번호로 우리 집 상황을 그대로 찍어 사진을 전송하고, 수도를 잠그라고 말했다. 출근 준비를 했는지 아니면, 남편이 고래고래 소리를 지르고 욕을 하는 소리를 들었는지, 그도 아니면 내가 보낸 휴대폰 소리에 잠에서 깼는지 답장은 바로 왔다. 너무 죄송하다며 지금 당장 수도 잠그고, 오늘 반차 써서 회사 잠깐 다녀온 뒤에 바로 누수공사를 진행하겠다고 했다. 회사를 반드시 가야 할 사정이 있겠지 싶으면서도 이 판국에 회사를 가겠다는 2층 여자에게도 부아가 났다. 하지만 지금 화를 낸다고 해서 새벽 5시에 달려와 누수 공사를 해줄 사람도 없다고 생각하니 진정이 됐다. 2층 여자가 믿음직스럽지 않아, 예전에 화장실 좌변기가 흔들거려 고정 공사를 맡겼던 경민철물 사장에게 문자를 보냈다. 누수로 인해 집이 한강이 되었으니 문자 보는 대로 빨리 와달라고 말이다. 그사이에 남편이 샤워를 하고 나와 안방에 들어가 머리를 말리고 옷을 갈아입었다. 나는 세수만 하고 나와 거울도 보지 않고 화장을 대충 마무리하고 나니 6시였다. 병원에는 가야 하니 어쩔 수 없이 경민철물 사장에게 현관문 비밀번호를 알려주고, 2층 사람에게도 비밀번호를 알려주며 급한 일로 집을 비우니 가급적 빨리 누수공사를 하라고 했다. 물이 떨어지는 집을 그대로 두고 남편과 나는 밖으로 나왔다. 비가 쏟아지고 있었다. '에이 시팔', 이라는 소리가 남편 입에서 튀어나왔다. 좀처럼 욕을 하지 않는 사람이었다. 우산을 챙겨 나와 가면서도 병원이 지하철역과 바로 연결되어 있으니 지하철을 타고 가자는 남편의 고집에 나는 비가 내리는 것보다 더 화가 치밀었다. 이런 상황에 타라고 택시가 있는 거고, 이런 상황에 쓰라고 돈을 버는 거 아닌가. 아들이 일본유학을 떠난 뒤로 유별나게 절약을 하는 남편은 강박증처럼 물을 아끼려고 했다. 화장실에서 오줌을 누고 나면 레버를 내리지 않고, 샤워하고 남은 물을 퍼런 양동이에 모아두었다. 그러더니 모아둔 물을 바가지로 퍼서 양변기로 흘러내려 보내라고 나에게 말했지만, 나는 단박에 거절했다. 그렇게 해서 얼마를 절약하려고 그러냐고 따져 물었지만 싫으면 남편 혼자라도 하겠다고 해서 그러라고 했다. 남편의 무좀이 심해져 발톱무좀으로까지 번져서 고생을 하면서도 먹는 약을 먹지 못한 건, 남편이 B형 간염을 앓았기 때문이었다. 간에 무리가 가는 발톱무좀 치료약을 먹지 못해 남편의 엄지발톱은 썩어가는 것처럼 검게 변해갔다. 그런 상황에서 화장실 내리는 물을 모으겠다고 욕조에서 샤워하고 남은 물을 흘려보내지 않았다. 흘러내려가지 못한 물은 물웅덩이처럼 됐고, 비눗물과 살 비듬들이 둥둥 떠다녔다. 그런 더러운 물에 발을 담그고 있다가 나오니 남편이 무좀이 나을 리가 없었다. 물 아끼겠다고 무좀치료 병원비가 더 나간다고 말을 해봐도 남편은 아랑곳하지 않았다. 그렇게 아끼고 아낀 물이 공교롭게도 천장누수로 모두 쏟아진 듯했다. 2층에서 떨어진 물이니 2층에서 쓴 물이겠지만 어쨌거나 흙물과 더불어 2층 사람들의 살 비듬이 섞인 더러운 물이 야구 모자를 써서 머리카락에 닿지 않은 것이 그나마 다행이라 생각했다. 병원까지 가려면 지하철을 한 번 갈아 타야 해서 내렸는데, 하필이면 에스컬레이터가 고장이 나 수리를 하고 있는 중이었다. '에이 시팔', 이라는 소리를 남편이 한 번 더 내뱉었다. 사람들이 많아 큰 소리를 내지는 않았지만, 내 귓속에는 정확하게 들려나는 귓불이 발개졌다. 계단을 오르는 속도가 점점 떨어졌다. 남편이 가슴을 꾹꾹 누르더니 짜증이 났는지 가슴 부위를 킹콩처럼 쿵쿵 치지 시작했다. 남편의 눈가 주위가 벌겋게 물들어 있었다. 울기 일보 직전인 듯한 표정이었다. 마음처럼 되지 않아 속상하고 답답하다는 게 표정에 그대로 녹아 있어, 보는 나도 답답해 숨이 막혔다. 그때 내 옆으로 반바지에 반팔을 입은 얼핏 봐도 체격이 튼실한 청년 하나가 계단을 두 계단씩 성큼성큼 올라가는 허벅지가 눈에 들어왔다. 튼실한 허벅지였다. 살결이 찰지고 단단했으며 햇빛에 그을려 있었다. 새벽 같은 아침 시간에 그것도 10월 막바지라 싸늘한 날씨였는데, 운동선수라도 되는 듯 몸에 착 달라붙는 반바지와 반팔은 육감적이었다. 남편이 킹콩처럼 가슴을 치는 손을 막아서면서도 나는 계단을 밟고 올라가는 청년의 볼록한 엉덩이와 다리선 그리고 맨발에 스포츠화를 신어 맨발목이 그대로 보이는 청년의 아킬레스건을 눈으로 좇았다. 강철 같은 튼튼함과 곧게 뻗은 아킬레스건을 보며 나는 젖꼭지가 딱딱해지고 팔등의 잔털들이 일어나는 걸 느꼈다. 누가볼까 봐 특히 남편이 알아챌까 봐 나는 청년의 발뒤꿈치에 머물던 시선을 서둘러 거둬들였다. 남편에게 조금만 참으라고 말하면서도 사라져가는 청년의 뒤태를 슬쩍슬쩍 넘겨다 봤다. 탐스러운 몸매였다. 남편을 달래 계단을 오르면서 나는 남편의 뒤로 가 허리를 밀었다. 천천히 가자고, 아직 7시 전이라고 그렇게 말하면서 남편의 허리를 받쳐주었다. 그러면서 보이는 남편의 납작한 엉덩이로 헐렁한 바지가 눈에 들어왔다. 남편은 유난히 엉덩이에 살이 없었다. 살을 섞은 지가 언제인지 기억이 가물가물할 정도로 서로의 몸에 손을 대지 않은 지 오래였지만, 남편의 납작한 엉덩이는 늘 못마땅했다. 아들을 낳고 키우면서 아들의 엉덩이도 남편을 닮아 납작할까 봐 나는 부러 아들을 엎드려 눕혀놓을 때가 많았고, 엉덩이에 바디로션을 발라주면서 위로 더욱 솟구치도록 살을 모아 주무르듯 마사지를 해주었다. 아들은 다행히도 납작 엉덩이로 자라지 않았다. 오늘 새벽 요의를 느껴 깼을 때 나는 눈을 번쩍 떴다. 천장에서 떨어지는 물소리 때문이 아니었다. 물소리를 깨달은 건 몇 초 뒤였다. 꿈에서 젊은 남자가 한 풀 한 풀 내 앞에서 옷을 벗었다. 남자의 드러나는 맨살은 탱탱하고 반질거렸다. 손가락을 대 보고 싶은 걸 참느라 손가락에 깍지를 꼈다. 나는 신음 소리를 내고 있었다. 내가 신음 소리를 내자 남편이 부스럭거린 거였고, 내가 눈을 번쩍 떴을 때 남편은 잠꼬대를 하는 내 목소리에 짜증이 나 깨어 있었다. 이 여편네가 무슨 꿈을 꾸길래 몸을 배배 꼬면서 고양이 소리를 내냐고 투덜거리는 소리가 들렸지만, 그것은 꿈속에서 발가벗은 남자에게 검은 망토를 씌우고 가리며 '에이 시팔', 거리는 남편의 꿈속 목소리라고 생각했다. 아들의 이른 유학으로 인해 나는 엄마로서 해야 할 일들에서 해방이 되었다. 내 유일한 관심이자 힘의 원천이라고 할 수 있는 아들과 떨어져 살게 된 것이다. 비행기로 2시간이면 날아가서 만날 수 있다고 하지만, 비행기로 2시간일 뿐이지 실제로 아들을 만나기 위해서는 아들의 학교 일정과 기숙사 면회 기준을 지켜야 했으며, 그 날짜를 맞추는 것이 좀처럼 어려웠다. 방학 때는 돌아오겠지 했지만 아들은 방학 때 일본어 공부를 한다며 집으로 오지 않았다. 아들을 만나러 센다이까지 갔을 때 아들은 한국의 고등학생들처럼 새벽에 별을 보고 나가더니 밤에 달을 보고 들어와서는 또 공부를 했다. 좁은 기숙사 방 한 칸에 남편과 내가 있으니 발 디딜 곳도 없었다. '다음부터는 제가 서울로 갈 테니까 무리해서 오지 마세요', 라는 말을 기어코 들은 우리 부부는 둘 다 시선 둘 곳을 찾지 못해 헛기침만 했다. 기껏 같이 한다는 것이 하루 온천 여행을 간 거였지만, 센다이 온천물에 들어가 남편은 이거 혹시 방사능에 오염된 건 아닌지 하며 아들에게 묻고 또 물어 부자간에 쌍욕만 오고 가지 않았지 목소리가 높아졌고, 그런 날 선 날들에 중간에서 그만 한국으로 돌아와 버리고 싶었던 건 다름 아닌 나였다. 아들은 잘 자라주었고, 공부도 열심히 했다. 국제학교에 전교생이 500명이 넘는데, 거기서 10등 안에 든다고 하니 아들이 무엇을 한다고 한들 아까울 것이 없었다. 지금 살고 있는 아파트보다 더 좁고 누추한 곳으로 가도 아무 불만이 없었다. 아들은 외탁을 해서 남편을 닮지 않고 내 아버지를 쏙 빼닮았다. 남편 쪽은 남편을 제외하고 시아버지나

시아주버니, 시동생도 대머리여서 걱정을 했었다. 남편이 마른 몸에 대머리까지 됐다면 나는 애초 결혼을 하지 않았을 거였다. 남편 집에 처음으로 인사를 가는데 놀랐던 건, 남편 집 남자들은 전부 머리숱이 거의 없다는 거였다. 심지어 시어머니까지 머리 안쪽이 휑해서 숱이 많은 남편이 친아들이 아니라 데려다 키운 자식이 아닌지 의심을 할 정도였다. 아들이 친가 쪽을 닮은 건 급한 성질 단 하나뿐, 외모부터 말투, 표정에까지 전부 내 아버지를 그대로 닮았다. 아버지는 영화 조명기사였다. 영화배우가 꿈이어서 영화판에 뛰어들었고, 외모에 자신이 있어 오디션도 몇 번 보고 영화에 단역으로도 출연했다. 하지만 누가 봐도 아버지의 잘생긴 얼굴보다 더 잘 생겨서 더이상 어떻게 해볼 수 없는 배우 세계의 남배우들을 보고 아버지는 배우의 길을 접고, 그 배우들을 더욱 빛나게 하는 조명기술을 배워 영화계에 남았다. 아버지는 글도 잘 써서 시나리오를 쓴 적도 있고, 그것이 영화감독에 눈에 들어 상당 부분 고치기는 했지만 영화로 상영된 적도 있었다. 물론 시나리오 작가로는 인정받지 못했다. 하지만 영화에 대한 열정만큼은 인정받아 조명기사로서 더욱 확고한 입지를 다져갔다. 영화배우만큼 잘생기지는 않았어도 어디 가서 빠지지 않는 외모는 여러 여자들이 항상 주변에서 들끓게 만들었는데, 아버지는 평생 엄마 한 사람 외에는 품은 적이 없을 정도로 순애보였다. 아들이 그런 아버지의 순애보를 닮기를 바라지만 아직 고등학교 2학년 국제학교 11학년의 나이에 거론하기에는 이른 감이 있다고 생각했다. 아들이 떠난 뒤로 집은 더욱 휑했고, 남편은 납작한 엉덩이는 변함없이 납작했다. 하루가 다르게 솟아나오는 뱃살을 떼어 엉덩이에 붙이면 얼마나 좋을까 콩나물 무침을 먹으며 생각했다. 요새 왜 이렇게 맵게 음식을 하냐고 투덜거리는 남편에게 콩나물 하나 무치려면 얼마나 손이 가는 줄 아느냐고, 마트 가서 신선한 콩나물 사와야 하지, 다듬어야 하지, 씻어야 하지, 삶아야 하지, 건져서 물기 빼고 짜야지, 양념해서 보기 좋게 담아야 하지, 이렇게 한 접시에 턱 올라 있으니 그냥 별거 아닌 반찬 같지만 그게 그런 게 아니라고 일장연설을 하니 남편이 미안했는지, 목소리를 낮춰 '좀 덜 맵게 하라고 누가 힘든 거 몰라', 그러면서 말끝을 흐렸다. 아들이 일본으로 떠난 뒤에 나는 약간의 우울증이 와서 예민해졌고, 그러다 정말 안 될 거 같아 정신과에 가서 상담을 받고 신경안정제와 수면유도제 약을 처방받아 먹고 있었다. 남편은 그런 상황을 알고 내 눈치를 보기 시작한 지가 오래였다. 남편이 출근한 뒤 설거지를 하고 나도 서둘러 출근준비를 하고 도서관으로 향하는데, 시민공원에서 아침부터 운동을 하는 젊은이들이 수십 명이 넘게 보였다. 상의를 탈의한 채로 반바지도 더운지 반바지를 또다시 반으로 말아 올려 팬티처럼 입은 사내들이 구간 반복 달리기를 하고 있었다. 초를 재고 있는 사람은 공무원 체력학원의 강사였다. 상의를 입고 있는 학생 뒤에 새겨져 있는 글자에는 '공무원 체력 ○○학원'이라고 적혀 있었다. 경찰공무원이나 소방공무원을 준비하는 청년들이었다. 땀을 뚝뚝 흘리면서도 정해진 초안에 왕복 달리기를 못하면 안 되는 것인지, 청년들은 필사적이었다. 하나같이 탄력이 넘치는 근육질의 몸이었다. 상의를 탈의한 청년들이 절반 정도였는데, 뱃살에 새겨진 왕(王)자 근육은 정말 저렇게 왕(王)자가 생기는구나 할 정도로 내 눈을 떼어놓지 못하게 했다. 나는 출근을 하는 바쁜 와중에 느닷없이 그 상의를 탈의한 청년 중에 가장 탄력이 넘치는 몸매에 각이 진 얼굴을 한 사내의 살을 한번만 만져보고 싶다는 생각을 했다. 어떤 느낌일까. 등에서 살 비듬이 떨어지는 남편이 등을 긁어달라고 윗옷을 홀러덩 벗고 등판을 내밀 때가 있다. 여드름 자국인지 모낭염 자국인지가 상처처럼 남아 울긋불긋하고 어떤 곳은 살이 패인 곳에 블랙헤드 같은 것이 보일 때는 나도 모르게 얼굴을 찡그렸다. 샤워할 때 때수건으로 등 좀 깨끗하게 닦으라고 하자, 당신이 닦아주면 안 되느냐며 곰살맞게 웃는 걸 보며, 이 불쌍한 인간을 내가 아니면 누가 거둬주겠는가 하며 웃고 넘기다가도, 등을 다 긁고 나서 손톱 안으로 살 기름이 묻어 있을 때, 그리고 그 살 기름을 무의식중에 코로 가져가 냄새를 맡고 나서는 그동안 남편과 어떻게 살을 섞고 살아왔는지 이해할 수 없는 일이며 앞으로도 살을 섞을 일은 절대 없을 거라고 다짐했다. 그러면 그럴수록 꿈에 젊은 청년들의 허벅지가 나오거나 가슴 근육이 나올 때가 많아 나는 두 다리를 비벼댔다.

11시가 넘어가는 데도 수술 방에서는 기별이 없었다. 그 사이에 네다섯 번 간호사에게 가 독촉을 했으나, 앞선 60대

환자가 응급수술로 바뀌면서 시간이 많이 뒤로 밀리게 됐다고 했다. 하루 입원 병실을 보니 남자가 총 6명, 여자가 총 2명 하루에 8명만 시술을 진행하는 것 같았다. 이번처럼 앞선 사람의 스텐트 시술이 수술로 변하거나 하면 시간은 더 뒤로 밀려났다. 하루 입원 병실에 들어선 건 정확히 7시였다. 그런데도 벌써 병실은 환자들로 가득 찼고, 우리 부부가 제일 늦게 왔다. 당연히 온 순서대로 시술이 진행된다고 간호사가 말을 했지만, 다들 어디서 정보를 알고 7시 전에 와서는 환자복을 갈아입고 링거를 꽂고 누워있는 건지 알 수 없었다. 그중에 가장 위중해 보이는 할아버지 한 분은 병실 가장 안쪽 침대에 누워 있었는데, 햇빛이 들어온다고 커튼을 치라고 부인인 듯한 할머니에게 지시했다. 다른 환자들도 있는데, 우리가 마음대로 커튼을 치면 되냐고 나무라듯 할머니가 할아버지에게 대꾸를 했지만, 벌떡 성을 내며 병원에서 환자가 제일 우선이지 뭐가 우선이야 하면서 커튼을 치라고 다시 한 번 이야기했다. 벽 한 면이 전부 창문으로 되어 있던 병실에 커튼을 치니 어두컴컴해졌다. 남편에게 제공된 건 침대가 아니라 높낮이가 자동으로 조절되는 안마의자 같은 의자였다. 그리고 바로 앞에 화장실이 있었고, 화장실 위로 심혈관 조영술에 관한 설명과 주의사항, 수술 과정, 수술 후의 부작용 등에 대해 반복 설명하는 TV 화면을 틀어놓고 있었다. 자리 배정상 가장 좋지 못한 환경이었으나, 그런 건 신경 쓸 틈이 없었다. 그사이에 경민철물 사장님에게 전화가 와서 병실 밖으로 나가 휴대폰을 붙잡고 누수 상황을 하나하나 자세

58

하게 설명해야 했다. 그때가 7시 30분쯤이었다. 경민철물 사장님이 그때쯤 일어나 내 문자를 본 듯했다. 물이 계속 떨어지냐고 물었다. 계속 떨어지는 것뿐만 아니라 쏟아지고 있다고 말했다. 받쳐놓은 양동이가 언제 차 흘러넘칠지, 벌써 차고 넘쳐 거실바닥이며 집 전체가 물바다가 됐을 거라고 빨리 조치를 취해달라고 했다. 우리 집 임대인에게도 카톡으로 집 상황을 사진으로 보내고, 누수 사실을 알려줘야 할 듯해 메시지를 남겼다. 5분도 안 되는 사이였는데, 남편은 그사이 환자복으로 갈아입고 링거를 꽂더니 손가락만한 관에 피를 두 통 정도 뽑는 중이었다. 남편이 나에게 윙크를 하며 사진을 찍으라고 다른 손으로 카메라 셔터를 누르는 손짓을 했다. 이 상황에서 여유롭게 웃으며 사진을 찍어달라는 말이 어떻게 나오는지 나는 알 길이 없었다. 그러고 보니 아들이 외고에 입학해 중간고사 때 예비 마킹을 다 해놓았는데, 그만 문제 하나에 집중하는 바람에 컴퓨터용 사인펜으로 덧칠하는 마킹을 하지 못해 한 과목 전체가 0점 처리된 적이 있었다. 하늘이 무너지고 땅이 꺼지는 일이라 도서관에서 전화를 받다가 나도 모르게 '네에?'라며 도서관 천장이 울릴 정도로 소리를 질렀다. 그런데도 아들은 뭐가 신이 났는지 집에 돌아와 계란을 두 개나 풀어 넣은 라면을 끓여 먹더니 옷을 훌렁 벗고 속옷 차림으로 침대에 누워 코를 골며 잤다. 나는 너무나도 속이 상해 그런 아들의 등짝을 후려치려다 잠이 든 아들을 향해 잔소리를 쏟아냈다. 아들은 여전히 코를 골며 잠을 잤고 나는 입에 침이 마르고 목이 말라 말을 멈추었다. 남편이 들어와 호되게 혼을 내 주길 바랐지만 그럴 수도 있는 거 아니냐며 속 편한 소리를 했다. 남편이 전에 없이 피자를 한 판 시키더니 부자가 사이좋게 나눠 먹으며 내 속을 더 뒤집어놓았으나 그날도 어찌어찌 어물쩍 넘어간 걸 기억해냈다. 외탁을 했지만 아들의 몸속에는 남편의 피가 흐르고 있는 것이 분명했다. 나는 얼굴을 잔뜩 찡그리고 이 판국에 무슨 사진이냐고 오만상을 지었지만, 남편은 간호사가 피를 빼는 그 상황에도 나와 눈이 마주치면 애살을 떨고 볼을 부풀려 붕어 입을 해서는 사진 찍어줘라는 입 모양을 했다. 병원올 때 '시팔, 시팔' 거리던 모습은 온데간데없었다. 나는 죽은 사람 소원도 들어준다는데 하면서, 들고 있던 휴대폰으로 남편의 피 뽑는 모습을 대충 찍었다. 사진 셔터 소리에 놀란 간호사가 갑자기 나를 홱 돌아보더니, '저기요, 저한테도 초상권이 있어요. 사진 찍지 말아 주실래요?'라고 말했다. 나는 너무나 당황스러웠다. 간호사 얼굴은 찍지도 않았다. 그런데 초상권이라니, 그래서 내가 '간호사님 손만 들어갔어요', 라고 대꾸했다. 간호사는 내게서 고개를 돌리고 다시 피를 뽑으며, '제 손도 초상권이 있습니다. 사진 지워주세요', 라고 했다. 남편은 먼 데를 쳐다보며 애초에 사진과는 아무런 관계가 없는 사람의 얼굴을 했다. 모든 것이 내 잘못이 된 듯했다. 주변 병실에 있던 환자와 보호자가 일제히 우리를 쳐다봤고, 특히 나를 한심하게 쳐다봤다. 이 판국에 사진이라니…… 철이 없는 여편네구만, 이라는 표정에 기가 막혀 말이 안 나왔고, 간호사의 도발적인 태도에 손이 떨렸지만 나는 멋쩍은 웃음을 지으며 굳어가는 것 외에 할 게 없었다. 그렇다고 아픈 남편에게 '이 인간이 시킨 일이에요, 저는 아무 잘못 없어요', 라고 할 수 있는 일도 아니었다. 언제나 방패막이되어주지 않는 남편이 정말 얄밉고 서운해서 나는 별것도 아닌 일에 코까지 빨개지려고 했다. 간호사가 피를 다 뽑고 그래도 본인 말투가 사나웠다는 걸, 그래서 보호자가 민원이라도 제기할지 모를까 봐 우리 부부만 돌아보며 젊으신 분이니시술 잘 될 거라고, 걱정하지 말라는 말을 하고 병실을 나갔다. 풍선처럼 부풀러 오른 화가 조금은 누그러지는 듯했다. 제일 위중하게 보이던 할아버지는 고단했는지 얼마 뒤 코를골며 잠이 들었고, 보호자 의자에 앉아 있는 내 눈 정면으로반복되는 심혈관 조영술 시술 영상을 나는 멍하니 보고 있는거 외 달리 할 일이 없었다. 8시 30분이 넘어서야 수술 방에서 연락이 와서 한 명씩 수술 방으로 내려가기 시작했다. 그리고 주춤했던 비가 다시 내리기 시작했는데, 살짝 비치던햇빛은 온데간데없고 하늘에 먹구름이 언제 끼었는지 비는멈출 기세 없이 세차게 내리기 시작했다. 하루 입원 병실은16층에 있었다. 16층에서 내려다보이는 서울 시내가 물에젖어 들어갔다. 나는 자꾸 브래지어 끈을 잡아당기고 싶어졌다. 아들을 낳고 모유 수유를 했는데, 그러고도 남은 모유가브래지어를 적실 때가 많아 아예 브래지어를 하지 않고 있을때가 많았다. 그러면 남편은 능글맞게도 퇴근하고 들어와 그런 내 가슴에 찬 손을 쑥 집어넣어 나를 기겁하게 만들었다. 그 남편의 손길이 싫었다는 걸 나는 지금 병실에서 다시금

되새기고 있었다. 심혈관 조영술 관련 영상을 열 번도 넘게 반복해서 시청하던 중에 마음 한 자락에 걸리는 게 있었다. 시술 중 부작용이었는데, 극히 드물게 심근경색으로 급사하는 경우가 있다고 하는 자막이었다. 대부분은 왼 손목 혈관을 절개하고 그 사이로 길고 가는 관을 집어넣어 심장에 있는 대동맥에 조영제를 집어넣고 막힌 혈관을 찾고 막혔으면 풍선 확장술이나 스텐트 삽입을 하고 끝나는 간단한 시술이지만, 극히 드물게 사망할 수 있다는 말이 앞뒤가 맞지 않아 머리는 더 혼란스러웠다. 남편은 아예 영상을 시청하지 않고, 의자를 뒤로 완전히 젖혀서는 코를 살짝 골며 선잠에 빠져 있었다. 그사이에 대부분의 시술 대기 환자들이 수술 방에 다녀왔고, 돌아와서는 통증에 힘겨워하며 사색이 된 얼굴에 퀭해진 두 눈을 껌뻑거리며 숨을 몰아쉬었다. 그때, 가장 위중해 보이던 할아버지가 수술 방에서 올라오며 의사 말로는 자신의 혈관 나이가 40대라며 허허 웃었다. 살아서 들어와 죽어서 나갈 줄 알았는데, 혈관 나이가 40밖에 안 됐다고 하며 묻지도 않은 말을 병실 전체가 다 울릴 정도로 하며 퇴원 준비를 했다. 경민철물 사장님으로부터 집 상황을 봤다는 메시지가 들어왔고, 2층 임차인이 반차를 내고 집에 돌아오면 바로 누수탐지를 한 뒤 공사를 진행하겠다고 했다. 그사이에 물은 차고 넘쳐 집안에 가구들이며 가전제품들이 둥둥 떠다니는 상상이 들었다. 눈을 뜨면 심혈관 조영술 영상에서 사망할 수 있다는 자막이 눈에 들어왔고, 눈을 감으면 물바다가 된 집에서 떠다니는 그릇들과 가재도구가 떠올랐다. 심

62

혈관 조영술을 받아야 할 건 남편이 아니라 내가 아닐까, 나는 가슴이 벌렁거렸다. 11시 30분이 넘어서 수술 방에서 내려오라는 연락을 받았다. 점심시간이 30분 남은 시간이었다. 30분 만에 시술을 할 수 있는 것인지, 의사들은 밥도 안 먹고 수술을 하는 건지 나는 남편이 휠체어를 타는 걸 도와주며 수술 방이 있는 3층으로 내려갔다. 대학병원이라 휠체어로 환자가 가야 할 곳을 안내해주는 헬퍼가 있었다. 나는 자꾸 추워져서 팔짱을 끼고 몸을 감싸 안는데, 남편이나 헬퍼는 별로 추워하는 기색이 없었다. 더구나 헬퍼는 반팔을 입고 있었다. 둘러보니 간호사들 대부분 반팔이었다. 이리저리 뛰어다니느라 정신들이 없겠지, 그렇게 생각하며 반팔의 헬퍼들은 이해했지만, 남편의 태연한 태도에 한편으로 고맙기도 하고, 너무 놀라 경황이 없어 춥다 덥다도 모르는 건 아닐까 걱정이 되어 자꾸 춥지 않느냐고 물어도 남편은 손을 내저었다. 수술 방이 가까워져 오고 수술 방문이 열리고 수술 방 옆 대기실에서 잠시 대기하는 동안에서야 남편의 표정이 굳어져 갔다. 이제 진짜 시술을 하게 되는 것이다. 조금 있으면 이름을 부를 것이고, 남편이 수술 방으로 들어갈 것이다. 수술 방을 정리하고 남편의 차트와 자료화면 등을 보고 준비를 하고 있는 의사들과 간호사의 분주한 모습이 대기실에서 살짝 보였다. MT를 하루 가는 가벼운 마음으로 시술을 받으라던 간호사의 말은 모두 거짓말 같았다. 수술 방은 크고 넓었고, 이름 모를 각종 기계들과 화면들이 벽면을 가득 채웠다. 셀 수 없는 전선들이 숲을 이루고 있는 것처럼 주렁주렁

달려 있었고, 숨을 조여 오는 것 같은 기계음들이 끊이지 않았다. 남편의 이름이 불렸다. 수술 모자가 체크무늬로 되어 있는 의사가 와서 이제부터 시술에 들어갈 거라고 했다. 남편의 휠체어 손잡이를 의사가 잡고 휠체어를 수술 방으로 돌리려던 순간 남편이 손을 들어 나에게 인사를 했다. 나는 자리에서 일어나 손을 흔들어 잘 받고 오라고, 중얼거리며 수술 방으로 들어가는 남편 뒤를 따랐다. 수술 방 안에는 남편을 데리러 온 의사 말고도 의사인지 간호사인지 모를 수술복을 입고 있는 의료진이 6~7명은 있었다. 수술 방 자동문이 닫히면서 내 발걸음도 멈췄다. 더이상 따라 들어갈 수 없었다. '시술이라고 했잖아', 나는 다시 한 번 중얼거렸다. 새벽 3시에 안방 문을 열었을 때, 천장에서 폭포처럼 물이 떨어져 내리는 상황에서 아무것도 할 수 없다는 걸 깨닫기까지 그렇게 잠시 동안 서 있었던 것처럼 나는 남편이 들어간 수술 방문이 닫히는 걸 멍하니 바라봤다. 누수 때는 걸레라도 가져가서 바닥에 떨어진 물을 흡수하고 닦고, 양동이라도 받쳐놓을 수 있었지만, 지금 나는 기다리는 것 외에 아무것도 할 수 있는 게 없었다.

누수탐지가 끝났고, 누수가 된 곳을 발견했으며, 공사는 잘 마무리 됐다는 메시지가 2층 임차인에게 들어와 있었다. 피해를 주어 정말 죄송하다는 말을 덧붙였지만, 죄송하다는 말로 끝나기에는 아직 가야 할 길이 먼, 천장 석고보드 교체 공사와 도배공사가 남아 있었다. 누수가 됐을 때, 석고보드가 전무 젖어버렸으니 새로 교체해야 할 것이고, 천장이 바짝 마르기까지는 일주일은 기다려야 할 일이었다. 물에 푹 젖어버린 바닥은 또 어떻게 하고, 누수천장 바로 아래 있던 냉장고는 물에 흠뻑 젖어 그걸 또 언제 다 닦아내며, 수건이란 수건은 죄다 꺼내 바닥을 닦았으니 무엇으로 몸을 닦고 얼굴을 닦아야 할 지 모를 일이었다. 그나마 누수를 잡았다니 이 얼마나 다행인가 싶어 한숨을 돌리고, 환자 대기실로 올라가려는데, 수술 방에서 간호사가 나오더니 올라가지 말고, 수술 방 옆에서 잠깐 기다리라고 집도의가 한 말을 그대로 전했다. 잠깐이라고 했지만, 수술 방 옆 대기실에 보호자는 나 말고 아무도 없었다. 환자들이 수술 방에 들어가면 보호자들은 곧바로 16층 하루 입원 병실로 올라가 대기하다 수술이 끝나면 내려오는 방식이었다. 그런데 왜 나만 올라가지 말고 기다리라고 하는 건가, 남편이 앉았던 높이 조절 의자에 앉아 선잠이라도 청하려고 했는데, 그럴 상황이 아닌가, 갑자기 온갖 생각에 불안해지기 시작했다. 시술이라고 했다. MT를 다녀오는 거라고 생각하라고 하지 않았는가. 거짓말인 줄 알았지만, 그래도 나는 그 경쾌한 목소리의 간호사의 말을 믿고 싶었다. 10분이 지나고, 15분이 지나고, 20분이 지나갔다. 잠깐 기다리라고 했는데, 20분이 지나 25분이 지나고 30분이 넘어가고 있는 건 잠깐이 아니지 않은가. 나는 자리에서 일어나 서성거리기 시작했다. 앉아만 있을 수가 없었다. 16층 하루 입원 병실 TV 화면에서 반복해서 나오던 심혈관 조영술의 부작용에 대한 단어들이 명징하게 머릿속을 휘저었다. 40

분이 지났을 때쯤 집도의가 직접 나와 대기실을 서성이던 나를 불렀다. 투명 유리 넘어 수술 방이 바로 보이는 조정실로 나를 안내했다. 수술과정에 대한 설명을 하기 위해서였다. 상황을 봐서는 간단한 시술이 결코 아닌 상황이었다. 누수는 쉽게 잡혔다는데, 그래서 더이상 천장에서 물이 떨어지지 않는다는데, 이제 더이상 남편이 '에이 시팔'이라고 할 필요가 없는 상황이 됐는데, 아들이 아직 일본에서 국제학교에 다니고 있는데, 나는 집도의가 자리를 내어주며 앉으라고 한 의자에 앉아 집도의가 가리키는 화면을 보았다. 심장이 뛰고 있는 화면이었다. 심장을 감싸고 있는 혈관에 혈액이 흐르는 모습이 보였다. 심장이 뛸 때마다 혈액이 혈관을 통해 공급되는 모습이었다.

'심장에 대동맥이 3개가 있습니다. 지금 남편분은 3개의 대동맥 중 한 개의 대동맥이 90% 이상 막혀 있어 사실상 기능을 하지 못하고 있어요. 조금만 더 늦었으면 큰일 날 뻔했습니다. 잘 오셨어요. 정말, 잘 오셨습니다.'

집도의는 자기 가족이라도 되는 듯이 정말 다행이라는 표정으로 나를 바라봤다. 나는 그런 집도의에 말에도 공포에 질린 표정을 어떻게 할 수가 없었다. 조정실 유리창 너머로 옆으로 누워 눈을 감고 고통을 참고 있는 남편의 얼굴이 보였다. 브이자를 보이며 사진을 찍어달라고 하던 모습이 바로 몇 시간 전이었다.

'막힌 혈관에 풍선 확장술을 하고 이것만으로는 되지 않아 스텐트를 두 개 삽입할 거예요. 여기하고 여기입니다. 이 외에는 한 곳 혈관이 50% 정도 막혀 있어 걱정이 됩니다만, 여기까지 스텐트 삽입을 하면 다른 혈관이 막힐 수가 있어, 이건 약 먹으면서 운동하며 조절하시면 될 듯해요. 가슴을 열고 수술을 해도 되고, 스텐트 삽입을 해도 되는데, 본인께서 강하게 스텐트 삽입을 원하세요.'

'…… 가슴을… 열고, 수술을 하면 더 좋은가요?'

나는 겨우 입술을 떼어 질문을 했다. 집도의는 별 차이가 없다고 했다. 그렇다면 입원을 오래 해야 하는 수술보다는 가슴을 열지 않는 스텐트 삽입이 좋겠다고 내가 말했다. 집도의는 알겠다고 하며 지금부터 시술이 아닌, 수술을 할 거라고 했다. '수술'이라고 말할 때의 집도의의 얼굴 근육에 힘이 들어가는 게 보였다. 그리고 잠깐 기침을 하더니 말을 이었다.

'수술 중에 응급상황이 발생할 수 있어요. 심근경색이 올 수도 있고 중환자실로 바로 가야 할 수도 있습니다. 거의 문제 없겠지만, 마음에 준비는 해두세요.'

집도의에게 잘 부탁드린다고 코가 땅에 닿을 정도로 고개를 숙여 인사하며 조정실을 나왔다. 병원에 올 때 계단을 올라가는 청년의 허벅지와 발목의 아킬레스건을 보며 침을 삼키던 내가 부끄러워졌다. 남편을 옆에 두고, 그것도 심장수술을 하려고 병원에 가는 남편을 옆에 두고 아들뻘이나 될 만한 청년의 맨살을 보고 젖꼭지에 힘이 들어가는 나는 도대체 어떻게 된 인간인지 모를 일이었다. 두 손을 마주 잡고 대기실에 들어와 의자에 앉아 기도를 했다. 할 수 있는 게 그것밖에 없었다. 남편이 지금 이렇게 죽으면 안 된다. 수술 중에 심근경색이라도 와서 심정지가 되거나 해서 중환자실에 가면 그걸로 끝이었다. 마지막 인사도 제대로 못했다. 시술이라는 말만 믿고 잘 갔다 올게, 잘 다녀와, 이 말이 우리 부부가 한 말의 전부였다. 아들도 일본에서 와야 했다. 아버지의 마지막 모습은 봐야 하지 않겠는가. 아들에게 전화를 해야 한다고 생각하고 휴대폰을 드는데 손이 떨려 화면 터치가 잘 되지 않았다. 휴대폰 위로 물이 계속 떨어져 병원에서도 누수가 일어나는 건지 나는 자꾸 천장을 보았다. 하지만, 병원 천장은 하얗고 하얘 더이상은 하얄 수 없는 색깔로 나를 내려다보고 있었다. 눈물은 눈가를 지나 귓바퀴 안으로 고여 들었다.

'제 남은 생명의 반을 주겠으니, 살려만 주세요.'

나는 나도 모르게 휴대폰이 '신'이라도 되는 듯 꼭 부여잡고 기도를 했다. 대기실에는 아무도 없었기 때문에 나는 소리를 내서 기도를 했다. 남편이 불쌍해지기 시작했다. 수술하는 날 아침에 물벼락을 받더니, 아픈 사람이 맨발이 새빨갛게 될 정도로 찬물에 담그며 걸레질을 하고 양동이를 받치고, 그게 마지막이어서는 안 되는 일이라고 생각했다. 버는 돈 전부 저금을 하고 그 돈의 상당 부분을 유학하는 아들에게 다 보내고 나서, 수도비를 아낀다고 샤워한 물을 양동이에 모아 화장실 변기 물을 내리는 사람이었다. 난방비가 아깝다고 집에서 내복을 벗지 않고 양말도 신고 있는 사람이었다. 그런 사람이었는데, 마누라라는 나는 젊은 남자들 맨살만 보면 침을 꿀떡 꿀떡 삼키며 꿈에서까지 젊은 남자들 품에 안겨있는 꿈을 꾸고 있는 걸 알고 있다면, 이런 나의 귓싸대기라도 한 대 갈기

고 저세상으로 가더라고 가야지 이렇게 보내서는 안 된다고
나는 기도를 하고 또 기도를 했다. 우리 집 천장에 누수를 발
견한 남편의 말대로 그때 바로 2층에 알리고 누수 공사를 했
다면 집에 물난리는 나지 않았을 것이다. 아니, 이사 올 때 천
장 도배를 했다면, 천장 석고보드가 젖어 있는 걸 발견할 수
도 있었다. 시술이라고 해서, MT를 다녀오는 거라고 생각하
라고 해서, 그렇게만 생각하고 마음의 준비를 하지 않았던 내
가 한심했다. 남편이 이대로 수술하다가 죽어버리면, 나는 맨
살의 청년들과 다시 결혼이라도 할 수 있는 건가, 씨알도 먹
히지 않을 소리이다. 남편만 늙어 엉덩이 살이 배로 몰린 것
이 아니다. 나 역시 그만큼 세월의 더께가 끼어 볼살이며 목
살, 팔뚝 살이며 옆구리 살 그리고 아랫배가 늘어진 모습을
감출 수가 없는 아줌마였다.

  '수술 잘 됐어요. 이리 오세요. 잘 됐습니다.'

  집도의의 목소리를 듣자마자 보인 건 집도의가 수술을 막
끝내고 반쯤 몸을 내밀어 대기실에 있는 나를 부를 때였다.
나는 고개를 번쩍 들어 집도의를 보았으나 집도의는 이미 조
정실로 들어간 뒤였다. 조정실에 들어갔을 때 남편은 휠체어
에 앉아 있었다. 침대에 누워 있을 거라고 예상했는데, 휠체
어에 앉아 있어 살아 있다는 실감이 났다. 들어가자마자 남편
의 얼굴을 들여다보며 괜찮냐고 물었다. 그렁그렁한 내 눈은
보지도 않고, 통증을 참으며 고개를 끄덕이던 남편이 눈을 감
았다. 살았구나, 살았어, 한순간에 막혔던 피가 혈관 곳곳으
로 빠르게 도는 느낌이 온몸으로 번져갔다. 수술은 남편이 받

았는데, 남편의 통증을 그대로 느끼기라도 하는 것처럼 나는 몸을 떨었다. 스텐트 삽입을 두 개 했고, 스텐트 삽입 후에 혈관에 혈액이 왕성하게 도는 걸 화면으로 보여주는 집도의의 표정에는 보람이 가득해 보였다. 허락을 해준다면 그런 집도의의 손이라도 잡고 그 손등에 입이라도 맞추고 싶은 심정이었다. 내가 이토록 납작한 엉덩이의 남편에게 절실했는지, 새삼 깨닫게 되었다. 남편의 막힌 혈관을 뚫었다. 더불어 우리 집 천장의 누수도 막았다. 더이상 천장에서 물이 새거나, 남편의 심장 대동맥 중 하나에 피가 흐르지 않는 현상은 일어나지 않을 것이다.

카톡이 들어온 건 그때였다. 아들이었다. 부자지간은 속일 수가 없는가 보다, 라고 생각했다. 아버지가 위기에 있는 걸 본능적으로 알아낸 것이라고 똑똑한 우리 아들이니 그런 거라고 생각하며 메시지를 읽어 내려갔다. 메시지의 내용에 남편의 안부나 나의 안부를 묻는 말은 단 한마디도 없었다. '리에'라는 일본이름의 여자 친구 이야기였다.

'엄마, 리에가 임신을 했어. 아이를 지울 생각은 없어. 리에도 나도. 죄송해요.'

나는 엉뚱하게도 그 메시지를 받고 천장벽지를 생각했다. 이사 올 때, 천장도 도배를 했어야 했다. 천장벽지를 죄다 뜯어내고 보일 듯 말 듯한, 어쩌면 사람의 눈으로는 식별이 안 되는 틈으로 새어나오는 새까만 흙물의 흔적을 보았어야 했다. 유학을 그토록 원하던 아들의 진지한 눈빛 속에서 우리 부부는 무엇을 본 것이었을까. 우리가 아들을 제대로 알기나

한 건가, 더구나 나는 아들을 내 뱃속으로 낳지 않았는가. 내 아들은 이제 막 18살이 된 어린 나이인데 말이다. 아들의 어디에서부터 흙물이 나오기 시작한 건지 나는 알 수 없었다.

죄송하다는 말로는 해결이 안 되는 일들을 사람들을 죄송하다는 말로 넘어가려고 했다. 아들도 이미 누가 가르쳐주지 않았는데도 스스로 익혀 잘 써먹고 있다. 남편의 심장도, 천장의 누수도 모든 것이 다 잘 해결됐다고 생각했는데, 더이상 막히거나 새어나오는 일이 없을 거라고 생각했는데, 그건 내 착각이었다.

나는 잠시 잊고 있었다. 외탁을 한 아들이었지만, 아들의 몸속에는 남편의 유전자뿐만 아니라 내 피도 진하게 흐르고 있다는 걸.

황혼시장

문을 열려고 손잡이를 잡았다. 경첩이 녹슬어 문 열기가 뻑뻑했다. 군자 씨는 오늘 마지막 손님이었던 노인이 했던 말이 떠올라 뺨이 화끈 달아올랐다. 어둠 속에서도 붉어진 뺨을 누가 볼까 고개가 숙여졌다. 익숙한 일이라 생각했는데 바짝 마른 꽃잎이 슬쩍 건드리기만 해도 바스러지는 것처럼 생각할수록 무참해졌다. '왜 이렇게 뻑뻑해. 오천 원 싸서 따라왔더니 싼 게 비지떡이야.' 문을 확 잡아당기는 군자 씨의 손에 힘이 들어갔다. 그 바람에 평소보다 경첩 사이에서 찌그러지는 소리가 더 요란했다. 쪽방에 딸린 부엌에 들어서서 낮은 천장에 달려 있는 백열전구를 켰다. 휴대용 가스버너 위에 놓인 냄비에서 쉰내가 났다. 순댓국집 순천댁이 비닐봉지에 담아준 내장탕이 그사이 상한 모양이었다. 군자 씨는 쪼그려 앉아 냄비를 들어 킁킁 냄새를 맡는데 왼쪽 치골이 뻐근히 당겨왔다. 끄응 하면서 일어서는데도 발가락까지 치달리는 통증에 숨이 헉 막혔다. 냄비를 가스버너에 던지듯 내려놓고 벽을 짚고 허리를 곧추세웠다. 시멘트벽 사이사이가 갈라져 있었다. 그 틈 사이로 개미 몇 마리가 들락거리고 있어 군자 씨는 엄지손가락으로 개미를 눌려 죽였다. 방 안으로 들어서 다시 백열전구를 켰다. 창문도 없는 어두컴컴하고 비습한 방 안에서 쿰쿰한 곰팡내가 스멀스멀 올라왔다. 장마철이라 습하고 더웠다. 군자 씨가 몸을 누이고 양팔을 벌리면 양쪽 벽에 손이 닿는 남루한 쪽방이지만 이곳에서는 자기가 고는 코에 일어날망정 단잠을 잤다. 매일같이 들고나는 여인숙에서는 아무리 잠을 자려고 해도 잠이 오지 않았다. 일을 마치면 서둘러 나가 다음 손님을 잡아야 했다. 관 속 같은 방 안에 앉아 군자 씨가 치마를 벗고 복대를 풀었다. 오늘 번 돈을 전부 꺼내 바닥에 쏟아놓았다. 2만 9천 원. 들어오는 길에 슈퍼에 들러 원 플러스 원 하는 천 원짜리 크림빵을 샀기 때문에 여인숙 요금을 뺀 수입 3만 원에 천 원이 비었다. 여인숙비 5천 원을 더해 계산해 보면 오늘 총수입은 4만 5천 원, 3명의 손님을 받았다. 손님들에게 박 씨를 소개하고 주사를 권했지만 아무도 응하지 않았다. 한 사람이 주사를 맞으면 한국산일 경우 천 원, 대만산일 경우 천 5백 원의 수당이 군자 씨에게 떨어졌다. 그런 계산 끝에 크림빵에 생각이 미치자 옆방 유 씨가 며칠 끙끙 앓는 것이 스쳐 지나갔다. 원 플러스 원으로 크림빵을 샀으니 하나는 군자 씨가 먹고 하나는 유 씨에게 줄 생각이었다. 풍을 살짝 맞아 왼손을 말아 쥐고 있는 유 씨가 폐지를 줍고 받은 돈으로 작년 겨울 군자 씨에게 군밤을 사 준적이 있었기 때문이었다. 마지막 손님이 떠올라 얼굴이 홧홧해져 옆방 문을 두드리는 걸 잊어버렸다. 군자 씨는 아침 8시부터 대충 저녁 8시 정도까지 평균 12시간 동안 '그 바닥' 지하철역 구내를 서성거렸다. 앉아 있기도 했지만 지하철이 멈춰 사람들이 쏟아져 내리면 엉거주춤 일어나야 했다. 입술 사이에서 절로 신음 소리가 나와도 어금니를 깨물었다. 아파 보이면 팔리지 않기 때문에 화장실에 가서 얼굴에 수시로 파우더를 덧칠했다. 하지만 금세 주름 골에 파우더가 뭉치고 갈라져 시멘트벽 틈새로 밀려 나오는 개미처럼 그 사이로 땀이 흘러나왔다. 2만 9천 원을 다시 복대에 집어넣고, 이번에는 팬티를 벗었다. 다리를 벌리고 밑을 내려다보았다. 생선을 말린 것 같은 쿠릿한 군내가 올라왔다. 염색약을 사서 염색을 한 지 얼마 되지 않았는데도 거웃에는 흰 털이 올라왔다. 군자 씨는 흰 털에 온통 신경을 빼앗기느라 밑에서 느껴지는 아릿한 통증에 다소 둔감해졌다. 꽤 시간이 지났는데도 염색약 얼룩이 살갗에 번져 있어 자꾸만 밑을 문질렀다. 그러면 그럴수록 살갗만 쓰라렸지, 얼룩은 지워지지 않았다. TV가 놓여 있는 플라스틱 박스 위에 접이식 거울을 들여다보았다. 거웃을 염색할 때 머리카락도 같이 했는데 흰머리는 금세 자라 있었다. 핀으로 고정한 왼쪽 머리의 부분가발을 떼어냈다. 동그란 밀가루 반죽 한쪽을 주먹으로 꾹 누른 듯 군자 씨의 머리가 푹 꺼져버렸다. 소나기라도 흠뻑 맞은 모양새였다. 군자 씨는 거울에 비친 자기 모습에서 애써 눈을 돌리려 해도 시선은 자꾸 거울을 힐끗힐끗 쳐다봤다. 군자 씨가 방바닥 장판을 살짝 들어 올려 손을 쑤욱 집어넣었다. 눅진눅진한 시멘트바닥에서 잘 펴져 있는 지폐를 꺼냈다. 침을 묻혀가며 한 장 한 장 정성스럽게 세었다. 복대에 있는 돈까지 합치면 모두 19만 5천 원. 내일이면 예약을 미루지 않고 병원에 갈 수 있게 되었다. 그때서야 한숨을 돌렸는지 벗은 엉덩이 사이로 '푸쉬이' 하는 힘 빠진 방귀가 나왔다. 점심으로 계란을 먹어서인지 계란 썩은 내가 났지만 군자 씨는 숨을 참지도, 입을 가리지도 않고 틀니를 드러내고 미소 지었다.

병원은 노인들로 북적거렸다. 척추와 관절 전문병원이었기 때문에 인도에서부터 병원이 있는 3층까지 에스컬레이터가 바로 연결되어 있었다. 병원은 대학병원이 아니었지만 대학병원처럼 로비가 넓고 환했으며 무엇보다 사람들이 많았다. 그 사람들이라는 것이 군자 씨가 일하는 '그 바닥'에서의 사람들과는 달라 보였다. 천장에서 내려쏘이는 눈이 부신 조명 탓인지, 개미 한 마리 기어 다니지 않을 것 같은 단단한 대리석 바닥과 벽 때문인지, 대리석 바닥으로 반사되는 반짝거리는 빛 때문인지, 아파 보이는 사람들 얼굴조차 군자 씨 눈에는 별세계 사람 같았다. 척추만 보는 원장이 7명, 관절만 보는 원장이 3명, 그 외 MRI 장비를 비롯한 비수술 치료실, 도수 치료실, 물리 치료실, 운동 치료실 등이 있어야 할 곳에 잘 갖추어져 있었다. 군자 씨는 병원에 들어설 때마다 천장이 높고 시야가 훤히 틘 내부를 보면 가슴이 뻥 뚫리는 것 같았다. 마치 이곳에 들어오면 모든 통증이 사라지고, 비좁은 쪽방에 살고 있는 자신을 더 넓고 깨끗하며 사람들의 호의와 배려가 있는 곳으로 데려다 줄 것 같은 부푼 느낌을 받았다. 출입문에서 '친절히 모시겠습니다.'라는 띠를 가슴에 두르고 허리를 숙여 인사하는 여직원은 하얀 치아를 고스란히 드러내고 웃으며 내원하는 환자들을 안내해주었다. 여직원의 안내에 따라 접수를 하고 척추외과 2번 방 앞에서 순서를 기다렸다. 군자 씨는 오늘, 머리에 한 눈에도 도드라지는 핀을 꽂았다. 머리핀에는 초록색 나뭇잎에 파란색과 노란색이 섞인 나비 한 마리가 화려한 날개를 활짝 펴고 앉아 있었다. 의류수거함에서 의류를 수거해가는 날, 그 앞에서 기다렸다가 건진 흰 바탕에 노란 잔나비가 촘촘히 박혀 있는 린넨 재킷과도 썩 잘 어울렸다. 자세히 보면 소매 부분에 붉은색 얼룩이 져 있지만 빨랫비누로 억세게 비벼 빨아 꽃 모양과 크게 구분되지 않았다. 파란색 구두코에 큐빅이 촘촘히 박힌 구두 속에서 발가락이 간지러웠지만 군자 씨는 아무 내색 없이 순서를 기다렸다.

"김군자 님, 들어오세요."

2번 방 문이 열리고 진료실 안에서 대기하고 있던 간호사가 군자 씨의 이름을 불렀다. 군자 씨가 왼쪽 부분가발이 핀으로 잘 고정됐는지 매만지며 진료실 안으로 들어갔다. 군자 씨는 조금이라도 가슴을 내보이려고 허리를 폈다.

"어서 오세요, 김군자 님."

군자 씨가 진료실로 들어오자 자리에서 일어난 선생님이 군자 씨에게 해사한 미소를 지으며 말했다. 은은한 페퍼민트 향이 적당하게 진료실 분위기를 더욱 청정하게 했다. 군자 씨가 허리를 숙여 인사를 했다. 선생님은 다시 한 번 고개를 숙이고 의자를 당겨 자리에 앉았다.

"김군자 님, 오늘은 더 예뻐지셨어요, 머리에 나비 한 마리가 앉았네요."

군자 씨의 눈에 주름이 넓게 퍼졌다. 틀니를 가리느라 손을 입에 대고 웃었다. 선생님은 차트를 살펴보고, 엑스레이 사진을 보면서 통증 상태를 확인했다. 선생님은 시종일관 인자했고 입가에 미소를 잃지 않았다. 선생님은 하얗게 센 머리카락이 흘러내릴 때마다 머리카락만큼 하얗고 긴 손가락으로 머리를 쓸어 올렸다. 군자 씨는 선생님의 머리카락과 손가락에 시선을 모았다. 그 손가락이 버릇처럼 안경테를 밀어 올리는 것도. 군자 씨는 안경 낀 사람을 좋아하지 않았다. 군자 씨의 시력은 양쪽 다 1.5였다. 지금까지 안경을 써본 적도 없었다. 백내장이나 녹내장은 물론이고 난시도 없었다. 그래서 그런지 안경 낀 사람을 보면 평생 몸에 걸치고 다니는 옷도 거추장스러울 때가 있는데, 하물며 안경을 코에 걸치고 살아야 한다는 게 답답해 보였다. 무엇보다 '그 바닥'에서 성분을 알 수 없는 정력제 주사를 파는 안경 낀 박 씨가 생각났다. 일회용 주삿바늘을 소독도 하지 않고 쓰는 걸 본 적이 있었다. 열 번이고 스무 번이고 쓴다는 소문을 들었지만 그건 직접 보지 못했다. 그런 박 씨에게 빌붙어 손님을 인도하고 껌값도 안 되는 돈을 챙기는 건 군자 씨였지만, 벼룩의 간이라도 빼먹을 수 있다면 그렇게 해야 한다고 생각하는 것도 군자 씨였다. 그럼에도 불구하고 선생님이 쓴 반 테 안경은 잘 어울려 보였다. 하얀색 머리카락에 하얀색 피부, 나이가 있어 기미가 조금 끼기 시작했지만 이 정도 나이에 그 정도 기미는 흉도 아니라고 생각했다. 선생님의 슬리퍼 속에 맨발이나, 슬리퍼 밖으로 나온 엄지발톱이 짧게 깎여 있는 것에도 군자 씨는 시선을 떼지 못했다. 선생님은 흰 의사 가운을 입고 있을 때도 있지만, 보통은 수술이 잦아서 그런지 초록색 수술복에 맨발로 슬리퍼를 신고 있을 때가 많았다. 오늘도 그랬다. 군자 씨가 일하는 '그 바닥'에는 노숙자를 빼고는 맨발로 돌아다니는 노인들은 없었다. 하지만 군자 씨는 노인들이 가짜 가죽 구두를 눈부시게 닦아 신고 다녀도 마음이 솔깃하지 않았다. 반짝거리는 구두를 보고 있으면 투시를 하는 것처럼 그 구두 속에 발톱무좀이 걸려 노랗고 짓무른 발톱과 발가락이 생각났고, 바로 코앞에서 그 발가락의 고린내라고 맡은 듯이 비위가 상할 때가 많았다. 노인네들의 열의 아홉은 겉은 멀쩡해 보여도 막상 여인숙에 들어가 홀딱 벗고 보면 여지없이 열 발가락에 발톱무좀이 노란 봉숭아 물이라도 들인 것처럼 싯누렇게 들어 있었다. 개중에는 싯누렇다 못해 발톱 전체가 까맣게 죽어 있는 경우도 부지기수였다. 그런데 선생님의 발가락은 선생님의 손가락처럼 길고 가늘었고, 발톱은 짧게 깎아 잘 손질되어 있었다. 군자 씨는 엎드려서 그 발가락에 하나하나 입을 맞추고 싶었다.

"자, 그럼 오늘도 인대강화주사를 놔 드리겠습니다. 주사실로 가서 기다리세요."

선생님의 부드러운 목소리에 군자 씨는 얌전한 학생처럼

그러겠다고 대답했다. 가방 속에서 홍삼 드링크를 하나 꺼내 선생님 책상 한 귀퉁이 올려두었다. 선생님은 매번 감사하다 며 잘 마시겠다고 또다시 미소를 지었다. 군자 씨가 진료실을 나가고 선생님은 홍삼 드링크를 간호사에게 건넸고, 간호사 는 선생님께 매번 감사하다며 고개를 숙였다. 하지만 간호사 도 그리고 선생님도 알고 있었다. 군자 씨가 건네주는 홍삼드 링크에는 단 1%의 홍삼성분도 들어 있지 않다는 것을. 그래 서 감사하다는 간호사의 말도 진심이 깃들어 있지 않았고, 선 생님도 다음 환자 차트를 넘기며 간호사의 감사 인사를 귀담 아듣지 않았다. 심지어 간호사는 간호사실에 들어가 홍삼드 링크를 그대로 쓰레기통에 던져 넣은 것도, 군자 씨는 알 수 없었다.

"19만 2천 4백 원입니다."

병원 접수처에서 유니폼을 입고 앉아 생긋 웃고 있는 아가 씨가 군자 씨를 보며 말했다. 군자 씨가 지갑에서 19만 원을 주머니에서 3천 원을 꺼내 건넸다. 그 돈을 접수처 아가씨에 게 내밀면서 오금이라도 저린 듯 아랫도리가 찌릿했다. 이 돈 으로 허리통증은 가라앉고, 구부정했던 허리가 다소나마 펴 져 '그 바닥'에서 일을 할 수 있었지만, 그럴수록 군자 씨의 밑 은 바싹바싹 메말라갔다. 진료비영수증을 받아든 군자 씨의 손에 6백 원이 놓여 있었다. 5백 원짜리 동전 뒷면의 학이 날 개를 펴고 동전 밖으로 막 날아가려는 모습에 군자 씨가 잠 깐, 다음 생에 다시 태어나면 낯선 타인에게 다리를 벌려야 밥을 먹는 군자 씨가 아닌 학으로 태어나 이렇게 우아한 날갯짓을 해보고 싶다고 생각하며 맥없이 웃었다. 인대강화주사는 의료보험은 물론 의료보호도 되지 않았다. 수급자인 군자 씨도 비보험으로 주사료를 전부 본인이 부담해야 했다. 선생님은 이 주사를 맞으면 통증이 없을 거라면서 적어도 6번 이상의 치료를 받아야 된다고 했다. 이제 3번째 주사를 맞았다. 통증은 거짓말처럼 가라앉았고, 구부정했던 허리를 펴는데도 얼마간 도움이 됐다. 발가락까지 치달리던 찌릿한 통증이 사라지자 걷기도 훨씬 수월해졌다. 비보험 인대강화주사의 효력으로 군자 씨는 진시황도 가질 수 없었던 불로초라도 만난 것처럼 기뻤다. 선생님은 주사에 관해 설명하면서, 물리치료만으로는 만성 요통과 신경통이 사라지지 않는다고 했다. 척추관 협착이 심하게 진행된 상태인데, 수술을 하기에는 부담스러우니 주사를 권했다. 군자 씨의 눈에 선생님이 권하는 주사는 '그 바닥'에서 손님들에게 박 씨가 놔주는 정력제 주사와는 하늘과 땅이 맞닿을 수 없는 것처럼 다르다고 생각했다. 인대강화주사를 맞는 것만으로도 선생님이 있는 별세계에 한쪽 발을 뻗을 수 있을 것 같았다. 인대강화주사에는 조직세포를 되살리는 태반주사 앰플 3개가 들어간다고 했다. 기본적으로 12번 정도 치료를 하는데, 우선 6번 치료를 받아보고 그 뒤에 상황을 봐서 다른 치료 여부를 검토하겠다고 했다. 군자 씨는 19만 원짜리 인대강화주사를 6번을 맞으려면 얼마가 있어야 하는지 가늠해 보았다. 그럴 때마다 오줌이라도 마린 듯이 또 아랫도리가 저릿저릿했다. 주사실 앞에서 대기하며 주사를 맞기 직전까지 군자 씨는 이대로 병원을 나가버릴까도 생각했다. 19만 원이라는 돈이 자꾸 머릿속에서 커다란 고무풍선처럼 점점 커졌기 때문이었다. 하지만 허리통증을 치료하지 않으면 '그 바닥'에서 일하는 건 그만둘 수밖에 없고 그렇게 되면 당장 목에 거미줄을 쳐야 했다. 쪽방에서 쫓겨나는 것도 시간문제였다. 나라에서 수급자에게 주는 생계지원비 17만 원과 노령연금 20만 원은 15만 원의 월세를 내고 자질구레한 병원비와 약제비, 식료품비용으로 쓰고 나면 늘 턱없이 부족했다. 지하철은 무료로 탈 수 있어 교통비는 들지 않아 그나마 다행이었다. 손님들을 끌기 위해 사야 하는 박카스와 홍삼드링크 가격도 무시할 수 없었다. 어느 사이 '그 바닥'에도 젊은 것들이 하나둘 늘어나 암내를 풍긴 지 오래라, 꼬부랑 할머니의 모습으로 더는 일을 할 수 없다는 것도 누구보다 잘 알고 있었다. 하지만 이 모든 우려를 단번에 잠재운 것은 바로 주사였다. 주삿바늘이 허리부터 골반까지 십여 군데를 찌를 때마다 군자 씨는 통증의 뇌관이라도 건드린 듯이 자지러졌다. 선생님이 군자 씨의 허리부터 엉덩이부위까지 차가운 젤을 발랐다. 선생님의 손길 같은 초음파 기계가 미끄러지듯 주사 놓을 자리를 찾으며 군자 씨의 허리 부근을 위아래로 이동했다. 그럴 때마다 보호받고 있다는 느낌에 온몸의 솜털이 간질간질했다. '그 바닥'에서 손님들을 맞으며 어쩌다 오르가즘이라도 느낄 때면 바지를 추스르고 나가는 손님에게 가방에서 박카스를 한 병 더 꺼내 건네줬던 것처럼, 주사를 맞고 나서 선생님에게 홍삼드링크를 한 병 더 꺼내 내밀었다.

주사실에서는 한바탕 선생님과 깊고 진한 잠자리를 가진 듯, 선생님의 이마에서는 살짝, 군자 씨의 살이 접히는 곳곳마다에는 땀이 배어 나왔다. 군자 씨는 이 느낌이, 찌릿한 것이 아니라 짜릿하다는 것을 알고 6번의 치료를 결심하였다.

아침부터 비가 내려 '그 바닥' 지하철역에는 악머구리 끓듯 사람이 넘쳐났다. 바삐 오고 가는 사람들 속에 군자 씨가 서 있었다. 군자 씨만 서 있는 건 아니었지만 가끔 군자 씨는 복잡한 역내에서 홀로 서 있는 기분이 들었다. 그리고는 오지 않는 사람을 기다리고 있는 것처럼 초조한 마음이 들 때 바로 옆에 있는 기둥이라도 짚고 숨을 골랐다. 손을 대 짚거나 잡을 수 있다는 뭔가가 있다는 것이 크게 의지가 되는 걸, 군자 씨는 새삼 깨닫는 날이 많았다. 어려서 아버지가 군자 씨를 두고 낯선 여자를 따라 집을 나갈 때, 군자 씨는 아버지를 쫓아 대문 밖까지 나왔었다. 아버지가 손가락을 물고 있는 군자 씨의 손에서 손가락을 빼내고 양어깨를 꾹 잡아주었다. 아버지, 간다. 왠지 따라가면 안 될 것 같았다. 꾹꾹 눌러대는 아버지의 시선에서 더이상 따라오면 아주 혼을 낼 거라는 냉기를 온몸으로 느꼈기 때문이었다. 아버지가 마을 초입의 모퉁이 길을 돌아 사라질 때까지 붙박인 듯 서 있는 군자 씨는 멀리서 들려오는 개 짖는 소리가 무서워 그만 울음을 터트렸다. 아버지가 잡아주었던 양어깨에 아버지의 손자국이 날아갈까 군자 씨는 조막만 한 손바닥으로 자신의 양어깨를 감싸 안았었다. 지하철역 계단마다 노인들이 삼삼오오 앉아 있었다. 마치 공원 벤치에서 볕 좋은 날 소풍이라도 나온 것처럼 싸온 음식들을 펼쳐놓고 먹기도 했다. 분 단위로 양방향 지하철이 오고 가고, 수많은 사람들이 개미떼처럼 타고 내리는 와중에 도 계단에 앉아 있는 노인들은 열심히 입을 열어 말을 했고, 음식을 먹었고, 팩소주를 몰래 마셨고, 드잡이를 하기도 했다. 도시락통처럼 생긴 소형 아이스박스를 어깨에 멘 박 씨도 비 가 오니 역내로 내려와서 이리저리 '그 바닥'의 늙은 것들, 젊 은 것들과 눈빛을 교환하고 있었다. 그 틈을 제복 입은 경찰 들이 지나가며 싸움질하는 노인들을 뜯어말리기는 했지만 그 중에 박 씨의 소형 아이스박스 안에 무엇이 들었는지 관심을 갖는 경찰은 없었다. 오전 내내 손님이 없자 군자 씨는 울상 이 되었다. 어제 병원에서 주사를 맞았기 때문에 지금 수중에 6백 원뿐이었다. 월말이라 수급비도 바닥이 난 지 오래였다. 순천댁에 가서 2,000원짜리 내장탕이라도 먹으려면 오전에 일을 해야 했다. 오전에 공을 치면 점심을 굶어야 했고, 점심 을 굶으면 아랫도리에 힘이 들어가지 않아 손님을 받아도 조 일 수 없었다. 그렇게 되면 손님에게 욕을 먹는 것보다 화대 로 받은 돈을 절반 돌려달라며 떼를 쓰는 일을 당한 적도 있 었기 때문이었다. 그때 지하철 문이 열리면서 통풍이 잘 되는 중절모를 쓰고 지팡이를 짚은 노신사가 내렸다. 젊은 것들이 먹잇감을 발견한 뱀의 눈빛으로 경찰들 눈을 피해 슬금슬금 노신사에게 다가갔다. 자세히 살펴보지 않으면 오고 가는 사 람들이 넘쳐나는 지하철역 안에서 젊은 것들의 행보를 알아 챌 수 없지만, 목표물을 향해 각 방향에서 촉을 세우고 있다는 것을 군자 씨는 '그 바닥'에서 일하면서 깨우쳤다. 군자 씨도 그러한 촉이 자신의 몸 어딘가에서 뻗어 나가고 있다는 걸 알고 있었다. '그 바닥' 단골 노신사였다. 선생으로 정년퇴직을 하고 연금으로 생활한다고, 군자 씨는 젊은 것들이 오줌을 싸며 화장실에서 떠드는 소리를 들었다. '그 바닥'에서는 최상의 손님이었다. 잘만하면 화대는 물론이요, 이런 사람들일수록 교양을 부린다고 곧장 여인숙으로 가지 않고 술집에 들러 술을 한잔해 술과 밥도 얻어먹을 수 있었다. 그래 봤자 싸구려 술집이고 밥집이었지만 한 푼이 아쉬운 '그 바닥'에서는 이보다 더 좋은 손님은 없었다. 소문에 의하면 그러다 진짜 단골이 되어 작은집 살림까지 차린 적도 있다는 소리를 군자 씨는 바람결에 들었지만 진짜 살림을 차렸는지 본 적이 있다는 사람은 아무도 없었다. 멀리 소형 아이스박스를 메고 있는 박 씨도 기회를 놓칠세라 코에 걸쳐 있는 안경을 올리며 노신사에게서 시선을 떼지 못했다. 눈썹 문신을 한 젊은 것 하나가 박 씨의 시선을 받고 노신사에게 잽싸게 다가가 팔짱을 끼었다. 노신사가 걸어가면서 힐끔 눈썹 문신을 한 젊은 것을 쳐다보고는 먼지를 털어내듯 털어냈다. 그래도 눈썹 문신을 한 젊은 것이 느물느물 웃으며 팔짱을 끼자 이번에는 지팡이로 찔러 밀어냈다. 그 틈에 입술이 두꺼운 젊은 것이 냉큼 팔짱을 끼었다. 슬쩍 훑어본 노신사가 마음에 들었는지 눈을 껌뻑이며 주춤거렸다. 이때다 싶은 입술이 두꺼운 젊은 것은 노신사의 팔에 가슴을 밀착시키고 서둘러 지상으로 이끌었다. '그 바닥'의 모든 젊은 것들과 늙은 것들이 입맛을 다시며 사라져

가는 노신사의 뒤꽁무니를 바라봤다. 군자 씨도 예외는 아니었다. 미물들은 암컷 한 마리에 죽자고 여러 마리의 수컷들이 달라붙어 자신의 씨를 뿌리려고 하는데, '그 바닥'에서는 잘 서지도 않고 씨도 뿌릴 수 없는 수컷 한 마리에 여러 명의 암컷들이 아귀처럼 달라붙어 박카스를 안기려고 했다. 군자 씨에게는 단골 노신사 같은 손님이 걸릴 리 없었다. 그런 행운을 앗아간 건 젊은 것들이었고, 그런 젊은 것들마저 늙은 것들이 모인 '그 바닥'까지 흘러들어와 밥그릇을 뺏게 한 세상이 다 원망스러웠다. 하지만 양방향 지하철은 분 단위로 오고 갔고, 사람들은 여전히 개미떼처럼 타고 내렸다.

모자를 푹 눌러 쓴 남자의 나이가 퍼뜩 가늠되지 않았다. 40대 후반에서 50대 초쯤 보이기도 했고, 그보다 훨씬 젊어 보이기도 했다. 모기가 물어 부푼 살갗에 손톱자국을 내는 것처럼 모자를 너무 꾹꾹 눌러쓴 게 답답하기보다는 아파 보였다. 군자 씨는 남자의 얼굴을 좀 더 가까이에서 보려다 말았다. 얼굴을 안 보여주고 싶은 것도 다 이유가 있는 것인데, '그 바닥'에서 군이 얼굴을 확실히 알 필요도 없었다. 오전 시간이 다 흘러 이제 점심때가 가까워져 올 시간이었다. 허기가 졌다. 똥냄새와 썩은 내가 나는 노숙자라도 돈만 주면 군자 씨는 팬티를 내릴 수 있겠다는 생각이 들었다. 남자의 청바지 밑단은 바닥에 끌려 해졌지만 반팔 티 속의 살집은 단단했고 무엇보다 방금 양치를 했는지 페퍼민트 향이 살짝 났다. 병원 선생님 진료실에서 맡았던 냄새와 비슷하다고 생각하는 순간

군자 씨는 남자의 손을 잡았다. 함께, 올라가요. 군자 씨가 말을 걸자, 남자가 얼마냐고 물었다. 군자 씨는 가방에서 박카스를 꺼내 남자에게 건네며 말했다. 만 5천 원, 보통 2만 원이야. 근데 아저씨가 마음에 들어서 5천 원 깎아주는 거야. 군자 씨는 그렇게 말했지만 사실 늘 만 5천 원을 받았다. 그 이상 부르면 아무도 군자 씨를 찾지 않았다. 군자 씨가 손님을 잡은 걸 눈치챈 박 씨가 멀리서 손짓을 했다. 손가락으로 3을 만들어 흔들었다. 손님을 데리고 와 주사를 맞게 하면 3천 원을 주겠다는 소리였다. 오늘 어지간히 장사가 안되는 건 박씨도 마찬가지였다. 멀리 촉을 느낀 젊은 것들과 늙은 것들이 군자 씨가 있는 쪽에 시선을 집중했다. 군자 씨가 실패하면 다들 튀어 나갈 태세로 몸을 바짝 긴장시키는 걸, 군자 씨도 땀구멍마다 돋아난 촉으로 간파했다. 그사이 군자 씨가 작업을 걸고 있는데도 늙은 것 하나가 지나가는 척하며 은근슬쩍 남자의 팔뚝에 손가락을 갖다 대기도 했다. 군자 씨가 눈을 부라리기도 전에 남자가 찌를 듯이 늙은 것을 쳐다봐 총총 사라지기는 했다. 군자 씨는 마음이 급했지만 박 씨가 챙겨주는 수당도 무시하지 못해 조심스럽게 남자에게 청을 했다. 몸에 좋은 주사가 있어, 한국산은 만 원, 대만산은 만 천 원. 어떻게 맞아볼래요? 군자 씨가 말을 했지만 남자는 입을 다물었다. 싫다는 말이었다. 주사 같은 걸 맞지 않아도 힘이 넘쳐날 몸이었다. 군자 씨는 서둘러 앞장서 걸었다. 주머니에 손을 찔러 넣고 고개를 숙이고 따라오는 남자의 걸음걸이가 무척이나 조심스러웠다. 군자 씨는 점심을 먹을 수 있게 되어 다행이라고 생각하자 걸음이 빨라졌다. 어제 맞은 인대강화주사 덕분에 허리 통증도 없어 구부정한 허리를 곧추세우고 걸었다. 군자 씨는 자꾸 뒤를 돌아다봤다. 그사이 지하철역 구내에 혀를 날름거리며 기어 다니는 수많은 뱀들이 남자를 덥석 물어가지나 않을까 걱정이 되었다. 지상으로 나오는 계단을 오르면서 군자 씨는 또 한 번 끄응 하는 신음 소리를 냈다. 계단은 높고 많았으며, 군자 씨는 노령연금을 받을 만큼 늙었다. 군자 씨의 겨드랑이에는 땀이 흥건했지만 발걸음은 어느 때보다 가볍게 남자를 장미여인숙으로 안내했다. 장미여인숙에 장미는 없었다. 음식물 쓰레기봉투에서 나오는 악취만이 띠를 두르듯 장미여인숙을 감싸고 있을 뿐이었다. 여기예요, 어서 들어와요. 군자 씨가 멈칫멈칫하는 남자에게 손짓을 하며 불렀다. 2층 방으로 올라가는 군자 씨를 보고 나서야 남자는 주춤댔던 발길을 떼었다. 분무기로 물을 뿌리는 것처럼 내리는 비는 멈추지 않았다. 객실로 들어오자마자 군자 씨는 남자에게 화대를 요구했다. 여인숙 요금을 내야 했기 때문이었다. 남자는 2만 원을 건넸다. 군자 씨는 그 돈을 받고 여인숙 주인에게로 내려갔다. 만 원을 건네고 5천 원을 돌려받았다. 오늘 꽤 젊은 사람 같던데? 봉 잡았어. 주인장이 그렇게 말하며 비실비실 웃었다. 군자 씨는 아무 말도 하지 않고 다시 객실로 향했다. 조금 있으면 점심시간이었다. 어제 먹은 거라고는 유 씨에게 주려고 남겨뒀던 크림빵 하나가 전부였다. 유 씨가 그사이 몸을 털고 일어나 폐지를 주우러 나갔는지, 군자 씨가 아침에 나오면서 옆방 문을 두드렸는데도 인기척이 없었다. '그 바닥'으로 나오면서 군자 씨는 지하철 안에서 유 씨에게 주려고 남겨두었던 크림빵을 꼭꼭 씹어 전부 삼켰다. 객실로 들어오자 남자는 옷을 다 벗고 뒤로 깍지를 낀 채로 침대에 누워 있었다. 머리에 붙어 있는 것처럼 모자는 벗지 않고 그대로 꾹 눌러쓰고 있었다. 남자의 성기가 군자 씨를 보자 조금씩 뻣뻣해졌다. 벗은 남자의 몸에는 사타구니를 중심으로 건선이 번져 있었다. 가려움을 참지 못하고 긁어 그 부위가 붉고 군데군데 피가 난 흔적이 있었다. 군자 씨가 방에 딸린 작은 욕실로 들어가 밑을 씻는 동안도 남자는 성기를 만지작거리면서 사타구니를 긁었다. 사타구니에서 딱지가 앉은 자리를 뚫고 꿈틀거리는 벌레라도 튀어나올 것 같았다. 군자 씨가 욕실에서 나오자마자 남자는 군자 씨를 삐걱거리는 침대로 끌어당겼다. 하마터면 팔이 빠지는 줄 알고 군자 씨가 아이쿠쿠 하는 소리를 냈지만 남자는 그대로 군자 씨의 입을 손으로 틀어막았다. 할망구처럼 그런 소리 내지 마, 간신히 세웠는데 죽어버리잖아. 모자로 얼굴을 가린 남자가 말했다. 군자 씨가 손을 뻗어 가방에서 콘돔을 꺼내려고 했지만 남자의 성기는 이미 군자 씨 안으로 들어오고 난 뒤였다. 순식간에 당한 일이라 이 일을 업으로 하는 군자 씨도 겁이 났다. 내가 왜 그 많은 할망구들 중에서 할마시를 선택한 줄 알아? 남자가 피스톤질을 하며 말을 했다. 군자 씨는 이대로 하다가는 숨이 막혀 죽을지도 모른다는 생각이 들어 남자의 가슴팍을 밀어봤지만 소용이 없었다. 남자의 가슴에는 가려워 긁다가 딱지가 앉고, 다시 긁어 딱지가 난 것 같은 상처가 넓게 퍼져 있었다. 할마시가 제일 못 생겼거든. 두꺼비처럼 생겨서, 신기해서 멀찍이서 한참 쳐다봤지. 두꺼비 말야, 두꺼비, 항상 축축하잖아. 할마시도 그렇더라. 시팔, 난 그런 게 좋아, 못생긴 것들. 두꺼비처럼 생겼어도 몸을 팔러 나오는 것들 말야, 그런 것들 한번 먹고 싶었거든. 할마시는 피부도 울룩불룩한 게 진짜 두꺼비 같은데, 여기는 말야…… 남자가 이기죽거리며 더욱 깊숙이 군자 씨 안으로 들어왔다. 밑이 찢어지는 거 같아 군자 씨가 비명을 질렀으나 남자의 손에 입이 눌려 있어 끙끙 앓는 소리로밖에 들리지 않았다. 왜 이렇게 뻑뻑해? 두꺼비처럼 축축하니, 뻘처럼 빨아들일 줄 알았는데…… 남자의 손이 군자 씨의 입을 틀어막고 있어 군자 씨는 콧구멍으로 간신히 숨을 쉬었다. 군자 씨는 남자의 피스톤질이 빨리 끝나기를 바랐다. 하지만 피스톤질은 더 거세졌고 남자의 손은 자꾸 콧구멍을 막았다. 군자 씨는 산소가 부족해지자 정신이 몽롱해지고 구토할 것처럼 메슥거렸다. 이대로는 여기에서 죽을 것 같아 군자 씨가 손을 뻗어 남자의 가슴에 난 피딱지를 손톱으로 사정없이 긁어버렸다. 남자가 놀라서 피스톤질을 멈추고 상체를 튕겨 올리듯 세웠다. 몹시 쓰라렸는지 남자의 얼굴이 험상궂게 구겨지며 군자 씨 뺨을 내리쳤다. 남자가 가슴을 살펴보려고 군자 씨 몸에서 완전히 떨어졌다. 남자의 몸이 떨어지자마자 군자 씨는 가쁜 숨을 제대로 고르지도 못하고 말을 쏟아놓았다. 이게 뭐 하는 짓이야? 숨 막히잖아. 어떻게 노인네를 때려? 남자가 같잖다는 듯이 웃었다. 이런 미친년을 봤나, 더러운 손톱으로 어디를 할퀴어? 독 오르면 네년이 책임질 거야? 밑구녕 파는 주제에 늙은이 대접은 받고 싶은가 보지? 남자가 비웃으며 말했다. 한쪽 손은 맞은 얼굴에, 다른 손은 밑을 잡고 고통을 참고 있는 군자 씨 쪽으로 남자는 입안에 고여 있는 침을 확 뱉어냈다. 남자는 옷을 챙겨 입고 군자 씨 가방을 낚아채듯 집어 바닥에 쏟아놓았다. 박카스두어 병과 홍삼 드링크 한 병, 칠이 벗겨진 파우더 케이스, 거울 따위가 떨어져 내렸다. 돈은 없었다. 남자는 군자 씨가 벗어놓은 복대를 잡았다. 남자를 칩떠보고 있던 군자 씨가 침대에서 튀어 올라 복대를 뺏으려고 했지만 남자가 뻗은 팔뚝 한방에 나가떨어졌다. 복대에는 동전 몇 개와 지폐 만 5천 원이 있었다. 남자가 지폐를 바지 주머니에 찔러 넣었다. 이러고도 화대를 받을 생각은 아니겠지? 군자 씨가 발을 구르며 일어나 남자 바지 주머니에서 돈을 빼내려고 했다. 남자가 군자 씨의 머리채를 잡아 거칠게 벽으로 밀어붙였다. 그 바람에 군자 씨 왼쪽 머리에 꽂았던 부분 가발이 떨어져나갔다. 뭐야, 가발까지? 애쓴다, 애써. 그런다고 두꺼비가 늙은 개구리공주라도 될 줄 아나 보지? 남자는 다시 한 번 크아악거리며 가래를 모아 군자 씨에게 포달스럽게 뱉어냈다. 남자가 객실 밖으로 나가려고 하자 군자 씨가 빨판이 달린 문어처럼 양손으로 남자의 다리를 붙잡고 매달렸다. ……밥을 안 먹었어, 미안해, 내가 잘못했어. 그러니까 거스름돈 5천 원 빼고 만 원은 놓고가. 제발……. 군자 씨가 남자의 다리에 얼굴을 묻고 우는 소리를 했다. 남자가 똥 밟았다는 표정으로 주머니에서 5천 원을 꺼내 군자 씨에게 던지며 말했다. 너는 오천 원도 아까운 거 알지? 남자가 객실 밖으로 나가고 군자 씨가 바닥에 떨어진 5천 원을 쥐어들었다. 5천 원을 쥔 손등 위로 코피가 뚝 떨어져 내렸다. 군자 씨는 남자가 말한 두꺼비를 떠올렸다. 위험에 처했을 때는 피부로 독을 퍼뜨린다는 두꺼비 독이, 군자 씨가 할퀴어 더욱 깊어졌을 남자의 가슴 상처를 통해 남자의 몸 전체로 넓게 퍼지기를 바랐다. 꼭 그렇게 되기를, 군자 씨는 목울대로 치받치는 분함을 내리누르며 빌고 또 빌었다.

군자 씨는 사흘 동안 쪽방 안에서 꼼짝을 하지 못하고 누워 있었다. 남자에게 얻어맞고 화대로 5천 원을 받아 집으로 돌아오면서 들린 슈퍼에서는 빵을, 약국에서는 진통제를 사서 들어온 뒤로는 바깥출입을 하지 않았다. 사흘 동안 남자에게 맞아 부은 얼굴의 붓기는 빠졌지만 군자 씨의 몸에는 열꽃이 핀 것처럼 붉은 반점이 올라왔다. 꿈속에서 아버지를 만나기도 하고, 병원 진료실에서 군자 씨를 맞이하며 해사하게 웃는 선생님을 만나기도 했다. 그렇게 자다 깨다를 반복했다. 미몽 간에 눈을 뜨니 옆방 유 씨가 떼꾼한 모습으로 군자 씨를 내려다보고 있었다. 군자 씨는 이제 꿈속에서 풍에 맞은 유 씨마저 나온다고 생각했다. 하지만 꿈이라기에는 유 씨의 말아 쥔 왼손이 너무 선명했다. 군자 씨는 오싹한 느낌에 눈에 초점을 잡았다. 어떻게 들어왔는지 군자 씨 발치에 유 씨가 서 있었다. 유 씨는 바지를 내리고 성기를 붙잡고 꼼지락거렸다. 무슨 짓이냐고, 어떻게 들어왔냐고 한꺼번에 말을 하려고 하니 목구멍이 막혀 가슴을 붙잡는데 유 씨가 더는 참지 못하고 군자 씨 위를 덮쳤다. 군자 씨는 몸을 추스르지도 못해 사지가 늘어져 있었다. 풍을 맞아 왼손이 불편한 유 씨조차 밀어낼 힘이 없었다. 군자 씨가 유 씨와 말을 튼 것은 오로지 유 씨가 작년 겨울에 폐지를 주워 팔고 받은 돈으로 군밤을 사줬기 때문이었다. 쪽방촌 입구 쪽 군밤을 팔고 있는 리어카 앞에서 군자 씨가 불을 쬐고 있었다. 군밤을 먹고 싶다는 생각보다는 연탄을 아무리 때워도 간신히 냉기만 가시게 하는 방 안의 추위를 잠시나마 달래보고자 하는 마음이 더 컸다. 그 모습을 보고 유씨가 2천 원짜리 군밤 한 봉지를 사서 군자 씨에게 건넸다. 그때 그 고마운 마음이 군자 씨 마음 한 편에 불씨처럼 남아 있었다. 쪽방촌에 살고 있는 젊은 것들과 늙은 것들과는 별로 친분이 없는 군자 씨였지만 그 후로 유 씨만큼은 오며 가며 마주치면 눈인사라도 나눴다. 그런데 이게 무슨 일인가, 군자 씨는 자꾸 서러워졌다. 무참해서 눈을 꾹 감았다. 유 씨가 군자 씨 치마를 들치고 팬티를 내리려는데 왼쪽 손이 불편하니 허둥대고 더딜 수밖에 없었다. 이제는 2천 원인가…… 2천 원이야…… 구접스럽다, 군자 씨의 감은 눈 사이로 눈물이 주름골을 타고 흘러내렸다. 유 씨의 성기가 군자 씨의 밑을 성마르게 뚫고 들어왔다. 창자라도 찢어지는 거 같아 군자 씨가 눈을 번쩍 떴다. 발가락을 끌어모으고 주먹을 말아 쥔 군자 씨가 이를 악물고 군자 씨 배 위에서 버둥대는 유 씨를 있는 힘을 다해 밀어냈다. 그래도 유 씨가 완력으로 군자 씨를 찍어 누르자 군자 씨는 유 씨를 향해 악에 받쳐 말했다.

"이 아둔패기 같은 인사야! 나 병 걸렸어, 성병 알아? 내 몸에 번진 빨간 거, 이거 안 보여? 너도 이 병 걸려 죽고 싶어서 환장했어? 그래, 어디 해봐. 너도 이렇게 성병 걸려서 죽고 싶은 거구나. 풍 맞아 병신 된 몸도 억울할 텐데 더러운 병까지 걸려서 죽으면 참 좋겠다, 그치? 너나 나나 더이상 바닥이 없는 인생인데! 황천길이 눈앞인데! 어디 같이 죽어보자, 같이 죽어!"

유 씨가 성병이라는 말을 듣고 군자 씨에게서 황급히 몸을 뗐다. 유 씨의 눈에도 군자 씨의 몸에는 붉은 반점이 좁쌀처럼 퍼져 있었다. 유 씨의 성기가 놀란 공벌레처럼 순식간에 쪼그라들었다. 이번에는 군자 씨가 억지로 몸을 일으켜 세워 유 씨를 덮치며 성병에 걸려 같이 죽자고 악을 썼다. 유 씨가 바람처럼 흔들리는 눈빛으로 엉덩이를 뒤로 뺐다. 그래도 군자 씨가 달려들자 신발도 제대로 꿰신지 못하고 군자 씨 방에서 절룩절룩 뒷걸음치며 뛰쳐나갔다. 군자 씨가 유 씨의 신발을 집어 들어 문 밖으로 냅다 집어던졌다. 그사이 다른 쪽방 젊은 것들과 늙은 것들이 소리를 듣고 기웃거리다 군자 씨가 던진 유 씨의 신발이 문에 맞고 튕겨 나가자 뿔뿔이 흩어졌다. 그럴 때마다 문 경첩에서 찌그러지는 소리가 더욱 귓속을 파고들어 군자 씨 살갗에 오톨도톨 소름이 돋았다. 없는 힘을 쥐어짜내 유 씨를 밀어버리는 바람에 허리 통증은 신경 줄기를 타고 전신으로 퍼져 이제 참을 수 없을 만큼 온몸을 짓눌렀다. 병원에 가서 주사를 맞아야 했다. 하지만 군자 씨의 수중에는 빵과 진통제를 사고 남은 2천 원이 전부였다. 어떻게든 허리라도 제대로 펴려면 병원에 가서 주사를 맞는 방법밖에 없었다. 수급비는 다음 달이면 다시 입금될 것이었다. 군자 씨는 일을 해야 먹을 수 있었다. 이렇게 앉은 자리에서 죽을 수는 없다고 생각했다. 군자 씨는 반쯤 먹다 남겨놓은 크림빵에 개미 몇 마리가 꼬여 있어도 아랑곳없이 손에 쥐고는 물도 없이 씹어 꿀꺽 삼켰다.

군자 씨가 병원에 도착해 접수처 아가씨에게 예약을 하지 않았으나 선생님 진료를 봐야겠다고 말했다. 허리를 제대로 펴지 못해 접수대를 짚고 겨우 엉거주춤 서 있었다. 평소보다 2배는 커진 눈을 동그랗게 뜨고 군자 씨를 바라보는 접수처 아가씨는 환자가 많아 1시간 정도 기다릴 수 있다고 했다. 군자 씨는 그러겠다고 하고 접수를 한 뒤 왜틀비틀 화장실로 갔다. 쪽방 공동세면장에서 아픈 허리를 제대로 펴지 못하고 큰 통에 담겨 있는 찬물을 몸에 끼얹으며 씻었다. 한여름인데도 찬물이 살에 닿으니 군자 씨 입술이 금세 검푸르게 변했다. 하지만 씻지 않고 병원에 갈 수는 없었다. 그것이 마지막 남은 자존심이라고 군자 씨는 생각했다. 화장실 거울을 보고 군자 씨는 얼굴에 핏기가 가시는 것 같았다. 왼쪽 머리의 부분가발을 꽂고 왔다고 생각했는데 있어야 할 부분가발이 없었다. 가방을 뒤집어 쏟아내도 가발은 없었다. 게다가 옻이라도 오른 것처럼 군자 씨 피부 주름골 사이사이가 붉은 반점으로 얼룩덜룩했다. 사흘 동안 먹은 게 없어 볼은 더욱 움푹 패어 있고 입술은 거칠게 말라 있었다. 한여름인데도 군자 씨의 얼굴은 한겨울 같았다. 화장실로 오는 길에 떨어뜨렸나 해서

1.5의 시력으로 바닥에 얼굴이라도 댈 듯이 살펴봤지만 부분 가발은 어디에도 보이지 않았다. 울상이 되어 화장실 거울 앞에 다시 선 군자 씨는 푸석한 피부와 주름진 얼굴에 파우더를 덧발랐다. 파우더는 물속의 기름처럼 피부에 스며들지 않고 부옇게 떴다. 푹 꺼진 왼쪽 머리에 자꾸 손이 갔지만 군자 씨가 어떻게 할 수 있는 것이 아니었다. 대기실에 앉아 진료를 기다리며 앉아 있는데도 허리 통증은 멈추지 않았다. 통증의 뇌관을 건드리는 주사를 맞고 나면 가라앉을 거라는 생각을 하며 견뎌냈다. 당장 죽을 것 같다고 하면 해사하게 웃는 선생님이 한 번 정도는 사정을 봐줄 거라 군자 씨는 굳게 믿었다. 군자 씨가 정말 마음에 드는 손님을 만났을 때에나 가방에서 꺼내는 홍삼드링크는 박카스보다 5백 원이나 비쌌다. 그런 홍삼드링크를 선생님에게 여섯 병이나 드렸다. 하지만 홍삼드링크에는 홍삼이 1%도 들어 있지 않다는 걸 군자 씨는 여전히 알지 못했다.

"김군자 님, 어서 오세요."

진료실에 들어선 군자 씨는 허리를 잔뜩 숙이고 느릿느릿 걸어 환자 의자에 걸터앉았다. 간호사가 군자 씨의 팔을 붙잡아줄 만도 한데 물끄러미 쳐다보고만 있었다. 군자 씨의 몸이 땀에 흠뻑 젖어 쉰내가 났기 때문이었다. 자리에서 잠깐 일어나 앉으면서 군자 씨를 맞은 선생님이 다소 놀란 눈으로 어떻게 된 것이냐고 물었다. 그러면서 선생님은 군자 씨 쪽으로 몸을 내밀었다. 군자 씨가 사정을 설명하려 입을 열자 선생님은 그만 자석이 잡아당기는 것처럼 상체를 뒤로 빼며 평소에는 볼 수 없는 행동을 했다. 군자 씨의 입에서 틀니를 제대로 닦지 않아 시궁창에서나 맡아볼 거 같은 구취가 났기 때문이었다. 선생님은 억지로라도 웃어보려고 했지만 그럴수록 점점 땡추를 씹은 것 같은 표정이 되었다. 군자 씨가 자신의 입을 서둘러 오른손으로 가렸다. 부분 가발을 쓰지 않아 푹 꺼진 왼쪽 머리에 자꾸 군자 씨의 왼손이 갔다. 하지만 군자 씨의 머리 따위에 선생님이나 간호사는 전혀 신경을 쓰지 않았다. 새하얗게 파우더를 덧칠한 군자 씨의 주름골 사이로 땀이 흘러내려 기괴한 모양이 되었다. 선생님은 헛기침을 여러 번 했다.

"······허리가 너무 아파서요. 주사를 빨리 맞아야 할 거 같아요."

군자 씨가 입에서 더 심한 냄새가 날까 봐 선생님과 시선을 맞추지 못하고 웅얼거렸다.

"아, 네··· 김군자 님, 그럼 오늘도 인대강화주사를 놔드리겠습니다. 주사실에서 기다리세요."

"저 선생님······."

군자 씨가 가방에서 손수건을 꺼내 흐르는 땀을 닦아냈다. 땀을 닦다 보니 손등 위에도 여전히 붉은 반점이 도도록이 돋아 있었다. 그걸 선생님도 뒤에 있던 간호사도 놓치지 않았다. 선생님의 눈동자가 마구 흔들리는 걸 군자 씨는 고개를 숙이고 있어 보지 못했다. 선생님은 의자를 뒤로 빼 좀 더 군자 씨로부터 떨어졌다. 그 거리가 30센티도 안 됐지만, 군자 씨는 선생님이 자신을 경계하자 때아닌 감기라도 걸린 것처럼 오한이 나고 무서웠다.

"저 선생님, 오늘은 제가 주사 맞을 돈이 없어요. 하지만 너무 아파요. 제가 다다음주면 돈이 들어오니…… 그러니 사정을 좀……"

군자 씨가 말을 더듬거리는 사이에 선생님은 서랍에서 마스크를 꺼내 썼다. 선생님은 군자 씨 같이 외상으로라도 주사를 맞게 해달라고 떼를 쓰는 노인들을 익히 봐왔다. 선생님은 군자 씨에게로 향한 시선을 거두어들였다.

"그러면 오늘은 물리치료만 받고 가시지요? 약도 좀 센 걸로 바꿔 드릴게요."

"물리치료로는 통증이 가라앉지 않아요. 약도 이제는 몸이 이래서 잘 듣지 않고요. 위만 쓰리고 아파요. 다다음주에 꼭 드릴게요. 그러니 주사를……"

군자 씨가 두 손을 모았다.

"아이고, 할머니, 병원에서 이러시면 안 됩니다. 할머니 같은 환자들이 얼마나 많겠습니까? 형편에 맞게 진료를 받아야지요. 다다음주에 돈이 마련되시면 오세요. 돈을 내야 주사를 놔드리지."

선생님은 군자 씨에게 김군자 님이 아닌 할머니라고 했다. 군자 씨는 처음으로 선생님에게 할머니라는 소리를 들어 당황스러웠지만 그걸 내색할 상황이 아니었다. '그 바닥'의 단골 노신사가 마음에 들지 않는 젊은 것이 들러붙으면 먼지처럼 털어내듯이, 선생님도 군자 씨를 탁탁 털어내는 것 같아 군자 씨는 복받쳤다.

"제가 당장 죽겠어서 그래요, 선생. 그리고 제가 얼마나 선생님을……"

선생님은 미간을 좁히며 군자 씨 말을 끊었다.

"할머니, 사람은 그렇게 쉽게 죽지 않아요. 물리치료와 약으로도 얼마간 통증이 가라앉을 거예요. 자, 그럼 다다음주에 오세요."

마스크를 한 선생님의 표정을 읽기는 어려웠으나 군자 씨를 밀어내는 시선만큼은 정확하게 느껴졌다. 선생님이 간호사에게 다음 환자를 들여보내라고 눈짓하자 간호사가 진료실 문을 열었다. 나가라는 신호였다. 여전히 진료실에서는 은은한 페퍼민트 향이 났다. 화대를 받은 남자에게도 비슷한 페퍼민트 향이 났다. 선생님은 남자처럼 주먹으로 군자 씨 얼굴을 때리지는 않았지만, 군자 씨는 선생님의 새하얀 마스크와 새하얀 머리카락, 새하얀 발가락을 보며 주삿바늘이 살갗을 뚫고 수만 개로 조각나 전신으로 흩어져 가는 것처럼 아파, 부르르 몸을 떨었다.

군자 씨는 쪽방으로 돌아와 집에 있던 진통제를 모두 모아 입에 털어 넣었다. 옆방 유 씨가 놓은 것인지 모를 봉지에 담긴 순대가 문 앞에 놓여 있어 가지고 들어왔다. 그 꼴을 당하고 이걸 갖고 방으로 들어오면 안 된다는 걸 알았지만, 벼룩의 간이라도 빼먹을 수 있다면 빼먹어야 할 만큼 군자 씨는 허기가 졌다. 병원까지 다녀오느라 볼은 더욱 패였다. 방에 들어온 군자 씨는 앉자마자 여름 볕에 약간 맛이 간 순대를 하나 집어 입에 넣고 꿀꺽 삼켰다. 한참 순대를 먹다 보니 아무 소리도 들리지 않는 군자 씨의 방이 정말 관처럼 조용하다는 것을 깨달았다. 천장은 낮았고, 창문은 없었으며, 벽은 갈라지고 그 틈에서는 개미들이 들락거렸다. 군자 씨는 다음 주쯤에는 '그 바닥'으로 돌아갈 수 있을지 심각하게 걱정을 했다. 그 사이 '그 바닥'에서 어느 정도 얼굴을 익힌 손님들로부터 잊히게 되는 건 아닌지, 단골이라고 할 수는 없지만 가끔 불쌍하다고 식삿값이라도 쥐어주는 노인들도 있었는데, 순댓국집 순천댁은 장사하고 남은 내장탕을 싸주기도 했는데, 그마저도 끊기는 건 아닌지, 그것이 몹시도 걱정이 됐다. 분 단위로 지하철이 양방향에서 오고 가고 악머구리처럼 사람들이 들고나는 '그 바닥'에서조차 버림을 받을까 군자 씨는 가슴이 쪼그라들었다. 그때는 박 씨에게 성분을 알 수 없는 정력제 주사라도 공급받아 팔아야 할까, 중국산은 원가가 더 싸다는 데, 그러다 단속에 걸리면 교도소라도 들어갈 수 있을까, 나이가 너무 많고 성병에 걸렸을지 모른다고 그마저도 안 된다고 할 거 같아 군자 씨는 수꿀해졌다. 관 속 같은 쪽방 속에서 찐득한 땀을 흘리며 군자 씨가 쉰내 나는 순대를 마저 입에 넣었다. 빈속에 진통제가 들어가고 음식물이 들어가니 잠이 쏟아졌다. 페퍼민트 향이 나는 진료실의 해사한 선생님이 떠올랐다. 19만 원을 모으면 다시 선생님이 주사를 놔줄 것이다. 그때는 어쩌면, 다시 김군자 님이라고 불러줄 것도 같았다. 혹은 선생님이 있는 별세계에 한쪽 발이라도 제대로 뻗어볼 수 있을지 몰랐다. 군자 씨가 눈을 감았다. 그 눈꺼풀이 너무도 무겁고 두껍게 느껴져 군자 씨는 금세 깊은 잠에 빠져들었다.

너를 생각해

서주는 심호흡을 했다. 직업반 아이 하나가 본교 출석일도 아닌데 1교시가 시작되기도 전에 진로진학부 교무실로 들어왔다. 직업학교 선생이 손가락도 아닌 펜치를 휘두르며 삿대질을 했다고 했다. 비인격적인 대우를 하며 쌍욕을 했다고 지금 당장 본교로 복교하고 싶다며 서주가 출근하자마자 정신을 쏙 빼놓았다. 서주는 아직 이 아이 이름도, 이 아이가 위탁되어 다니고 있는 직업학교 이름도 알지 못해 아득해졌다. 1교시 수업을 들어가야 하는데, 아이는 직업학교로는 못 가겠다고 떡 버티고 앉아 팔짱을 끼고 있었다. 난감함에 당황스러워하는데도 진로진학부 부장도, 파티션을 사이에 두고 서주 앞에 앉아 있는 지리 과목 박 선생도 꿈쩍하지 않았다. 자기 일이 아니라는 것이었다. 서주는 그때서야 학교라는 곳에 복직을 했다는 것을 죽비다발로 후려쳐 맞은 것처럼 실감했다. 부장이 모르는 척을 해도 일단 부장에게 아이를 맡길 수밖에

없었다. "아니 저 제가……" 하는 부장의 버벅거리는 소리는
무시했다. 1교시 수업도 없이 신문을 읽고 있는 명색이 진로
진학부장이 직업학교를 그만두려는 본교 학생의 절체절명의
상황에서 나 몰라라 하는 것은 국가의 세금을 축내는 일이라
고, 다른 건 몰라도 그것만큼은 분명하다고 서주는 생각했다.
서주는 아이를 돌아보지 않고 교과서를 들고 거침없이 일어
나 교실로 향했다. 수업을 하는 내내 글자들은 눈에서 엇나갔
고 말은 꼬였으며 판서는 가지런하지 못했다. '교직 경력 12
년 차다. 신규 교사도 아니고 경력이 없는 것도 아니다. 그러
니 정신 차리자.' 서주는 수업 내내 틈나는 대로 되뇌며 마음
을 다잡았다. 복직하고 일주일이 지났다. 업무 파악이 다 끝
났어야 했는데도 전임자가 전혀 인수인계를 하지 않고 갑자
기 학교를 떠나는 바람에 서주는 아무것도 인계받지 못했다.
부장은 직업반에 대해서는 일체 아는 바가 없다고 입을 딱 다
물었다. 2학기 복직이라 이미 아이들은 아이들대로 선생들
은 선생들대로 분위기가 무르익어 그 틈에 끼어 들어가는 것
이 거북하고 꺼려지는 것은 어쩔 수 없었다. 서주는 큰 풍선
안에 굴러 들어가 언제 어디에서 무엇이 터질지 모른 채 둥
둥 떠다니는 기분이었다. 인문계 남자고등학교 직업반 담임
을 질병휴직에서 갓 복직한 교사에게 맡긴다는 것도 서주로
서는 당황스러운 일이었다. 지금까지 이 학교에서 직업반 아
이들을 누구도 맡지 않으려고 해서 계약직 교사들이 주로 맡
았다가 계약 기간을 채우지 못하고 전부 그만뒀다고 하는 것
도 이해 못 할 바는 아니었지만, 서주로서는 답답한 노릇이

었다. 공립학교가 대체로 그렇지만 직업반 같이 드센 아이들을 다루는 업무는 보통 퇴직을 얼마 앞둔 교사나 원로 교사급으로 배정을 하는 게 관례였다. 아이들이 월요일 하루만 본교로 출석을 하고, 나머지는 직업학교로 가서 수업을 받는 3학년 직업반은 얼핏 보면 담임업무도 없고 월요일을 제외한 나머지는 아이들이 없어 편할 거라 생각하지만 그건 속 모르는 소리라는 걸 교사라면 누구나 알고 있는 사실이었다. 새로 부임한 교장은 그 자리에 서주를 꽂아 넣었다. 복직 전에 복직원을 제출하고 교장실에서 교장에게 인사를 할 때 교장은 비담임으로 배정하겠다고 분명히 말했었다. 서주의 몸 상태를 충분히 고려했다면서 인심 쓰듯 이야기하는 하관이 좁은 교장의 말투에 비위가 상했지만 서주는 내색하지 않으려 했다. 하지만 교장은 거기서 끝내지 않았다. 댁에 부군과 자녀분들도 있을 텐데 학년부장에게 말해서 야자감독도 배려해 드리라고 말했다고 했다. 교장은 소파 팔걸이에 두 손을 올려놓고 허리를 등받이에 깊이 기댄 채 서주를 내려다봤다. 겉으로 봐서는 멀쩡한 것이 의외라는 듯이 특정 부위를 중심으로 아래위를 훑어보는 교장의 시선이 서주는 점점 불편해졌다. 서주는 교장의 탁한 눈동자에서 서주를 향한 동정 어린 눈빛을 읽어냈다. 서주는 교장의 눈을 똑바로 바라보며 말했다. 남편이 바람을 피워서 이혼을 했고, 아이는 없다고 마치 다른 사람 이야기하듯 말하며 입을 가리고 크게 웃었다. 그러니 배려할 필요 없다고, 배려해달라고 말씀드린 적 없다고, 서주는 웃고 있었지만 발음 하나 흔들리지 않고 또박또박 교장에게 전달했다. 교장은 서주를 따라 어색하게 잔기침을 하며 허허허 웃었지만 할 말을 찾지 못하고 얼굴이 금세 빨갛게 달아오르는 걸 서주는 가만히 바라보았다. 배려라는 가면을 쓰고 웃으면서 다가오는 동정은 언제나 보이지 않는 폭력으로 서주를 할퀴었다. 학교는 여름방학이 끝난 8월 중순부터 2학기였고, 서주는 9월 1일 자 복직이었다. 그사이에 직업반을 맡을 계약직 교사가 개인 사정으로 학교를 그만두는 바람에 서주가 급작스럽게 직업반 담임이 되었다. 누구도 서주를 대신해 그 자리에 가겠다고 하지 않았다. 심지어 서주가 휴직을 하기 전에 학교 밥이 맛없다고 같이 도시락을 싸가지고 와 나눠 먹었던 가정 선생, 주말이면 가끔 만나 연극을 함께 보던 영어 선생도, 한철만 바쁜 업무에 비담임이면서 빈말이라도 서주에게 '대신해줄까'라고 말을 하지 않았다. 서주가 어떤 병으로 휴직을 했고 지금 어떤 상태인지 뻔히 아는 사람들이었다. 교장실에서 도발을 한 대가치고는 가혹하다고 생각했지만 서주는 못할 것도 없다고 생각했다. 선생의 세계는 연극 같았다. 연극 무대에서는 각자 맡은 배우의 역할에 충실하지만 연극이 끝나 무대 밖으로 나가면 배역과는 전혀 다른 현실의 인물들이 모르는 사람들처럼 서로를 멀거니 바라보는 것 같아 허무했다. 12년이 지났는데도 서주는 그런 선생의 세계가 익숙해지지 않았다. 1교시 수업 중반쯤에 맨 뒤에 앉은 덩치가 큰 녀석이 갑자기 짜증스럽다는 듯이 목소리를 높였다. "선생님, 목소리 좀 크게 해주세요! 뭐라고 중얼중얼하는 거야. 마이크를 쓰던가요!" 여기저기서 "맞아요, 그래요"라고 맞장구

치는 소리가 들렸다. 휴직을 한 1년 사이, 아이들은 더 당돌해지고 교실 분위기는 더욱 살벌해진 걸 느낀다. 서주는 등허리에 서늘한 식은땀이 흐르면서 바짝 신경을 곤두세웠다. 그러고 보니 직업반 아이 일로 아침 약을 챙겨 먹는 걸 잊어버렸다. 약을 꼬박꼬박 잘 챙겨 먹어야 재건수술을 할 수 있다는 의사선생 말이 떠올라 막연한 두려움에 가슴이 싸했다. 서주는 목으로 소리를 내면 안 된다는 걸, 배에서부터 우러나오는 소리가 아니면 수업을 오래 하지 못 한다는 걸 새삼 되새겼다. 복식호흡을 연습하던 때를 떠올리며 배에 힘을 주고 분필에 온 힘을 싣겠다는 듯 꼭 쥐었다. 손에 힘이 너무 들어가 판서의 글씨는 굵고 선명해졌으나 분필이 자꾸 부려졌다. 분필이 자꾸 부러지는데도 서주는 목소리를 높이며 판서를 이어나갔고 부러지는 분필 소리에 아이들은 더욱 인상을 찌푸렸다.

1교시 수업이 끝나고 진로진학부 교무실로 돌아오는 한 걸음 한 걸음에 서주는 다짐을 했다. 이곳은 선생의 세계다. 아군도 적군도 없고, 아군이 적군이 되고 적군이 아군이 되는 곳, 속마음의 어느 한 자락도 함부로 보여서는 안 되는 곳, 정글 같은 곳에서 살아남아야 한다. 서주는 손아귀에 힘을 주어 진로진학부 교무실 문을 열었다. 직업학교를 그만두고 본교로 복교하겠다는 아이는 학생용 진로검색 컴퓨터에 허리를 늘어뜨리고 앉아 테트리스 게임을 하고 있었다. 그것을 그냥 놔두고 있는 부장은 고개를 뒤로 젖히고 코를 고는 중이었다. 박 선생은 아예 파티션 바깥으로 얼굴도 내밀지 않았다. 서주는 교과서를 책상 위에 '탁' 소리 나게 놓았다. 부장이 슬쩍 눈을 뜨며 서주를 넘겨다봤다. 서주는 목구멍까지 치받치는 울화를 내리누르며 아이에게 말했다. "이리 와서 앉아." 복교 여부를 결정해줄 본교 직업반 담임 말을 어길 수 없다는 걸 아이는 잘 알고 있었다. 그럼에도 아이는 뜸을 들이다 느릿느릿 일어나 걸어오더니 간이의자에 털썩 앉았다. 서주가 아이와 마주보려고 의자를 가까이 붙이자, 아이가 반사적으로 벌리고 앉았던 다리를 살짝 오므렸다. 서주는 다소 사무적이나 차분함을 잃지 않으려고 애쓰며 조곤조곤 이야기를 시작했다.

"힘들었겠어. 잘 견뎠다."

아이가 서주를 슬쩍 바라보더니 금세 뺨이 붉어졌다. 아이의 도전적이 표정이 다소 누그러지는 걸 서주는 느꼈다.

"복교해. 할 수 있으면. 2학기는 원칙적으로 교육청 지침으로 본교 복교가 불가능해. 직업학교 선생님이 비인간적인 대우로 쌍욕을 했는지 확인해 보면 알 거고, 네가 어떻게 했길래 선생님이 그렇게 나왔는지도 알아봐야 해. 네 말이 다 맞다고 하면, 직업학교 선생님은 그에 대한 책임을 져야 하고 너는 당연히 복교해야지. 그러기 전에 직업학교 교장선생님 결재, 본교 교장선생님 결재, 그리고 네가 본교에 복교하겠다고 하는 교육청 보고, 네가 직업학교 가면서 받은 예산 등에 문제가 없는지 확인을 해야 해. 그 모든 절차를 아무리 빨리 해도 이삼 일은 걸리겠지? 선생님 말 이해하겠어? 복교하면 지금 3학년 일반반 중에 하나로 배치해야 하는데, 그것도 조율해야 하고. 복교를 하고 안 하고는 그다음 문제야. 그러니

일단 직업학교로 돌아가서 수업받고 있으면 선생님이 최대한 빨리 처리해줄 테니 좀 기다려줘야겠다. 막무가내로 해서 될 일이 아니야. 그리고 한 가지 더, 내가 직업반 담임인 한, 선생님은 네 편의를 최대한 봐줄 거고, 본교가 네 학교니 네가 오겠다고 하면 아무도 막을 사람이 없다는 것만 알아두면 돼."

아이는 뾰로통해서 당장이라도 본교로 돌아오고 싶은 표정이 간절해 보였다. 행정 처리는 감정적으로 할 수 있는 일이 아니었다. 아이는 서주 눈을 잠시 바라보더니 알아들었다는 듯 고개를 끄덕이고 가방을 챙겼다. 겉보기와 달리 말이 통하고 머리 회전이 빠른 아이 같아 서주는 적잖이 안심이 되었다. 떼를 부려서 되지 않는 걸 아는 나이였다. 일어나면서 아이가 다짐을 받아두겠다는 듯이 "복교된다는 말씀이시죠?"라고 물어 서주가 "절차상 문제가 없다면 복교된다."라고 대답했다. 하지만 서주도 확실하게 알지는 못해 말끝이 살짝 내려가는 걸 들키지 않으려고 애써 눈에 힘을 주었다. 교사가 학생 앞에서 흔들리는 모습을 보이면 아이는 그 이상으로 흔들려버린다는 걸 서주는 잘 알고 있었다. 아이 입에서 끝이 뭉뚱그려지고 작은 목소리였지만 "감사합니다."라는 말이 흘러나왔다. 아침을 김밥으로 때웠는지 아이 입에서는 김밥 기름 냄새가 났다. 아침도 제대로 챙겨줄 사람이 없는 것이 분명했다. 서주는 교무실 밖으로 나가는 아이의 등을 다독여주면서 최대한 빨리 처리할 테니 조금만 참으라고 다시 한 번 이야기했다. 그리고 며칠 내로 직업학교로 방문해서 직업학교 담임교사와 함께 만나자고도 했다. "직업학교 담임쌤도 만나나요?" 아이가 다소 놀란 듯 물었지만 서주는 당연한 거 아니냐고 오히려 되물었다. "그럴 필요 없으신데……" 아이가 말끝을 흐렸지만 서주는 못 들은 척했다. 아이가 들어올 때와는 달리 서주에게 꾸벅 인사를 하고 돌아서 나갔다. 아이가 고개를 떨구고 힘없이 걷는 뒷모습에 서주는 습관적으로 마음 한편이 쓰렸다. 12년째 선생을 하고 있어도 해마다 축 처진 아이들의 어깨를 볼 때마다 이 싸하게 저린 마음은 여전했다. 저 아이의 말이 사실이든 아니든 이 문제를 빨리 처리해야 하는 게 지금 서주가 해야 할 일이었다. 아이를 돌려보내고 나자 앞에 앉은 박 선생은 그때서야 파티션 밖으로 고개를 내밀어 이 선생 대단하다며 박수를 치고, 부장은 박 선생을 힐끗거리며 역시 우리보다 낫다고, 여선생님들이 남자아이들을 잘 달랜다며 추켜세웠다. 그러면서 부장이 중요한 정보라도 전해주는 듯 서주에게 말을 건넸다. "저 아이 작년 2학년 때, 진로진학부실 청소했던 아이예요. 쓰레기 분리수거를 잘해서 칭찬도 해주고 했는데 별일이네요"라고 한마디 알은척을 했다. 그러면서 "아, 그리고 한선직업정보학교에서 전화가 왔어요. 직업반 담임선생님하고 통화를 하고 싶다고 하던데 자리에 없다고 하니 다시 하겠다고 하데요."라고 덧붙였다. 선생에 여자는 어디 있고 남자는 어디 있는지, 아이가 작년에 진로진학부실 청소를 했다면 얼굴도 익히 알고 있었을 텐데 서주가 수업을 하는 1교시 동안 붙잡아 앉혀놓고 문제가 뭔지 정도는 파악해주는 게 더 중요한 정보라는 걸 알고도 남았을 부장이었다. 한선직업정보학교에서 전화가 왔다면 무슨 일인지 한 번쯤 물어보기라도 해줄 수 있는 거였다. 교직 생활 30년을 넘게 한 부장교사가 학교에서 하는 일이라고는 아무것도 없는 이 현실이 참을 수가 없었지만 바꿀 수 없으면 견디는 수밖에 없다고, 서주는 12년의 교직 생활을 통해 익히 알고 있었다.

*

서주의 들숨과 날숨 속에 긴장이 서렸다. 쿨메시지는 지하철 안에서 생각해둔 대로 출근하자마자 보낸 상태였다. 전화기를 들기 전에 행정실 최 선생 내선번호를 확인했다. 전화까지 할 일이 아니었다. 쿨메신저에 마음에도 없는 이모티콘 웃음 표시까지 해가면서 에둘러 좋게 이야기했다. 제 이름은 이주서가 아니라, 이서주입니다. 전체 교직원 명렬을 고쳐서 다시 쿨메신저를 보내셔야 할 거 같다고 글자에는 표시가 나지 않았지만 한 글자 한 글자 조심스럽고 미안한 마음을 담아 송신 버튼을 눌렀다. 엑셀 파일에서 주서를 서주로 바꾸고 전체 교직원에게 쿨메신저로 보내면 끝나는 일이었다. 행정실 최 선생은 그 일을 담당하는 사람이었다. 당연히 해야 하는 일이었다. 서주는 그렇게 바뀌어 메시지가 와 있을 거라 생각했다. 4교시가 끝나자마자 교직원 식당에서 점심을 바삐 먹고 복교한다는 아이에 대해 좀 알아보려고 교무실로 돌아와 보안화면의 컴퓨터를 켰다. 행정실 최 선생에게는 아무런 메시지가 없었다. 쿨메신저를 열어 수신확인을 했는지 보았는데 수신확인은 이미 서주가 메시지를 보낸 직후에 한 게 분명했다. 그런데도 아직까지 아무런 메시지가 없고, 수정된 교직원 명렬도 보내지 않았다. 복직하고 일주일이 지났지만 2학기 복직이라 교직원 회의 때 교무부장 소개로 잠깐 인사를 한 거 외에 학교에서 서주를 정식으로 소개한 적이 없었다. 교사 외에 행정실 직원들과 인쇄실을 포함한 기사실 직원들, 급식실 직원들을 비롯해 매점 아저씨, 청소를 담당하는 아주머니들에 이르기까지 교직원은 100명이 넘었다. 적어도 서주가 이 학교 교사라는 것은 알아야 했다. 심지어 한 주 동안 교문을 드나들며 얼굴을 익혔다고 여긴 경비조차 서주가 누군지 몰라 선생님인지 여러 번 물어 서로 멋쩍은 적이 있었다. 휴직 전에 학교 뒤편의 살구나무에서 살구가 열리면 한 바구니 따서 교무실 선생들에게 나눠 주던 부처님 귀를 가진 경비는 보이지 않았다. 얼굴이 익숙해질 만하면 모두들 떠나는 곳이 학교였다. 직원들도, 선생들도, 아이들도. 그런 와중에 이름도 이서주가 아니라 이주서로 잘못 알려지면 가뜩이나 복직한 학교라 새 학교나 마찬가지인 상황에서 어느 틈에 서주도 사라질 것 같아서, 사라져도 아무렇지 않게 여길 것 같아서 서주는 침이 말랐다. 수행평가로 동 교과 선생들 협의가 있다고 주임선생이 전화가 왔는데, '이주서 선생님'이라고 해서 당황스러운 경험을 하기도 했다. 이서주입니다, 라고 하자 화들짝 놀라며 명렬표에 그렇게 되어 있어 실례를 했다며 먼저 말한 서주가 미안할 정도로 사과를 했다. 어떤 선생은 다짜고짜 전

에 있던 선생 이름을 그대로 부르거나 그 선생이 언제 그만뒀
냐고 되묻기도 했다. 명렬을 고치지 않으면 앞으로 이런 일은
계속 일어날 것이었다. 서주는 살짝 목 언저리가 홧홧해지기
시작했다. 점심시간이 끝나고 양치할 시간까지 생각해서 5교
시 후 20분 정도가 지난 뒤에 서주는 행정실 최 선생 내선번
호를 꾹 눌렀다. 네 번째 신호가 울리고 나서야 받았다.

"네."

네, 라니. 학교도 엄연히 국가의 세금으로 운영되는 공공기
관이다. 외부전화에 민원인이 전화를 했다고 해도 저런 태도
였을까, 서주는 귓불 아래까지 뜨거워지는 걸 느꼈다.

"진로진학부 이서주예요."

"네."

"제가 아침에 쿨 보내드렸는데, 교직원 명렬에 제 이름이
잘못되어 있어서요. 제가 이주서가 아니고, 이서주입니다."

"그거 그냥 파일 상에서 지우고 쓰면 되는데. 복잡할 거 없
는데."

행정실 최 선생은 반말인 듯 존댓말인 듯 알 수 없는 말투
로 매우 귀찮다는 듯, 뭘 이런 걸 갖고 전화를 하냐는 식으로
퉁명스럽게 대답하고 서둘러 전화를 끊으려고 했다. 서주는
얼굴까지 화끈거리는 걸 느꼈지만 기침을 몇 번 하는 걸로 당
황함을 감추었다. 실제로 목에 덩어리 같은 것이 걸린 것 같
아 거북했다.

"제가 받은 파일 지우는 게 문제가 아니라, 전체 교직원들
에게 잘못된 이름이 나갔으니까 말씀드리는 거죠."

"그거 아무도 신경 안 쓰는데, 불편한 사람 아무도 없는데, 일단 알겠어요."

전화가 툭 끊겼다. 아무도 신경을 안 쓰는지, 불편한 사람이 없는지 행정실 최 선생이 다 알고 있다는 듯 말하는 태도에 서주는 치받치는 마음을 어쩔 줄 몰라 했다. 복직원 낼 때 최 선생 얼굴을 행정실에서 잠깐 본 적이 있었다. 서주보다 열 살 이상은 어려 보이는 이십 대 중반의 나이였다. 나이도 어린 것이 말이 짧은 것도 기가 막혔지만, '선생님 죄송해요, 금세 고쳐서 전체 메시지로 다시 보내드릴게요.', 그 한마디가 그렇게 어려운 건지, 자기가 똑바로 해야 할 일은 해야 하는 거 아닌지, 수화기를 내려놓고서도 눈꺼풀이 파르르 떨리는 걸 서주는 애써 진정시키려 숨을 골랐다. 12년간 세 번 학교를 옮기면서 행정실 직원들과 얼굴 붉힌 적인 한두 번이던가, 물과 기름처럼 교사와 행정실 직원들은 겉돌 때가 많았다. 그래도 이렇게까지 무례한 직원은 처음이라 서주도 어떻게 처리해야 할지 숨을 고르고 생각이란 걸 해야 했다. 가뜩이나 복직을 해서 버스에서 졸다가 사방천지 모르는 곳에 얼떨결에 내린 것처럼 낯선 것 천지인데, 행정실 나이 어린 여직원까지 서럽게 한다고 서주는 생각했다. 주서를 서주로 바꿔달라는 것은 어려운 일이 아니었다. 하지만 행정실 최 선생이 자신이 작성한 교직원 명렬표가 잘못됐다는 사과 메시지를 전체 교직원을 대상으로 다시 보내기가 귀찮고 꺼려진다는 것은 분명했다. 그것은 자신의 잘못을 인정하지 않겠다는 것이었다. 서주는 그것이 더 괘씸했다. 전화벨이 다시 울린

건 그때였다. 서주는 그 짧은 순간 안도감이 소용돌이처럼 명치를 중심으로 퍼져가는 걸 느꼈다. 행정실 최 선생이 사과를 하기 위해 전화를 한 거라고, 엑셀 파일의 이름을 바로 고치고 지금 쿨메신저로 전체 교직원들에게 공지했다고, 아까 죄송했다고, 그런 말들을 하려고 다시 전화하는 거라고 확신했다. 울리는 전화벨이 누군지도 모르면서 서주는 최 선생이라고 믿어버렸다. 반갑기도 하고 설레기도 하고 고맙기도 하면서 방금 전과는 다른 홧홧함이 순식간에 서주 얼굴에 점점이 번져나갔다.

"진로진학부, 이서주입니다."

저도 모르게 목소리가 살짝 떨리고 있다는 걸 서주는 어떻게든 내색을 하지 않으려고 발가락에 힘을 주었다. 어린 것이 싸가지가 없다고까지 생각한 서주 자신이 부끄러워지기까지 했다.

"여…… 여보세요?"

행정실 최 선생이 아니었다. 게다가 남자였다. 서주는 자기도 모르게 옅은 한숨이 새어 나왔다. 십중팔구 문제집 출판사 직원 아니면 직업학교 홍보 담당자의 전화일 것이다. 복직 일주일 만에 이들에게서 받은 전화가 거의 대부분이었다. 그제야 부장이 말한 한선직업정보학교가 생각이 났다. 서주는 바짝 세웠던 허리에 힘을 풀고 의자 등받이에 툭 기댔다. 전화를 빨리 끊고 한선직업정보학교에 전화를 해야겠다는 생각에 마음이 급해졌다. 복교한다는 아이가 다니는 직업학교가 분명할 터였다. 전화 감도 멀고 지지직거리는 소리에 서주는 저도 모르게 짜증이 났다.

"네, 어디세요?"

"저, 이서주 선생님 맞습니까?"

서주는 맞다고 대답했다. 남자의 목소리 감이 멀게 느껴졌다. 서울이 아닌 다른 곳, 아니면 지상이 아닌 지하에서 전화를 하는 것처럼 감도 멀고 소리도 작았다. 서주는 수화기를 귀에 바짝 댔다. 9월이라 아직 더웠고, 수화기에서는 마른침 냄새가 났다. 한두 번 겪은 것도 아닌데 행정실에서 사과 전화 같은 걸 할 거라고, 기대라는 것을 한 것 같아 실망에 더해 서주의 인상은 더욱 구겨졌다.

-저 김영호라고, 김영홉니다. 기억하실지, 너무 난데없이 전화를 한 거 같아서……

흔하디흔한 김영호라는 이름은 서주의 12년 교직 생활 중에 수십 명이 있었을 것이다. 그중 꽤나 똘똘한 아이도 많았지만, 공부는 못하는데 착하기만 하거나 공부도 못하면서 비열하기까지 한 아이들도 있었다. 똑같은 김영호라는 이름인데 어쩌면 이렇게 다들 다른지 매해 놀라면서 그 모든 김영호를 혼내고, 달래고, 윽박지르고, 다시 화를 내다 끝내는 안아주었다. 그렇게 돌려보낼 때마다 열에 아홉은 축 늘어뜨린 어깨로 서주 마음을 흔들어놓았다. 그러면서도 단 한 종류의 아이들만큼은 끝내 서주와 가까워지지 못했다. 공부를 아주 잘하면서 비열한 아이들이었다. 그래 봤자 열여덟, 열아홉 살짜리 아이들이라고 생각한 서주를 무색하게 만들었던 그 아이들에게 받은 상처가 흉터로 남아 서주 가슴을 오래도록 곪게 했었다. 하지만 지금 전화를 건 김영호는 서주의 제자가 아니었다. 서주는 영호의 말대로 난데없는 이 상황과 근무하는 학교 전화번호를 어떻게 알아내서 전화를 한 건지, 그리고 지금 왜 전화를 한 건지, 무엇 하나 설명되지 않고 납득되지도 않는 복잡한 상황 속에서 정확히 20년 전의 김영호를 떠올려 보려고 애를 썼다. 목이 늘어난 라운드 티에 라면 국물이 튀어 있었고, 철 지난 셔츠를 교복처럼 걸치고 다니던, 바지 밑단이 해지고 해져서 더는 해질 수 없이 너덜거리는 걸 입고 다니는 걸 멋이라고 생각하며 덧니를 드러내고 웃던 김영호가 서주의 덤불 같은 기억 속 어딘가에서 불쑥 튀어나왔다. 그리고 가시 하나가 서주의 가슴을 꾸욱 찔러 들어오는 것처럼 영호의 보조개가 떠올랐다. 그 보조개를 손가락으로 찔러 보고 싶었던 서주의 마음도. 선잠에서 깨기 전에 윙윙거리는 목소리가 순식간에 또렷해지듯 영호의 목소리라는 걸 서주는 정확하게 알아차렸다.

"그러니까……, 이거 학교 전화야. 휴대폰 번호 알려줄 테니까 그리로 해. 받아 적을 수 있어?"

"어……, 어. 불러, 적을게……."

"잘 안 들려. 크게 말해."

"어, 적는다고! 국제전화야! 내가 외국에 있어. 토바고라고, 트리니다드 토바고. 여기서 참치를 잡아……."

묻지도 않은 말을 서둘러 말하는 영호에게 서주는 천천히 휴대폰 번호를 불러주었다. 그러면서 수화기를 붙잡지 않은 왼손으로 오른쪽 가슴을 감싸 안았다. 재발 확률 때문에 1년 뒤에 유방 재건수술을 하자는 의사의 말이 다시 떠올랐다. 브래지어 안으로 가슴 형태를 잡아주는 보형물의 물컹한 느낌이 느껴졌다. 서주는 왠지 감추고 싶었다. 영호가 눈앞에 있는 것도 아니고, 옷을 벗고 있는 것도 아니었는데, 서주는 창피하다고 생각하는 자신이 놀랍고도 생소했다. 그리고 영호가 말한 '트리니다드 토바고'를 마음속으로 한 글자씩 되뇌어보았다. 영 입에 붙지 않는 나라 이름이었다. 사각사각, 감도가 먼 전화기 너머로 영호가 서주의 휴대폰 번호를 받아 적는 소리가 들리는 듯했다. 서주의 가슴속 깊은 어딘가에서도 연필심을 따라 사각사각 소리가 나는 것 같아 서주는 눈을 깜박였다.

휴대폰은 울리지 않았다. 5교시 수업이 없는 서주는 교무실에 있었고 , 5교시 수업이 있는 부장과 박 선생은 교무실을 비웠다. 셋이서만 쓰는 진로진학부 교무실에 간만에 홀로 있는 서주는 휴대폰을 잡고 꼼짝도 하지 않았다. 이럴 줄 알았으면 그냥 전화를 받을 걸 하며 서주는 후회하다 아무래도 학교 전화로 다른 사람도 아닌 영호와 통화를 한다는 것이 꺼림칙했다. 아무도 없는 교무실에서 이어폰을 꽂고 들었던 음악을 이어폰 없이 볼륨을 높여 들으며 커피라도 한 잔 타 먹을 수 있는 유일한 시간이었다. 부장이 잠을 자다 북북거리며 방귀를 뀌거나 박 선생이 인터넷 바둑을 두며 쯔읍쩝 하면서 잇소리를 내는 걸 참을 수가 없어 서주는 교무실에 들어오면 늘 이어폰을 꼈다. 남자 선생 둘이 있지만 큰 교무실에서 떨어진 별실에 있으니 지내기 불편하지 않을 거라 말하며 묘하게 웃던 교장의 입에 운동장의 흙이라도 한 줌 집어 쑤셔 넣고 싶었다. 부장과 박 선생이 주식 이야기며 학교 주변 맛집 전단지를 펼쳐놓고 앉아서 이번 회식 때는 어디를 갈지 미리부터 고민하고 있는데 말을 섞고 싶지 않았다. 복직하고 첫 업무 지시로 진로진학부에 내려온 2학기 예산 전부를 반납하겠다고 선언한 부장의 말을 듣고 서주는 혀를 내둘렀다. 12년 동안 별의별 정신 나간 선생들을 많이 봐왔지만, 부서 부장이 집행해야 될 예산 전부를 반납하겠다니, 그 말은 부서에 배당된 돈을 쓰지 않겠다는 것이고 돈을 쓰지 않겠다는 것은 일을 전혀 하지 않겠다는 뜻이었다. 거기에 맞장구를 치며 역시 부장님이라며, 좋은 생각이라고 추임새를 넣는 박 선생을 보며 서주는 블랙코미디라도 보는 기분이었다. 인문계 고등학교에서 진로진학부장의 위치는 아무 일도 하지 않아도 되는 그런 한가한 자리가 아니었다. 서주는 그날, 부장과 박 선생하고는 일적인 거 외에는 말을 섞지 말아야겠다고 다짐했다. 그런 보기 싫은 사람들이 사라져준 소중한 시간에 서주는 한 손에 휴대폰을 붙들고, 다른 손으로 컴퓨터 업무 시스템에 접속 비밀번호를 누르고 있었다. 털털거리며 직업학교로 억지로 갔을 아이의 생활기록부를 출력해 보니 이름이 고준섭이었다. 부모 성명란의 '모' 란이 비어 있었다. 준섭이가 위탁되어 다니는 직업학교 이름은 부장이 전달해준 대로 '한선직업정보학교'였다. 직업학교의 정식 명칭은 '직업정보학교'이다. 업무 편의상 직업학교라고 부를 뿐이지, 엄연히 국가에서 운영하는 공립 고등학교에 해당하는 학교였다. 생활기록부에

기록되어 있는 직업학교 이름을 준섭이를 바라보듯 다시 한 번 마음속으로 읽었다. 준섭이 처진 어깨가 마음에 걸려 직업학교에 전화를 하고, 오늘내일 중으로 직업학교 방문 계획도 세워야 했다. 6교시에 들어가는 반은 반 분위기가 안 좋기로 소문난 8반이었다. 교과서 한 줄 나가는 게 잡을 데가 없는 바위산을 하나 넘어가는 것처럼 버거운 반이라 교실로 향할 때마다 긴장감에 심호흡을 했다. 기다리던 휴대폰은 울리지 않고 학교 전화벨이 다시 울렸다.

"진로진학부 이서주입니다."

"나…… 영혼데, 번호를 잘못 적었나 봐. 휴대폰 번호 다시 한 번만 알려줄래?"

20년이 지나도 여전한 김영호. 어쩌면 이러니, 우리의 마지막도 그랬다고 서주는 생각했다. 왜 하필 대공원에서 만나자고 했는지, 대공원에 동물들을 보면서 웃어라도 보라는 거였나, 그때 그걸 묻지 못한 채 헤어졌다. 그때 분명 영호는 대공원이라고 말했다. 서주 집에서도 멀고 영호 자취방 방향에서는 더더욱 먼 대공원에서 보자는 특별한 이유가 있을 줄 알았다. 지하철을 타고 과천 서울대공원을 가는 내내 서주는 앞으로 어떻게 해야 하는지, 지금 이 사태를 어떻게 수습해야 하는지, 영호가 답을 줄 거라 생각을 했다. 적어도, 최소한 그것만큼은 해줄 거라 생각했다. 대공원에 가려면 4호선을 타고 서울랜드가 있는 대공원역에서 내려야 했다. 지하철을 타고 가며 서주는 대공원역이 이렇게나 멀었나 새삼 생각했다. 대공원역 밖으로 나오자 9월 늦더위가 기승을 부리는

데도 비가 내려 살에 닿는 바람이 차가웠다. 휴대폰이 막 보급되기 시작하던 98년도였다. 서주는 휴대폰을 개통했지만, 영호는 휴대폰이 없이 삐삐를 갖고 있었다. 만나기로 한 시간에서 벌써 30분이 지났다. 사방 천지에 비를 피할 곳이 마땅하지 않아 서주는 공중전화박스 안에 들어가 있었다. 공중전화박스 바닥에는 나무에서 떨어져 내려 들어온 단풍들이 여러 번 밟혀 짓뭉개져 있었다. 그때 마침 소풍이었는지 한 학년 전체 정도 되는 수의 여고생들이 대공원역 밖으로 나오지 못하고 모두들 발을 구르며 울상을 짓고 있었다. 서주가 영호에게 8282라고 삐삐를 쳤다. 그때서야 영호에게 전화가 왔다. 영호가 왜 안 오냐며 잔뜩 주눅이 든 목소리로 말을 했다. 누가 물을 소리냐고 서주가 답을 했다. 서주가 서울대공원역 앞이라고 이야기하자, 영호가 못 알아들은 듯 "역?" 그러면서 자기도 대공원 앞이라고 했다. 서주는 생각했다. 영호가 전화를 하려면 반드시 공중전화박스 안에 있어야 했다. 대공원 앞에 공중전화박스는 서주가 있는 곳 한 곳뿐이었다. 혹시 비가 와서 역 안에 있나 하며 서주는 다시 물었다. "너 지금 어디야?" 부슬부슬 비는 오는데, 부들부들 손가락이 떨리기 시작했다. "대공원이지, 어린이대공원, 너 어린이대공원 아니야?" 서주는 그만 눈물이 터져 나오려고 했다. 어린이대공원이라니, 대공원이라고 하면 보통은 서울대공원을 생각한다. 서주는 그것이 보편적인 서울 사람들의 생각이라고 여겼다. 경기도 과천시에 있는 대공원에 '서울'이란 이름을 붙인 거 자체가 모순이라면 모순일 수 있지만, 그래도 이건 아니었다. 영호가 창원에서 나고 자랐다고 해도 서울대공원을 모를 리 없다고 생각했다. 서주는 할 말을 잃은 잠시 동안 어린이대공원이 어디에 있는지 가늠해 보았다. 어린이대공원을 가본 적도 없고, 영호와 연애를 하는 동안 어린이대공원을 언급한 적도 없었다. 주로 대학교 근처나 서주 집 가까운 곳에서 만났고 영호가 서주 집까지 데려다주느라 굳이 영호 자취방에 갈 필요가 없었다. 무엇보다 영호 자취방은 영호 혼자 쓰는 방이 아니었다. 영호도 여럿이 같이 쓰는 지저분한 방이라고 그런 구질구질한 것까지 보여주기 싫다며 극구 서주를 오지 못하게 하기도 했다. 서주는 대공원을 서울대공원으로, 영호는 대공원을 어린이대공원으로 생각할 만큼 서주와 영호는 다른 사람이었다. "지하철노선도를 봐라, 대공원역이 서울대공원밖에 더 있어?" "대공원에서 보자고 했지, 대공원역이라고 안 했잖아…… 이쪽 동네 사람들은 어린이대공원을 대공원이라고 하던데……." 서주는 구질구질한 영호 자취방이라도 한 번쯤 가보지 않은 자기 머리를 마구 때리고 싶어졌다. 아직 7호선 어린이대공원역이 없던 1998년 가을, 서주는 과천 서울대공원 공중전화박스 안으로 빗살 쳐 들어오는 빗줄기에 전화기를 붙잡고 있는 손이 얼음처럼 차가워졌던 느낌이, 교무실에 앉아 전화를 받고 있는 지금 도도록이 되살아나는 듯, 손이 시렸다.

"끝자리가 2127이 아니고 2117, 이, 하나, 하나, 일곱, 이라고."

5교시가 끝나 부장과 박 선생이 진로진학부 교무실로 돌아와 각자 자리에 앉으며 이구동성으로 힘들어 못 해먹겠다며 구시렁거렸다. 수업에 들어가면 절반은 자습을 시킨다고 해서 학부모 불만이 많이 나온다고, 애들이 싫어한다고, 같은 교무실을 아무도 쓰지 않으려고 해서 부장과 박 선생을 붙여 놓은 거라는 얘기를 교직원 식당에서 서주는 복직 첫날 들었다. 서주를 보자마자 그런 말들을 아무렇지 않게 쏟아내는 미술 선생은 검은 머리카락이 한 가닥도 없이 머리가 하얗게 세 있었다. 누가 들을까 봐 소곤거렸지만 미술 선생의 소리는 식당 안에 울리고 퍼졌다. 앞으로 어쩌면 좋냐고 걱정 가득한 표정으로 서주를 바라보던 미술 선생에게서 나던 진한 화장품 냄새가 떠올라 서주는 숨을 골랐다. 부장과 박 선생을 보면서 그렇게 힘들면 당장이라도 사직서 내고 나가라고, 누구 하나 잡지 않고 학교에서 없어져주는 게 여러 사람 살리는 거라는 말을 하고 싶어 서주는 목울대가 울렁거렸지만 언제까지고 입 밖으로 내지 못한다는 걸 잘 알고 있었다. 그보다 지금은 그런 부장과 박 선생의 말에 신경 쓸 겨를이 없었다. 서주는 휴대폰을 들고 교무실 밖 복도 구석진 곳으로 갔다. 그러고 나서 휴대폰으로 걸려온 통화를 영호와 5분 남짓했다. 5분이라는 시간 동안 서주와 영호 사이에는 짧은 침묵이 여러 번 이어졌다. 난감함에 영호가 덧니를 드러내며 입술을 깨물고 있었을까, 말이 끊길 때마다 서주는 잠시 생각했다. 전화를 끊자 6교시 수업종이 울렸다. 한선직업정보학교에 전화하는 걸 또 깜박했다. 교무실을 나오면서 혹시 한선직업정보학교에서 전화가 다시 오면 하루 이틀 내로 학교 방문을 할 거라고만 전해달라고 부장에게 말을 했지만 부장은 귀찮게 뭐 직업학교까지 방문을 하냐며 허허 웃었다. 서주는 아무래도 전체 교직원 회의 때 교감선생에게 따로라도 진로진학부의 상황과 예산부터 해서 부장이 일을 손에서 놓으려고 하는 문제에 대해 이야기를 나눠봐야겠다고 다짐했다. 교감에게 이야기해서 안 되면 교장에게 이야기를 할 것이다. 그래도 안 되면 그때는 어떻게 해야 할까. 막막했다. 어쩌면 복직하자마자 직장 안에서, 그것도 가장 가까운 곳에 있는 사람들을 적군으로 만들지도 모른다는 두려움이 생겼지만 좋은 게 좋은 거라고 넘어갈 상황이 아니라는 것만은 분명하다고 마음을 다잡았다. 서주는 휴대폰을 책상 위에 올려두고 교과서를 챙겨 8반 교실로 향했다. 점심 약을 챙겨 먹지 못한 걸 복도를 지나 교실에 들어가서야 깨달았다.

*

영호에게 전화가 온 지 이틀이 지났다. 그사이 서주는 입안에 설염이 두 군데 생겼다. 양치질을 할 때마다 쓸려서 아파 이틀 내내 얼굴을 펴지 못했다. 늦더위에 열대야까지 겹쳐 잠을 설치면서 눈에는 핏발이 섰다. 서주는 출장을 달고 준섭이가 다닌다는 한선직업정보학교 방문을 위해 교문을 나섰다. 준섭이 직업학교 담임선생과는 결국 통화하지 못했다. 서주가 수업하는 사이 부장과 통화를 했다고 했다. 부장이 하루 이틀 내로 본교 직업반 담임교사가 직업학교 방문을 하겠다고 전달했더니 그쪽에서 그럼 기다리겠다고만 하고 전화를 끊었다고 했다. 출발하면서 다시 한 번 전화를 했지만 다른 선생이 받았다. 서주는 점심시간에 아이와 밥을 먹은 후 찾아뵙겠다는 말을 준섭이 직업학교 담임선생님께 전해달라고 부탁했다. 9월 중순이지만 아직 한여름처럼 더웠다. 매미우는 소리에 머릿속이 맴맴 돌아 서주는 미간을 좁혔다. 지하철을 타고 가도 됐지만 학교 바로 앞에 버스정류장이 있었고, 마침 버스가 왔다. 땡볕에서 지하철역까지 걸어가느니 돌아가더라도 버스를 타는 게 낫겠다 싶어 얼른 올라탔다. 금요일 오전 11시 30분께였고, 서주는 준섭이를 만나 점심을 함께 먹기 위해 기안을 올리고 학교 카드를 받아왔다. 예산을 모두 반납하라는 부장의 지시사항을 서주는 따르지 않고 있었다. 당장 10월에 전교생을 대상으로 하는 '진로탐색의 날' 행사는 무슨 돈으로 하려고 하는지 정해진 학교 행사조차 하지 않으려고 하는지 그런 무모함은 30년씩 교직 생활을 하면 곰팡이처럼 생겨나는 것인지 서주는 이해하지 못했다. 준섭이 점심시간에 맞춰 가려고 수업계 선생에게 부탁드려 오후 수업을 모두 오전으로 올려 하고 나서는 길이었다. 출장을 가려고 해도 밟아야 될 절차는 많고 많았다. 버스는 대학로를 통과하고 있었다. 영호가 연극표가 생겼다며 서주를 끌고 대학로에 갔던 1998년 초여름을 서주는 기억한다. 창원에는 연극을 볼 데가 없는데 서울에 오면 대학로에서 꼭 연극을 보고 싶었다고 말하는 영호가 들뜬 얼굴로 서주를 바라보았다. 그때, "너와 함께여서 더 좋아"라고 했던 목소리도, 매표

소 아가씨에게 건넨 초대권이라는 글자가 빨간색으로 선명하게 찍힌 연극표도, 그걸 내밀던 손톱 거스러미가 잔뜩 일어나 있는 영호 손가락도, 그 손가락으로 초대권이라는 글자를 보이지 않게 잡고 있었던 것도, 그 손가락 사이에서 초성 ㅊ자를 용케도 놓치지 않았던 서주 자신의 눈길도, 그걸 모른 척하고 영호 뒤를 따라갔던 서주의 뭉클뭉클한 마음도, 모두 기억한다. 어두운 무대 조명에 허깨비처럼 떠돌아다니는 영혼들의 억울함을 울부짖는 연극이었다. 금방이라도 귀신이 튀어나올 것처럼 음산하고 좁은 객석과 삐거덕거리는 딱딱한 나무의자가 낯설었다. 게다가 공기 중에 퀴퀴한 먼지 냄새와 땀 냄새가 섞여 나서 서주는 통 연극에 집중이 되지 않았다. 그러다 어느 틈인가 영호의 손이 치마 안쪽 서주의 허벅지에 닿았고, 서주는 놀라긴 했으나 오톨도톨 맨살이 일어나는 느낌이 싫다고 생각되지 않았다. 저도 모르게 허벅지에 힘을 주고 다리를 끌어모으자 그 움직임에 화들짝 놀라 영호가 손을 떼었다. 그 손을 조심스럽게 끌어다 잡은 건 서주였다. 연극이 끝나고 객석이 환해지는데 영호가 울었는지 손등으로 눈언저리를 비볐다. 셔츠 밖으로 나온 영호의 목부터 얼굴 전체가 빨갛게 달아올라 있었다. 울 만한 내용이었다고 생각했으나 서주는 연극이 클라이맥스에 오르기 전까지 자신의 허벅지 안쪽으로 조금씩 손가락을 움직였던 영호의 손길에 온통 정신이 쏠려 연극 내용이 콜라주처럼 엇나가 있었다. 그때 대학로 어딘가의 분식집에서 라면과 김밥을 허겁지겁 먹던 영호 입도, 청바지 주머니에서 꼬깃꼬깃한 1,000원짜리 지폐와 동전을 꺼내던 영호 손도, 라면을 하나 더 시켜 먹고 싶은데 돈이 없는지 빙그레 웃으며 서주를 바라보던 영호 눈도, 그렇게 웃으면서 볼 사이로 들어가던 영호 보조개도, 그 보조개에 손가락을 콕 찔러 넣어보고 싶어 다급해지던 서주 마음도, 잊었다고 생각했는데 서주는 기억하고 있었다. "우리 집이 떡집을 해서 나는 자라면서 밀가루를 먹어본 적이 없어." 라면을 삼키는 영호를 보고 서주가 이야기했었다. "뭐? 밀가루를 안 먹어봤다고? 아무리 떡집을 해도 그렇지 밀가루가 얼마나 맛있는 건데, 이제부터 밀가루의 세계에 빠져 봐. 헤어 나올 수 없을 걸." 서주는 그때, 밀가루가 아니라 덥수룩한 머리에 보조개가 들어가고 웃을 때 살짝 드러나는 덧니가 있는 영호에게 헤어 나오지 못할 거 같다는 예감이 들었다. 서주는 그날 평소에 잘 먹지 않는 라면을 영호처럼 후루룩거리며 먹고 까르르 웃었다. "그럼 떡볶이도 안 먹었어?" "쌀 떡볶이를 먹었지." "네 똥 굵다." "언제 적 코미디냐?" 그렇게 말을 주고받으며 영호도 서주도 소꿉장난치는 아이들처럼 미소 지었다. 집으로 돌아가는 길에 어둑한 골목 허름한 여인숙 앞에서 영호가 주춤거리며 서주의 손을 잡았다. 살짝살짝 떨리는 느낌이 서주에게 그대로 전해졌는데 서주는 이상하게도 웃음이 나왔다. 서주가 그런 영호의 손에 깍지를 끼었다. 긴장을 해서 깍지 낀 손 안으로 땀이 차오르는 걸 둘은 알지 못했다. 서주가 먼저 여인숙 쪽으로 한 발을 떼었다. 영호가 멈칫거리며 "아까 분식집에서 돈을 다…… 써버려서……"라고 말했다. 서주는 그런 영호의 축 처진 어깨를 왠지 세워주고 싶었다. "고개

들어, 돈은 남자만 내는 게 아니야."

버스는 대학로를 지나 창경궁 쪽으로 향하고 있다. 선생님이 12시에 도착할 예정이니 시간 맞춰 교문 근처에 있으라고 준섭이에게 문자를 보냈다. 보내자마자 '네'라고 온 답 메시지에 하트가 두 개나 붙어 있는 걸 보고 서주는 허탈하고 맥없는 웃음이 나왔다. 복교를 하느냐 마느냐 하는 이 판국에 하트 이모티콘을 보내는 이 철딱서니 없는 아이는 순진할 걸까 맹한 걸까. 영호가 대공원을 서울대공원이 아닌 어린이대공원으로 당연하다는 듯이 생각한 것은 정말 몰라서 그랬던 거였을까, 아니면 일부러였을까. 그때 서주는 돌아오는 4호선 대공원역에서 소풍이 취소된 여고생들 틈에 떠밀리듯 지하철을 탔었다. 가을비에 젖은 여고생들이 지하철 안에서 후들후들 몸을 떨고 지하철도 흔들흔들 달려가는데 서주의 젖은 머리에서는 물방울이 투두두둑 떨어져 내렸다. 학교로 돌아가는 것으로 결정됐는지 아이들이 모두 한숨을 쉬면서 차라리 집으로 보내달라고 지하철 안에서 아우성을 치는 사이에 서서 서주는 영호가 다시 전화하기를 기다렸다. 서주는 자기 눈에서 비처럼 떨어져 내리는 눈물을 제대로 닦지도 못하고, 여고생들이 서주를 보며 수군거리는 소리도 듣지 못한 채 휴대폰만 부서질 듯 붙잡고 있었다. 하지만 그 뒤로 그렇게 기다렸던 영호에게서는 단 한 통의 전화도 오지 않았다. 그러고 나서 딱 20년 만의 영호와의 통화, 여전히 주눅 든 영호 목소리가 흔들리는 버스 안에서 오래전에 끊어졌다 생각했던 서주 마음에 흐르는 결 하나를 이어놓았다.

휴대폰이 울린다. 영호에게 전화가 온 뒤로 휴대폰이 울릴 때마다 서주는 전에 없이 깜짝깜짝 놀라는 걸 느낀다. 부장에게서 온 전화였다. 출장에서 바로 퇴근할 건지, 혹시 학교로 다시 돌아올 수 있는지 물었다. 예산 관련 기안을 오늘 중으로 올리라고 행정실에서 연락이 왔다는 거였다. 준섭이를 만나 점심도 먹어야 했고, 학교에서 하지 못한 준섭이 이야기도 충분히 들어봐야 했다. 직업학교 준섭이 담임교사에게도 전후 사정을 들어보고 복교하는 것이 타당한 것인지 알아봐야 했다. 언제 끝날지 모르고 출장까지 나와 있는데 다시 들어와달라니, 서주는 못 들어간다고 했다. "그럼 이걸 어쩌나……" 하는 부장의 당황스러운 목소리에 치미는 화를 참지 못하고 결국 서주는 목소리를 높였다. 행정실에 진로진학부는 월요일에 기안을 올릴 예정이라고, 그 정도는 부장님 선에서 해결할 수 있는 거 아니냐고 하면서 전화를 끊을 때는 목소리 끝이 갈라져 있었다. 전화를 받느라 내려야 할 버스정류장을 지나쳐 한 정거장 더 가서 내렸다. 내리면서 서주를 향하는 버스 안에 있던 사람들의 따가운 시선을 느꼈다. 부장과 통화를 하면서 사람들도 많은 버스 안에서 저도 모르게 언성을 높인 자신의 염치없는 행동에 귓불이 새빨개진 서주는 고개를 숙였다. 부장이 전화기를 붙잡고 얼마나 당황스러워할지 서주는 눈앞에 그려지는 듯했다. 서주는 후회가 밀물처럼 몰아닥쳤지만 이미 때는 늦었다. 부장에게 그렇게까지 할 필요가 없었다. 서주는 잠을 잘 자지 못해서 그런 거라고 출렁거리는 마음을 달랬다. 아무리 싫다고 해도 부장은 부서 부장을 떠나

손윗사람이었다. 내일 부장에게 언성을 높인 것을 사과해야
겠다고 흘러내리는 땀을 닦으며 서주는 생각했다.

　여기는 도대체 어디일까. 서주가 좌우를 살피며 도로 폭이
넓고 인도가 좁은 버스정류장에 내려 난감한 표정을 지었다.
한 정거장이나 더 와버렸으나 도로를 건너가 버스를 다시 타
는 것도 애매해 직업학교까지 걸어가기로 했다. 내리쬐는 햇
빛에 땀 한줄기가 서주 귀밑머리를 타고 내려왔다. 부장에게
언성을 높인 것은 잘못이지만 생각할수록 부장이 괘씸하고
답답하고 그러다 불쌍해지기까지 했다. 한때는 열정적인 물
리 교사였겠지. 교감이 되려고 연수라는 연수는 다 챙겨 듣
고, 상이라는 상은 전부 도전하고 받아냈겠지. 자기보다 나이
어린 교감, 교장 비위도 맞춰가며 비굴했던 적도 있었겠지.
몇 점 차이로 교감 자리가 영원히 멀어진 걸 알고, 진로진학
교사라는 보직이라도 맡아야 했겠지. 수업은 적고 진로진학
지도라는 애매한 자리로 갈아타 아무 사고 없이 퇴직만을 기
다리고 있겠지. 성가신 업무라도 맡길까 봐 여기저기 선생들
눈치를 보며, 교무실 한구석에 숨어 지내는 부장이 생각났다.
그런 삶이 서주의 미래라도 되는 듯 흘러내리는 땀이 핏발 선
눈 속으로 들어가 서주는 눈을 깜빡이며 미간을 일그러뜨렸
다. 한선직업정보학교 방향이 맞는지 두리번거리고 걷는데
보도 담벼락에 선거 포스터처럼 길게 나이트클럽 광고지가
붙어 있는 게 보였다. 선거 포스터와는 댈 것도 아닐 정도로
30미터는 족히 넘게 똑같은 포스터를 길게 붙여놓은 게 신기
해 서주의 눈길이 머물렀다. 아무리 직업학교라고는 하지만

너를 생각해 · 127

엄연히 학교인데 근처 담벼락에 나이트클럽 광고지를 이렇게나 길게 붙여놓는 것이 상식에 맞는 것인지, 상식을 떠나 학교 근처 200미터 내외에는 이런 걸 붙여서는 안 될 텐데 직업학교는 그런 조항이 적용이 안 되는 것인지, 서주는 맥 빠진 헛웃음이 나왔다. 그런데 그 나이트클럽 광고 사진 속에 가수 김원준의 얼굴이 있었다. 지금 사십 대 중반이 됐을 김원준의 얼굴은 이십 대 때 전성기 그대로의 얼굴이었다. 김원준이 나이트클럽에서 노래를 부를 나이가 되었다는 것이 이상한 일도 아닌데, 너무나 이상한 것처럼 걸음까지 멈춘 채 서주는 김원준의 얼굴을 들여다보았다. 사진 속의 김원준은 박제된 것처럼 하나도 늙지 않고 날렵한 콧날에 베일 정도로 빛나는 얼굴 그대로였다. 이상하게도 김원준의 대표곡인 〈쇼〉의 멜로디가 서주의 귓가에 서서히 울려 퍼지기 시작했다. '쇼 끝은 없는 거야, 지금 이 순간만 있는 거야, 난 주인공인 거야, 세상이라는 무대 위에, 쇼 룰은 없는 거야……' 새까맣게 잊어버렸던 노래이고, 1998년 이후로는 이 노래를 우연이라도 들어본 적이 없는 거 같았다. 들었다고 해도 그냥 그런가 보다 하고 지나쳤을, 너무 오래전에 흘러가버린 유행가였다. 서주는 걸었다. 아직 끝나지 않을 것 같은 나이트클럽 광고지 옆을 걸었다. 레일 위를 달리는 길고 긴 기차처럼 광고지는 끝이 보이지 않았다.

*

혜경을 데려간 것은 무서웠기 때문이었다. 혼자 기차를 타고 창원까지 내려간다는 것도 무서웠고, 혼자서 영호를 만나고 어쩌면 영호네 가족들을 만나야 할지도 모른다는 두려움에 오금이 저렸다. 기차가 어둡고 긴 터널을 지날 때마다 서주도 눈앞이 깜깜해졌다. 그러다 터널을 빠져나오면 펼쳐지는 가을 단풍들을 바라보며 '어쩌면……'이라는 기대를 품었다. 덜컹거리는 기차 안에서 혜경은 서주가 역에서 사 들고 탄 도넛이 맛이 없다고 불평을 하면서도 남김없이 다 먹었다. 이동판매원이 지나갈 때, 서주가 사이다랑 계란을 사려고 하니까 혜경이 푸하하 웃음을 터트렸다. "촌스러운 년, 지금이 쌍팔년도냐? 계란이랑 사이다를 기차 안에서 먹게. 그러니까 네가 영호 같은 덜떨어진 놈한테……." 그럼 뭐를 마시겠냐고 서둘러 혜경의 말을 자른 서주 얼굴이 하얗게 질렸다. 혜경이 포도맛 환타를 손가락으로 가리키자 서주가 냉큼 지갑을 열어 값을 지불하고 포도맛 환타를 건네받아 혜경에게 주었다. 서주가 침을 꼴깍 삼켰다. "그 새끼 그거 곱상하게 생겨가지고 눈웃음칠 때마다 알아봤다. 좆만 한 새끼, 생긴 것들은 꼭 그렇게 꼴값을 하더라니까." "혜경아 제발…… 목소리 좀 낮춰……." "그 새끼 대공원 그 이후로 연락 없지? 두말할 것 없이 도망친 거야. 비겁한 새끼. 여하튼 내가 오늘 그 새끼를 만나면……." 서주는 아예 혜경의 입을 손으로 막았다. 주위를 살피는 서주의 얼굴이 홍추보다 더 빨개진 걸 보고 혜경이 한심하다는 듯이 눈을 가늘게 뜨고 서주를 째려보았다. 혜경은 서주 손을 털어내고 환타를 벌컥벌컥 마시다 쿠웨웩하며 기침을 해댔다. 서주는 혜경을 데리고 오는 것이 아니었다고 생각하면서도 혼자서는 영 갈 자신이 없는 스스로가 참을 수 없어 자꾸만 가슴이 두근거렸다. 창원역에 내렸을 때, 서주와 혜경은 똑같은 생각을 했다. 정말 시골은 시골이구나. 역 앞에 높은 건물은 없고 고만고만한 건물들이 띄엄띄엄 있었다. 공기 속에 진한 풀 냄새와 소똥 냄새가 섞여 있었다. 서울하고는 완전히 다른 곳이었다. 코스모스 사이로 잠자리가 무수히 날아다녔다. 어쩌면 서주가 생각했던 것보다 영호는 훨씬 가난하다는 막연한 생각이 들었다. 영호가 아르바이트 비를 받았다며 서주를 대학교 근처 '천원숍'으로 데려간 적이 있었다. "마음대로 골라, 네가 사고 싶은 거 내가 다 사줄 테니까, 마음껏 골라!" 서주는 그런 영호가 정말 바보처럼 좋았다. 그렇게 호기를 부리는, 허풍을 떨며 웃는 영호를 보고 있으면 천원숍의 물건이 전부 서주 것인 양, 천원숍의 밝은 조명이 영호와의 환한 미래라도 되는 듯, 천원숍 입구에 깔아놓은 미끄럼방지 패드가 푹신한 융단인 것처럼, 그것을 사뿐히 밟으며 온몸으로 조금씩 번져가는 포근함이 마냥 좋았다. 창원역 대합실에서 자꾸 두리번거리며 누구를 찾기라도 하는 것 같은 서주를 보면서 혜경이 서주의 등짝을 쳤다. 서주가 깜짝 놀라 배를 감싸며 딸꾹질을 했다. "야, 애 떨어지겠다! 왜 이렇게 놀래? 영호 그 새끼 안 나왔으니까 그만 두리번거리라고." "혜경아, 제발 말 좀……." "됐고, 건호상가라고 했지?" 창원역에서 제일 큰 상가는 건호상가였고, 그 상가 안에서 영호 어머니가 노래방을 운영한다는 말을 영호에게 얼핏

들은 기억이 났다. 거짓말일지 모를 그 기억 한 줄기를 갖고 창원까지 내려온 것이 무모했다면 무모했지만 그 방법 외에 달리 서주가 할 수 있는 일이 없었다. 어떻게든 영호와 이 문제를 해결하는 것이 맞고, 그것만큼은 확실하다고 서주는 확신했다. 서주와 영호는 스무 살이었고, 스무 살이면 어른이라고 생각했다. 건호상가를 어떻게 찾아야 하나 창원역 앞 좌판에서 김밥과 떡을 팔고 있는 할머니에게 물어보는 서주 팔을 잡아끌고 혜경이 길가에 서 있는 택시 뒷문을 열었다. "지리를 모를 때는 이 지역 택시 기사만큼 확실한 건 없는 거야, 맹추야"라며 서울에서는 볼 수 없는 노란색 택시에 올라탔다. 노란색 택시를 보니 엉뚱하게도 놀이동산에 있는 놀이기구를 타는 것처럼 서주는 마음이 붕 떴다. 택시 기사 말로는 창원에서 제일 큰 건물은 정우상가지 건호상가가 아니라고 했다. 혜경이 기가 막히다는 듯이 혀를 찼지만 서주는 갑자기 오줌이 마려워졌다. 건호상가는 3층짜리였고, 노래방은 그 건물에 하나뿐이었다. 보라색 필름지로 유리문을 가린 행복노래방을 본 혜경이 바닥에 침을 찍 뱉더니 "행복노래방 같은 소리 하고 있네."라고 중얼거리며 노래방 문을 활짝 열었다. 문을 열자 방울 소리가 딸랑딸랑 요란하게 울려댔다. 서주는 방울 소리가 너무나 커서 또 한 번 깜짝 놀랐다. 동네 친구와 싸우고 언니를 앞세워서 그 패거리들을 찾아갔을 때처럼 서주는 혜경의 뒤를 졸졸 따라갔다. 가뜩이나 지하라 어두운데 노래방 안은 놀이동산 귀신의 집처럼 온통 깜깜했다. 문을 열어놓은 거 보면 영업을 하는 것 같은데, 문을 열고 닫는 개념이 이곳에는 없을지도 모른다는 생각을 서주는 했다. 혜경이 "여기요, 손님 왔어요."라는 말을 접수대 탁자를 손바닥으로 탁탁 치면서 소리를 지를 때마다 서주는 바늘 끝으로 맨살을 찌르는 것처럼 따끔거렸다. 혜경이 탁자를 치던 소리가 컴컴한 노래방 밖으로 빠져나가지 못하고 메아리처럼 되돌아와 노래방 벽 사이로 스며들었다. 가게 안에서는 아무도 나오지 않고, 서주와 혜경이 들어온 문으로 앞치마를 하고 유난히 꼬불거리는 파마를 한 아주머니가 방울 소리와 함께 고개를 내밀었다. 사장이 잠깐 자리를 비웠으니 기다리라고 했다. 언제 오느냐 물었으나 그걸 어떻게 아냐면서, 하도 찢어지는 목소리가 옆 가게까지 들려서 와본 거라고 했다. 혜경이 김영호라고 아느냐고 물으니, 창원 바닥에 김영호라는 이름이 몇 명인데 이름만 갖고 어떻게 찾느냐고 퉁명스럽게 말했다. 그러면서 금세 곰살맞은 표정으로 바뀌더니 외지 아가씨들 같은데, 이따 저녁 먹을 거면 바로 옆에 식당이니까 오라고도 했다. IMF 가격 할인이라 싸고 맛있다고 가게 홍보에 열을 올렸다. 아주머니가 문을 닫고 나가려다 말고 "노래 부를 거면 시간 넣어주고? 돈은 나한테 주면 돼. 내가 사장한테 전해줄 테니"라고 덧붙였다. 노래를 부른다니…… 상상도 못할 일이라고 서주는 생각했다. 식당 아주머니가 사정을 몰라 그런 말을 했다는 건 알고 있지만 서주는 괜스레 불쾌해지는 기분은 어쩔 수 없었다. 혜경이 입을 삐쭉 내밀었다. 아주머니가 나가고 나서 혜경이 볼멘소리로 말했다. "저 아줌마 IMF파마했나보다. 어찌나 뽀글거리는지, 〈아기 공룡 둘리〉에 나오는 마이

132

콜 같지 않냐? 크크큭." 혜경이 웃자 서주도 따라 웃었다. 그런 서주를 보는 혜경이 다시 손을 들어 서주의 등짝을 후려 치려다 말고, "미친년, 웃음이 잘도 나온다."라고 면박을 주었다. "웃기잖아." 20분 남짓 어두운 노래방 접수대에서 등을 기대고 기다리다가 혜경이 다리가 아파 더는 못 서 있겠다고 하며 접수대에서 가장 가까운 1호실 방문을 열고 들어가 소파에 털썩 앉았다. 오래 묵은 먼지 냄새가 올라왔다. 서주도 따라 들어가 다시 20분 남짓 기다렸다. 하지만 아무도 오지 않았다. 혜경이 노래방 책자를 뒤적이면서, 이렇게 앉아서 기다릴 수만은 없으니 노래라도 부르자고 했다. 그러면서 서주의 의견은 묻지도 않고 옆 식당 아주머니에게 시간을 넣어달라고 부탁하러 뛰어나갔다. 문이 열리고 닫히면서 방울 소리가 여러 번 들렸다. 상기된 얼굴로 1호실로 돌아온 혜경은 어리벙벙한 서주를 보면서 노래라도 부르고 있으면 시간이라도 갈 거고 그럼 사장이든 영호 엄마든 올 거 아니냐며 책자에서 알아낸 번호를 리모컨으로 눌렀다. 서주는 주인도 없는데, 노래를 부르면 어쩌냐고 말렸지만, 혜경은 마이콜 아줌마한테 말했지 않냐고 하며 마이크를 잡았다. 그때 김원준의 〈쇼〉를 혜경이가 불렀다. '쇼 끝은 없는 거야, 지금 이 순간만 있는 거야, 난 주인공인 거야, 세상이라는 무대 위에, 쇼 룰은 없는 거야……' 서주는 얼떨결에 박수까지 치며 혜경이가 부르는 노래를 따라 부르다 다음번에 자기가 노래를 불러야 하니 노래방 책자를 손에 잡고 넘기기 시작했다. 책자를 넘기는 서주는 이 상황에 노래방에서 노래를 부르면 안 된다고 생각했지만 그런 생각을 떨쳐버리기 위해서라도 노래를 불러야 된다고, 지금은 이 방법밖에 없다고 생각하며 리모컨 예약 버튼을 꾹 꾹 눌렀다.

혜경과 서주는 어깨동무를 하고 〈솔아 솔아 푸르른 솔아〉를 경건하고 엄숙하게 합창했다. 이어서 김현정의 〈그녀와의 이별〉에서는 '비참하게 난 끝까지 어리석게 널 믿어버렸어, 하지만 나의 마지막 기대마저도 모두 무너진 거야······'를 꽥꽥거리며 부르다 서주는 저도 모르게 눈가에 물기가 번지는 걸 느꼈다. 그걸 혜경이 눈치채지 못하도록 서주는 마이크를 잡은 손에 있는 힘을 주고 더욱 소리를 질렀다. 코끝에 땀이 송골송골 맺혔다. 마이크에서 삐삐삐익하는 소리가 나자 혜경이 귀를 막고 욕을 하며 인상을 잔뜩 썼다. 그때, 1호실 문을 벌컥 열고 앞가슴에 레이스가 도드라진 블라우스를 입은 여인이 들어섰다. 레이스의 여인은 손님인 줄 알고 만면에 미소를 띠었다. 얼굴에 골진 주름을 타고 파우더가 굳어 있어 금방이라도 얼굴이 갈라질 거 같았다. 서주는 영호 어머니라고 생각해 그대로 얼음이라도 된 듯 경직된 몸으로 고개를 푹 숙였다. 〈그녀와의 이별〉의 반주음은 계속 흘러갔다. 누가 봤으면 담배라도 펴서 학생부에 끌려간 고등학생 꼴이었다. 막상 레이스의 여인을 본 혜경도 다소 긴장한 듯 리모컨으로 반주를 끄더니 조심스레 영호 어머님이냐고 물었다. 레이스 여인의 표정이 단번에 굳어졌다. 그러더니 냉장고에서 콜라 두 캔을 쟁반에 받쳐가지고 들어와 소파에 앉았다. 그때까지 엉거주춤 서 있던 혜경이 앉고 이어서 서주는 의자 끝에 간신히 엉덩이를 걸쳐 앉았다. 전후 사정을 혜경이 설명하고 서주가 보충을 하는 식으로 레이스의 여인에게 전달했다. 레이스의 여인이 담배를 꺼내 불을 붙이려다 말고 서주를 보더니 라이터를 내려놓았다. 그러고 나서도 서주를 오래 바라보다 한참만에 입을 열었다. 영호 아버지가 살아 있을 때 반년 같이 살았고, 영호 아버지하고 같이 살 때 영호를 본 적이 없다고 했다. 사람들이 영호 아버지라고 불러 레이스의 여인도 영호 아버지라고 불렀다고 했다. 딱 한 번 전화 통화를 한 적이 있는데, 영호 아버지가 죽기 전에 마지막으로 레이스의 여인을 찾았다고, 장례식에 올 수 있냐는 통화였다고 했다. 그때는 다른 남자랑 이미 살림을 차려 살고 있어 갈 수가 없어서 몰랐는데, 지나고 나니 마음이 오래 아팠다고 했다. 그날, 몰래라도 살짝 다녀올걸, 이제 막 새로 시작된 사람과의 삶이 또 산산이 부서질까, 유리처럼 깨질까 겁이 나 전화 통화도 서둘러 끊었다고 했다.

영호는 만나지 못했다. 노래방 바로 옆집에서 저녁으로 고깃덩어리는커녕 건더기 하나 없는 IMF설렁탕을 먹으며 서주와 혜경은 아무 말도 하지 않았다. 돈을 내려고 하니 레이스의 여인이 이미 밥값을 지불했다고 했다. 오히려 노래방비로 낸 돈을 식당 아주머니가 도로 혜경에게 돌려주었다. 인사라도 하고 가려고 노래방에 들렀지만 문이 잠겨 있었다. 결국, 서주는 영호에 대해서 같은 대학교 같은 학번이라는 것 외에 아는 것이 없다라는 것을 깨달았다. 그 정도만 알아도 영호에 대해 다 알고 있는 것이라 착각했다. 영호의 학과 친구를 한 번 소개받은 적이 있었지만 연락처를 알지 못했다. 이제는 영호가 같은 대학에 다니긴 했는지 의심이 갔다. 학과 친구를 소개해준 적이 있으니 같은 대학을 다닌 건 맞을 거라는 생각을 하며 서주는 혜경에게 욕을 먹어도 싸다고 생각하니 쓴웃음이 나왔다. 기차 안에서 혜경이 피곤에 지쳐 곯아떨어져 있어 다행이었지, 안 그랬으면 웃고 있는 서주를 보며 정말 미친 거 아니냐고 한 소리를 했을 거였다. 기차는 서울을 향해 레일을 따라 계속 달려갔지만 서주는 마음에 흐르는 결 하나가 툭 끊긴 느낌이 들어 혼잣말을 했다. "구질구질하다…… 구질구질해." 서울로 돌아오는 무궁화호 기차 안에서 서주는 다른 모든 것들은 생각나지 않고 오직 혜경이 불렀던 김원준의 노래 중 '쇼 끝은 없는 거야'라는 가사만 오롯이 머릿속을 가득 채워갔다. 끝이 없는 쇼, 끝나버렸으면 좋겠을 쇼, 이 모든 것이 쇼였으면 좋겠다고 서주는 되뇌이고 되뇌이며 울었다.

*

준섭이는 한선직업정보학교 정문 밖까지 나와서 휴대폰을 들여다보고 있었다. 서주가 "준섭아"라고 부르자 번쩍 고개를 드는 준섭이가 "쌤!"이라며 손을 들어 반갑게 인사를 했다. 겨우 한 번밖에 본 적이 없어 데면데면한 사이인데도 붙임성도 좋은 아이라고 생각하며 서주는 학교를 나와 처음으로 웃어 보였다. 준섭이는 본교에서는 본 적이 없는 귀걸이를 하고 해골이 박힌 반지를 끼고 있었다. 눈썹을 손질했는지 끝 부분이 푸르스름했다. 하복 셔츠 앞섶을 풀어헤치고 프리덤이라고 크게 영문으로 휘갈겨 써진 라운드 티를 받쳐 입었다. 가까이 다가가자 준섭이 입에서 김밥 냄새 대신 담배 냄새가 났다. 뭐가 먹고 싶냐고 서주가 물었다. 뭐든 좋다며 넉살 좋게 웃는데 덧니가 보였다. 그 덧니 사이로 고춧가루가 껴 있는데도 그것도 모르고 웃는 준섭이를 따라 서주도 어이없이 웃어버렸다. 짜장면 곱빼기와 탕수육을 시켰다. 기안 올린 예산 범위에서 결제를 하고 나머지는 서주가 계산을 하려고 준섭이에게 먹고 싶은 걸 마음껏 시키라고 했다. 준섭이의 생활기록부 '모' 란에 있어야 할 이름이 비어 있던 것이 머릿속을 스쳐 지나갔다. 지금 서주가 해줄 수 있는 것이 이것밖에 없는 것 같았다. 고등학교 3학년이 되었으면 열아홉 살이었다. 열아홉 살이나 되어서 짜장면을 온통 입 주변에 묻히면서 후루룩 짭짭 먹는 모습을 서주는 자꾸 흘깃거리며 보았다. 복교하는 진짜 이유는 한선직업정보학교에서 사귄 여자친구와 헤어졌기 때문이라고 했다. 매일같이 보는 것이 괴롭다고, 그 때문에 주변 친구들도 멀어지는 것 같고, 자동차정비라는 전공도 맞지 않는 것 같다고, 직업학교 담임선생님도 교사 같지 않다고, 무슨 교사가 그렇게 욕을 잘 하고 헛소리를 하고 사람한테 펜치를 휘두를 수 있냐고, 모든 게 다 싫어졌다고 했다. 서주는 복교하면 괜찮을 거 같냐고, 인문계 고등학교 교실에서 쉬지 않고 문제풀이를 하고, 좁은 교실에 앉아 하루 종일 알아듣지도 못할 소리를 계속 들어야 하는데 참을 수 있겠냐고 물었다. 준섭이는 큰 눈을 더욱 동그랗게 뜨며 고개를 크게 끄덕였다. 그때마다 숱 많은 긴 속눈썹이 서주의 눈에 띄었다. 복교만 시켜주면 쥐 죽은 듯이 학교 생활하다 졸업하겠다고 아무 문제도 일으키지 않을 거라고 그러니 복교시켜달라고 다시 한 번 졸랐다. 준섭이 나이 때에 서주도 남자친구가 있었고, 그 남자친구 때문에 밀가루만 먹으면 소화가 잘 안 돼 설사를 해도, 설사를 하면서도 쿡쿡거리며 웃었던 적이 있었다. 서주는 준섭이의 덧니에 이번에는 짜장 소스가 묻어 있는 걸 보며 티슈를 건넸다. 점심을 먹고 준섭이에게 같이 직업학교 교무실에 가자고 하니, 준섭이는 이비인후과 병원에 가야 한다며 이미 조퇴증을 끊었다고 했다. 중이염이 있다면서 덧니를 드러내고 눈웃음 짓는 준섭이가 버스에 올라타기 전에 서주를 향해 좌우로 크게 손을 흔들었다. 준섭이와 오랫동안 알아왔던 것처럼 서주도 얼떨결에 마주 손을 흔들며 희미하게 웃었다.

한선직업정보학교 자동차정비과 교무실로 향하면서 서주는 자꾸 손바닥에 나는 땀을 바지에 문질렀다. 담임선생님 소환명을 받고 문제 아들 엄마라는 죄로 학교를 찾아가는 것처럼 마음이 저릿저릿했다. 김영란법 때문에 음료수 한 박스 사들고 가지 못하는 것이 마음에 걸려, 빈손으로 가는 것이 당연한 건데도 서주는 마음이 편치 않았다. 여자친구 문제 때문에 원칙적으로 금지된 2학기 복교 절차를 진행해야 한다는 걸 떠나서, 준섭이에게 정말 쌍욕을 하고 펜치를 휘둘렀는지 경찰도 아닌데 확인을 해야 한다는 것이 같은 교사로서 내

키는 일이 아닌 것은 확실했다. 그리고 정말 그랬다면 어떻게 처리해야 하는지 서주는 머릿속이 복잡했다. 어디서부터 교감에게 보고를 해야 될지도 가늠해봐야 했다. 서주는 한선직업정보학교 자동차정비과 교무실 문에 노크를 하고 숨을 깊이 들이마시고 내쉰 다음 문을 열었다. 교무실 안에서 철 비린내가 났다.

한선직업정보학교를 나왔을 때는 뜨거운 바람이 불고 있었다. 2학기는 현장실습이 많아 직업학교는 적요했다. 서주는 퇴근 시간이 지났지만 집으로 돌아갈 마음을 접었다. 교문을 나와 내리막길에서 블록과 블록 사이에 앞이 트인 구두 밖으로 나온 발가락이 걸려 넘어질 뻔했다. 그 바람에 검지 발톱을 돌바닥에 찧어버렸다. 발톱이 빠질 것처럼 아파서 "악!" 소리를 내며 발을 붙잡고 바닥에 주저앉았다. 경비실에 앉아 있던 직업학교 경비가 소리를 듣고 뛰어나와 서주에게 괜찮냐고 물었다. 괜찮지 않았다. 서주는 경비가 일으켜 세워주겠다는 손도 마다하고 혼자 일어나 절뚝거리며 걸었다. 뜨거운 바람이 자꾸 서주의 숨구멍을 막는 것 같아 서주는 숨이 찼다. 땀이 흘러 몸이 자꾸 끈적거렸다. 학교로 돌아가려면 직업학교 앞에 있는 신호등을 건너 버스정류장에서 버스를 타야 했다. 파란색 신호가 바뀌기를 기다리는 서주가 신호등에서 앞이 트인 구두코 앞으로 튀어나온 빨갛게 변한 발톱을 내려다보았다. 점점 검붉게 변해가는 발톱을 보면서 서주는 울컥울컥 가슴속에서 뜨거운 무엇이 치밀어서 어금니를 물었다. 신호등을 휘청휘청 건너자 이번에도 벽면을 따라 나이트클럽 광고지가 수십 미터 이어져 있었다. 가수 김원준은 이십 대의 얼굴로 빛나게 웃고 있었지만, 김원준이 진짜 이십 대였던 그 시절, 서주는 검게 변하는 검지 발톱처럼 깜깜하기만 했다고 중얼거렸다.

"여자애가 꽃뱀 짓을 했는데, 걸린 거 같아요. 500을 요구했다는데, 그거 주고 합의하고, 어쨌든 같이 얼굴 보고 학교 못 다닐 거 같다고 해서 복교하고 싶다고 하는 거예요. 일주일 전에 중학생 여자애 꼬셔서 잔 거 같은데, 중학생 여자애도 준섭이가 좋아서 그랬다고 하니 여자애 부모들이 조용히 덮고 가자고 하고, 문제는 여자애랑 잔 걸 영상으로 찍었는데 그걸 친구들한테 자랑하며 돌려보다 저한테 걸렸어요. 그러면서 저를 협박하더라고요. 제가 혼내는 과정에서 쌍욕하고 펜치로 위협을 한 걸 고소하지 않을 테니 없었던 일로 하고 본교에서 담임 오면 아무 말 말라고요. 나 참, 일이 커지기 전에 본교로 복교하려고 하는 거예요. 그 새끼 간도 큰 게, 그 중학생 여자애 부모도 만나서 벌써 입막음 했나 봐요. 여자애 아버지가 청각 장애고, 엄마는 말을 잘 못 한다는데…… 이게 지금 그냥 넘어갈 문제가 아닙니다. 제가 발견해서 다행이지, 이게 만약 확산되거나 영상을 인터넷에 올렸거나 하면…… 본인은 아니라는데, 1학기 때는 얌전했던 애가 갑자기 이래서 당황스럽고, 아유 징그러워요, 저도. 애들 보면."

서주는 직업학교 준섭이 담임교사가 정말 뱀이라도 본 것처럼 징그럽다는 듯 내뱉은 한마디 한마디가, 서주 살갗에 쇳조각이라도 박힌 것처럼 따갑고 아파 화끈거렸다.

그래, 너 같은 새끼들 많이 봤지. 겉으로 순진한 얼굴을 하고, 동그란 눈을 더 동그랗게 뜨면서 눈웃음 짓는 새끼들. 너 같은 새끼들을 지도하는 게 내 일이고 너 같은 새끼들 사람 만드는 게 내 일이지만, 나는 알아. 너는 결국 나이트클럽 삐끼나 되어서 밤거리에 서 있겠지. 지나다니는 사람들에게 찌라시를 뿌리며 호객 행위를 하고 굽신거리며 살겠지. 그렇게밖에 못 살겠지.

입 주변에 온통 짜장 소스를 묻히고 먹고 덧니 사이로 짜장 소스가 묻은 채 웃던 준섭이를 생각하며 불현듯 서주는 지난주 주말에 청소한 세탁기 거름망이 생각났다. 세탁을 해도 꿉꿉한 냄새가 옷에서 빠지지 않아 인터넷으로 원인을 찾아보니 세탁기 거름망 때문이라고 했다. 세탁기 통 안에 양쪽으로 붙어 있는 동그란 세탁기 거름망은 겉으로 봐서는 멀쩡하고 깨끗했다. 서주가 세탁기 거름망을 떼자 악취가 스멀스멀 올라왔다. 맨손으로 거름망을 떼어내다 손가락에 썩은 진흙 같은 것이 묻어 얼른 씻어내고 고무장갑을 끼었다. 세탁기 통 양쪽에 붙어 있는 거름망을 떼어 싱크대 개수대에 놓고 거름망을 열어보았다. 새까만 진흙 같은 세탁 찌꺼기가 썩어 찐득한 덩어리가 빼곡하게 붙어 있었는데, 생물체라도 되는 듯이 꿈틀거리는 거 같았다. 손가락으로 그 안을 후벼 파자 악취는 코 안으로 순식간에 들어와 코 점막을 따갑게 했다. 고무장갑에 들러붙은 세탁 찌꺼기는 정말 살아 있는 것처럼 서서히 미끄러져 개수대 바닥으로 떨어져 내렸다. 서주는 수돗물을 틀고 다 쓴 칫솔을 이용해 세탁기 거름망 구석구석을 파내고 락스를 가져와 닦고 또 닦았지만 악취도 세탁 찌꺼기도 깨끗하게 사라지지 않았다. 준섭이도 세탁기 거름망과 다름없었다. 열아홉 살 미성년이라는 거름망을 뒤집어쓰고 그 안에서 악취 나고 썩어가는 자신을 은폐하는 인간이라고 서주는 생각했다. 그사이에 검지 발톱은 점점 더 검게 변해갔다. 통증은 무뎌졌지만 검붉은 발톱은 오랫동안 서주 발에 남아 있을 것 같았다. 서주는 설염이 난 자리 어디에선가 피가 터졌는지 입 안에서 철 비린내가 나 침을 삼켰다.

*

그렇게 거침없던 혜경이 울었다. 혜경과 창원에 내려갔다 온 지 보름 남짓 지났을 때였다. 서주 손을 잡고, 고생했다고 하며 혜경이 마구 울었다. 과방에서 소주 마시다 남자애들 멱살도 잡는 혜경의 눈 어디에 그 많은 눈물을 감춰놓았던 건지 끊임없이 눈물이 뚝뚝 떨어져 내렸다. 그 눈물 때문에 서주는 울지도 못하고 멍하니 조산원 회복실 침대에 누워 혜경의 얼굴만 쳐다봤다. 그런 서주 얼굴을 보고 혜경은 목젖까지 드러내며 엉엉 울어버렸다. 검붉은 피를 본 건 아이를 떼야겠다고 마음먹은 지 일주일 만이었다. 그 일주일 동안 잠을 자지 못했고, 서주는 엄마 눈을 피해 혜경의 자취방에서 자고 들어가는 날이 많았다. 영호에게 연락을 취할 방법도 삐삐밖에 없다는 것에 서주는 무엇에 홀린 것처럼 머릿속이 새하얘졌다. 영호 삐삐에 여러 번 연락을 했으나 정지됐다는 알림만 들릴 뿐이었다. 영호 삐삐가 끊기기 전에 서주가 숱하게 남긴 음성메시지를 영호는 들었을 것이었다. 하지만 동물원 이후 기다리던 영호 연락은 오지 않고 영호하고 같이 자취를 했다던 선배에게 전화가 왔다. 영호가 군에 입대했는데, 입대하기 전에 자기가 입대하고 나면 서주 씨한테 꼭 전해주라고 하는 게 있어 갖고 있다며 어떻게 전해 드리면 좋겠냐는 전화였다. 서주는 그 전화를 받고 선배라는 사람이 불러준 주소를 적은 메모지를 들고 버스를 타고 지하철을 타고 계단을 오르고 내리며 산동네에 있는 좁은 자취방을 찾아갔다. 자취방에 가봤자 영호가 없을 건 뻔한데도 서주는 영호 선배라는 사람이 극구 집까지 올 필요 없다는 말을 무시하고 자취방에 찾아 들어갔다. 영호는 없었다. 그 좁고 습한 방에서 둘이 잠을 잤는데, 영호가 그 사이에 끼어 총 셋이 잤다는 말이 믿기지가 않았다. 선배라는 사람이 청테이프로 여러 번 감싼 서류봉투를 서주에게 건네줬다. 서주는 떨리는 손으로 청테이프를 뜯어내며 서류봉투 안을 열었다. 그 안에 다시 청테이프로 감겨 있는 갱지 봉투를 꺼내 이번에는 청테이프가 붙어 있지 않은 종이 부분을 잡아 찢었다. 그 안에 메모 한 장 없이 만 원짜리 20여 장이 들어 있었다. 군대에 갔다고 하니 군대에서라도 볼 수 있을 거 같아 서주는 영호 선배에게 영호가 어느 군대에 갔냐고 물었다. 지금은 훈련소에 있을 텐데 훈련소는 면회가 안된다는 말을 듣고 서주는 그런 게 어디 있냐며 아무 상관없는 영호 선배에게 소리를 지르고 화를 내다 자취방에서 쫓겨나왔다. 혜경의 자취방으로 돌아와서 서주는 무슨 정신으로 그 돈을 세어봤는지 몰랐지만, 봉투 안에는 23만 원이 들어 있었다. 아이를 떼려면 50만 원은 필요했다. 혜경이 수소문해 불법 시술을 해주는 조산원을 알아봐주어 날짜를 받아놓은 상태였다. 날짜를 받아놓고 서주는 학교에 가는 척하며 집을 나와 혜경의 자취방으로 숨어들었다. 영호 선배라는 사람에게 23만 원을 건네 받아온 날은 혜경을 붙잡고 서주가 알고 있는 세상의 모든 욕을 영호에게 쏟아 부었다. 그러다 서주가 눈물을 터트리자 혜경이 눈에 핏대를 세우더니 침까지 튀겨가며 네가 더 미친년이라고 그런 새끼한테 뭘 기대했냐고 몰아세웠다. 서주가 지쳐 잠들 때까지 혜경은 서주를 시작으로 영호를 거쳐 세상 모든 남자들과 끝내는 스스로에게까지 욕을 하면서 소주를 마시다 잠이 들었다. 그런 혜경이 울었다. 하혈을 하자 검붉은 피가 가랑이 사이로 흘러나왔다. 임신 사실을 영호에게 알리고 만나자고 한 장소가 대공원이었다. 서주는 대공원에 비가 내릴 거라 생각하지 못했다. 혹시나 서울대공원에 있는 길고 긴 리프트를 타고 대공원 정상까지 올라가는 동안 안 될 거라는 걸 알고 있지만 어쩌면⋯⋯ 영호가 내가 모든 걸 책임질 테니 낳고 보자고 하는 허무맹랑한 이야기라도 해줄 거라 생각했다. 12년의 교직 생활 동안 소풍 장소가 서울대공원으로 정해질 때면 서주는 동물원 우리에 갇혀 같은 곳을 왔다 갔다 하는 느리고 생기 없는 갖가지 동물들을 보며 어쩌다 영호를 떠올렸다. 배 속의 아이가 사라져 없어지기를 그렇게 바랐는데, 막상 하혈을 하고 나니 입술까지 파래지면서 서주는 두려워졌다. 밥을 못 먹는 서주에게 콩나물국에 밥이라도 말면 한술 뜰 수 있을 거라며 콩나물을 사들고 들어오던 혜경이 봉지를 내팽개치자 콩나물이 사방으로 흩어졌다. 혜경이 서주를 끌어안고 조산원에 전화를 했을 때, 서주가 절대 집에는 알리지 말라고, 택시 부르라고, 걸을 수 있다고, 목소리 낮추라고 속삭였다. 혜경의 부축을 받으며 흩어진 콩나물을 밟고 택시에 올라타 조산원에 도착할 때까지, 서주는 혜경의 손을 붙든 채 이를 악물고 생각했다. 이 일은 원래부터 없었던 일이라고, 서주 인생에서 아예 존재하지 않았던 일이라고, 숨기고 감추고 싶은 욕망이 끝없이 샘솟아 죄책감에 몸서리쳤지만 그럼에도 서주는 할 수만 있다면 지금 이 순간마저 영원히 지워버리고 싶다는 더 큰 욕망에 소스라쳤다. 조산원에 도착해 철제 침대에 양다리를 벌리고 다리 고정대에 종아리가 닿았을 때의 그 얼음같이 차가웠던 느낌이, 그래서 이를 부딪는 소리가 머리를 울리던 것이, 20년이 지난 지금도 서주는 문득문득 생각날 때마다 여름 감기라도 걸린 듯 앓았다.

*

검붉어진 발톱은 이제 아예 새까맣게 변했다. 이렇게 며칠이 지나면 발톱이 빠질지도 몰랐다. 그러면 새 발톱이 나겠지. 발가락을 언제 다쳤냐는 듯이, 아무렇지 않게 새 발톱이 자랄 것이다. 서주가 집으로 가려는 마음을 접고 학교로 향하는 버스에 올라타자 준섭이에게 문자가 왔다. 학교에 가서 학생 성범죄에 따른 매뉴얼이 어떻게 되는지 필요한 조치는 무엇인지 확인하고 조치를 취해야 했다. 직업학교에서도 진행을 하겠지만, 경찰서에 바로 연락하지 않은 건 이유가 있을 것이었다. 본인의 동의 없이 성행위 영상을 친구들과 돌려봤다는 것은 엄연히 성범죄고, 성범죄는 피해자가 가해자의 처벌을 원치 않으면 처벌하지 않아도 되는 친고죄가 아니다. 상대는 더구나 미성년자인 중학생 여자아이이고, 그 여자아이의 부모는 장애인이다. 그런 부모를 찾아가 협박을 했을 수 있고, 합의하에 성관계를 했다고 하지만 준섭이의 태도를 봐그것도 거짓말일 가능성이 높았다. 서주는 알게 된 정보를 머릿속에서 차분하게 정리해나갔다. 냉정해져야 할 때였다. 본교에서도 담임교사인 서주가 알게 된 이상 교감, 교장 보고를 비롯해서 필요한 절차를 진행해야 했다. 잘못했다가는 어물쩍 넘어가며 학교가 제일 먼저 나서 덮고 지나가려고 할 거라는 걸 서주는 알았다. 그걸 막아야 했다. 반드시 해야만 한다고 생각하니 서주는 학교로 향하는 마음이 급해졌다. 그 마음에 불을 지르듯 준섭이에게 메시지가 왔다. '복교시켜주실 거죠? 쌤♡♡' 하는 문자에 서주는 버스 자리에 앉아 답 메시지를 누르며 생각했다. 복교를 하면 직업학교에서 네가 한 짓이 다 없어지는 건 줄 아는 순진한 척 교활한 열아홉 살, 복교만하면 과거의 네 행적이 모두 깨끗하게 지워지는 줄 하는 맹한 척 뻔뻔한 열아홉 살짜리 아이가, 중학교 여자아이 인생을 구겨놓은 것처럼 서주는 준섭이를 어떻게 해야 할지, 펜치를휘두르는 모습을 보는 게 겁이 나는 것이 아니라 차라리 펜치에 맞는 게 낫다고 생각하게 할 만큼, 준섭이 셔츠 앞에 쓰여 있던 '프리덤'이라는 글자를 박살 낼 방법을 고심했다. '아니, 복교를 하기 전에 네가 뭘 잘못했는지 그리고 그게 얼마나 큰 잘못인지 알아야지. 그걸 깨닫게 해줄 테니 기다려. 네 눈에는 선생님이 그렇게 순진하게 보였니?' 서주는 메시지 송신 버튼을 누르고 휴대폰을 가방 속에 집어넣었다. 휴대폰 진동이 계속 울렸지만 서주는 전화를 받지 않았다. 학교에 도착하니 진로진학부 문이 잠겨 있었다. 퇴근 시간이 이미 한참 지나 있었다. 비밀번호를 누르고 진로진학부 교무실로 들어갔다. 어깨에 멘 가방을 책상에 올려놓자 파티션 너머로 지리 담당 박 선생 자리에 있는 커다란 지구본이 보였다. 서주는 성큼성큼 걸어 박 선생 책상으로 다가갔다. 구두굽이 바닥에 닿는 소리가 진로진학부 교무실에 울렸다. 서주의 검게 멍든 발톱처럼 창밖은 어두워져 있었다. 책꽂이에는 지리책 대신 바둑책이 한가득이었다. 그 사이에 지구본이라니, 서주의 입술 사이로 차가운 웃음이 흘러나왔다. 트리니다드 토바고라고 했지, 그곳에서 참치를 잡는다고 했지, 서주는 손가락으로 지구본을 돌려 멕시코 아래 카리브해상에 있는 작은 나라, 이름도 생소한 트리니다드 토바고를 찾아냈다. 한국과는 정반대의 위치였다. 20년 전 서주는 서울대공원에, 영호는 어린이대공원에 있었던 것처럼 그만큼의 거리보다 훨씬 더 먼 곳에, 비행기로 가려고 해도 직행이 없을 거 같은 그곳에 영호가 산다고 했다. 영호는 1998년 그날, 정말 어린이대공원에라도 와 있었을까……. 서주는 이틀 전에 영호에게서 걸려온 전화 목소리를 떠올렸다.

"너를 생각했어. 이 뜨거운 나라에도 대공원이 있는데, 이 나라에 온 뒤 처음으로 와봤어. 거기 앉아 있으니 네가 생각났어. 그리고 너무 미안해졌어. 미안해서 자꾸 네 생각이 더 났어. 지난 10여 년간 이곳에서 참치를 잡으며 행복하다고 생각했는데, 잡은 참치를 먹을 때, 이걸 너랑 같이 먹으면 좋을 거 같다고 생각했어. 네가 생선을 좋아했으니까. 내가 지금 이곳에서 뭘 하고 있는지 모르겠어. 네가 선생이 된 걸 알고 있었어. 네가 학교를 옮길 때마다 근처 공립학교 홈페이지를 다 뒤져서 교직원 이름 중에 너를 발견했어. 그때마다 너를 만난 것처럼, 너를 본 것처럼 가슴이 떨렸어. 그랬어……. 미안해, 난데없이 전화를 해서. 당황스럽게 해서. 지금 나는…… 희망 같은 게 없이, 그냥 하루하루를 살아, 이제 와서 내가 무슨 소리를 하는 건지 나도 모르겠지만, 너를 정말…… 많이…… 생각했어."

*

서주는 심호흡을 했다. 아무래도 오늘은 초과근무를 해야 할 것 같다고 생각했다. 교장과 교감도 모두 퇴근을 했으니 사후 결재를 올리도록 하자, 저녁을 먹고 시작하자, 자율학습을 하는 아이들이 석식을 먹을 시간이었다. 밥을 든든히 먹고 해야 할 일을 착오 없이 하려고 서주는 준섭이의 생활기록부를 클리어 파일에서 뽑아 책상 위에 올려두었다. 땀에 젖어 들러붙은 귀밑머리를 모아 고무줄로 머리카락을 단단히 졸라맸다. 식당으로 가는 길에 행정실 최 선생과 정면으로 마주쳤다. 2학기 추경예산으로 바쁜지 행정실 직원들이 한 명도 퇴근을 하지 않고 나란히 식당에서 밥을 먹고 나왔다. 서주는 최 선생과 눈이 마주쳤다. 서주는 12년간 몸에 밴 행동으로 이틀 전 아침에 불편했던 일이 있었던 것과 상관없이 최 선생을 향해 고개를 살짝 숙여 알은체를 했는데, 최 선생은 서주를 못 본 척하며 스윽 뱀처럼 지나가버렸다. 서주 목 언저리에서 정맥이 하나 툭 불거져 나왔다.

"싸가지 없는 년."

서주는 옆에 사람이 있었으면 들렸을 법한 목소리로 욕을 했다. 끝내 행정실 최 선생에게서는 수정된 교직원 명렬은 오지 않았다. 그래, 이곳은 학교이다. 정글, 아군도 적군도 없는 곳이며, 아군이 적군이 되고 적군이 아군이 되어 뒤통수도 모자라 앞통수까지 치는 살벌한 곳이다. 영호가 있는 트리니다드 토바고가 북아메리카 카리브해상에 있다고 하니 그곳에도 밀림이 있겠지. 밀림이 있는 그 나라에서 영호도 아군도 적군도 없이 매일을 긴장 속에 살았을까, 맹수들에게 언제 잡혀먹을지 몰라 두려움 속에 살았을까, 참치를 잡으며 언제 바다에 빠져 상어밥이 될지 모르는 공포 속에 살았을까, 그랬어야 하는데, 그렇게 살았어야 하는데 하고 서주는 생각했다. 석식은 학생식당에서 학생들과 같이 먹어야 한다. 닫혀 있는 교직원 식당에서 옆쪽으로 돌아 학생식당으로 들어간 서주는 왁자지껄한 남자아이들 사이에 줄을 섰다. 수업 며칠 들어갔다

너를 생각해 · 149

고 그새 알은체를 하는 넉살 좋은 3학년 아이들이 선생님 먼저 식사하시라며 앞으로 가라고 했지만 서주는 괜찮다고 손사래를 쳤다. 모든 아이들이 준섭이 같지는 않아, 라고 서주는 생각했다. 서주의 팔을 잡아끌어 배식단 앞으로 밀어 넣는 3학년 아이들에 떠밀려 서주는 앞으로 나오게 되었다. 가지런히 정렬되어 있는 배식단 앞에서 주걱을 들고 밥을 펐다. 식판에 푼 밥의 양이 평소의 두 배였다는 걸 서주는 반찬을 배식받고 나서야 깨달았다. 밥 이외의 반찬은 배식하는 영양사와 아주머니들이 나눠줬는데 자리에 와서 보니 갈치 한 토막이 식판에 놓여 있었다. 살이 도톰하게 오른데다 잘 튀겨져 있어 먹음직스러웠다.

"틀렸어. 나는 생선을 좋아한 게 아니라, 내가 집어 먹다 남긴 생선 가시에 붙어 있는 살점을 깨끗하게 발라먹는 네가 좋았어. 그때는. 병신같이."

영호는 여전히 그 덥수룩한 머리 그대로일까, 나이가 들어 그 숱 많은 머리의 절반은 빠져버린 건 아닐까, 아직도 라면은 꼬들꼬들해야 맛있다며 그 뜨거운 것을 후루룩후루룩 마셔버릴까, 국물 한 방물도 아까워서 밥 한 공기를 추가로 시켜 다 말아 스프 속에 건더기까지 싹싹 긁어먹을까. 밀가루 맛을 알게 한 영호, 남자 손길이 어떤 건지 알게 한 영호, 처음으로 생명이란 걸 잉태하게 해준 영호, 셔츠 한 장을 교복처럼 입던 영호, 그래서 더욱 안쓰럽게만 느껴졌던 영호, 그런 영호가 왜 그렇게 좋았는지 서주는 불가사의한 일이라 생각했다. 살다 보면 그런 불가사의한 일은 바다의 불가사리처럼 허다하다고 그러니 그럴 수도 있는 거라고 서주는 스스로를 안심시키는 데 오랜 시간이 걸렸다. 그래, 그때 너는 겨우 스물이었다. 겨우 소년티를 벗은, 겁은 많고 베풀 주제도 안 되면서 허풍 같은 말은 잘 쏟아내는 책임감도 없었던, 겨우 스물이었다. 올해가 지나면 유방재건 수술을 받을 수 있다. 석식을 다 먹고 나서는 저녁 약을 꼭 챙겨 먹어야겠다고 서주는 암기를 하듯 머릿속으로 반복했다. 서주는 밥을 먹으면서 웃고 있었다. 얼굴 여기저기에 흉터 같은 발진이 새끼손톱 모양으로 군데군데 퍼져가고 있다는 걸 서주는 알지 못했다.

　-너는 내 생각을 하며 평생 살았구나. 괴로웠겠구나. 무척 괴로워하며 살았겠어.

　서주가 제법 큰 소리로 중얼거리는데도 아이들이 왁자지껄 밥 먹는 소리에 묻혀 아무도 서주가 혼잣말을 하고 있는지 눈치채지 못했다. 숟가락이 식판에 닿는 소리, 밥과 반찬을 씹는 소리, 온갖 떠드는 잡소리가 윙윙거리는 식당 안에서 서주는 가보지도 않은 트리니다드 토바고의 해 질 녘 조용한 해변에 있는 것처럼 편안해지는 마음이 이상했지만 기분 나쁘지 않다고 생각했다. 하지만 역시 영 입에 붙지 않는 나라 이름이라고, 기차처럼 나라 이름이 길고 길어 영원히 가닿을 수 없을 거 같았다. 서주는 이틀 전 통화에서 영호의 마지막 말을 곱씹었다. '지금 나는…… 희망 같은 게 없이, 그냥 하루하루를 살아.' 서주는 밥 한 숟가락에 갈치 한 점을 입에 넣고 꼭꼭 아주 오래 씹어 삼켰다.

길 위에서

아직 어둡다. 나는 알람을 끄고 침대에서 내려왔다. 아내가 뒤척였다. 더 자라고 어깨를 가만 두드린 뒤 이불을 당겨 덮어주었다. 다리에 힘을 주고 서니 오른쪽 무릎에서 우두둑하는 소리가 났다. 깁스를 풀고 나서도 움직일 때마다 무릎 혈관 벽에 오톨도톨한 철가루가 닿는 것처럼 찌릿찌릿 아플 때가 많았다. 오른쪽 다리를 살짝 절며 화장실 문을 열었다. 무릎통증에 신경이 쏠려서 오른쪽 발이 화장실 안쪽으로 채 들어오기 전에 화장실 문을 성급하게 닫아버렸다. 발이 화장실 문턱과 문 사이에 끼면서 발등이 깊이 까졌다. 쓰리고 아렸다. 우선은 오줌이 급해서 변기덮개를 열고 바지를 내렸다. 오줌줄기가 변기 안으로 쏟아져 들어가는 동안 오른쪽 발등에는 피가 고이면서 부어올랐다. 변기 물을 내리고 보니 발등에 맺혀 있던 피가 또르르 타일바닥으로 떨어져 내렸다. 급한 대로 휴지를 둘둘 말아 찢어진 부위를 꾹 눌렀다. 깜깜한

152

방에 스위치를 켰을 때처럼 번뜩 고등학교 1학년 미술 시간이 생각났다. 미술교사는 조각수업 한 달 전부터 조각칼의 위험성에 대해서 강조했었다. 조각칼을 잡지 않은 손은, 반드시 조각칼의 진행방향 뒤쪽에 둬야 한다는 것이었다. 일부러 그런 것은 아니었는데 나는 청개구리처럼 반대로 하다 조각을 붙잡고 있던 왼손 엄지손가락을 베었다. 손가락에서 핏방울이 책상 위로 톡톡 떨어졌다. 미술교사는 성큼성큼 다가와 크게 다치지 않은 걸 재빨리 확인하고 피가 더 흐르지 않도록 내 왼손을 잡아 머리위로 번쩍 들었다. 그러더니 청개구리 같은 짓을 했으니 개굴개굴 소리 내 울라면서 호통을 쳤다. 나는 귓불까지 샛빨개진 얼굴을 숙이고 들지 못 했다. 창피하고 화가 나서 얼굴이 홧홧했었다. 오줌을 다 누고 화장실 변기에 앉아 지혈을 하느라 발등을 눌렀다. '너는 왜 그렇게 자주 다치냐, 인마.' 네 목소리가 들렸다. 고등학교 때 보건실에서 응급처치를 하고 올라온 나를 툭 치며 말을 걸던, 네 목소리가 들렸다. 고등학교 때 미술 시간이라니, 울울한 조림지 사이에서 시커먼 들짐승이라도 튀어나온 것처럼 난데없었다. 일어나 화장실 거울을 바라보았다. 나는 하루 사이에 까칠하게 자란 턱수염을 쓸어내리다 두 손으로 마른세수를 하며 얼굴을 비벼댔다. 거울 속에서 열일곱 살의 내가, 서른다섯 살의 나를 물끄러미 바라보고 있는 것 같았다. 찬물을 틀어 손을 닦았다. 생각보다 물이 너무도 차가워 나는 흠칫 놀랐다.

냉장고에서 큰 볼에 물을 담고 워터살균기로 소독을 했다.

딸기와 청포도를 담가두고 소독이 완료되길 기다리며 그사
이 사과를 손질했다. 농약이 많이 묻는다는 사과 꼭지 부분
을 칼로 도려내고 먹기 좋게 썰어 접시에 담았다. 혹여나 과
일에 묻어 있는 농약성분이 아내의 난자와 나의 정자에 붙어
떨어지지 않을 지도 모를 일이었다. 매사에 조심한다고 하지
만 난임 판정을 받고 나서는 밖에서 사온 과일이나 야채에
예민해졌다. 주방 형광등이 깜빡깜빡거렸다. 이사 오고 나서
한 번도 갈지 않았으니 형광등이 나갈 때도 되었다. 여분으
로 사다놓은 형광등이 없어 아내가 출근하고 나면 마트에 가
서 사와야겠다고 생각했다. 형광등이 깜빡거릴 때마다 라식
수술을 했을 때 각막을 깎아 들어 올렸을 때처럼 시야가 뿌
옜다. '잠시 세상이 깜깜해집니다. 겁먹지 마시고요. 깎은 각
막을 살짝 들어 올렸다 내려놓을 거예요. 안심하세요.' 눈을
뜨고 있는데도 아무것도 보이지 않는 공포가 먹구름 속에 홀
로 있는 것처럼 두렵다고 느꼈다. 소독된 과일에 물기를 털
어내고 접시에 담는데 현기증이 일었다. 처음에는 잠이 덜
깨서 그런가 했는데, 형광등이 깜빡거리면서 어두워질 때,
라식 수술 했을 때의 새까만 어둠이 떠올라 무춤했다. 현기
증이 난 뒤, 귀마개를 했을 때처럼 세상의 소리와 잠시 차단
됐다. '삐이-' 위험한 상황을 알리는 사이렌 소리처럼 오랫동
안 여음이 남아 귓가에 맴돌았다. 며칠째 계속되는 증상이었
다. 인터넷에서 증상을 찾아 검색해 보니 이명 증상으로, 피
곤하면 그럴 수 있다는 게 대부분이었다. 그 외 고막의 손상
이라든지 돌발성 난청 등의 질병일수도 있다고 했다. 나는

뜨악한 마음을 애써 누르며 이비인후과에 다녀와야겠다고 생각했다. 머그잔에 녹차 티백을 넣고 전기포트에 전원을 켰다. 그사이 화장실에 들어가 세수를 하고, 피가 찔끔찔끔 계속 고이는 오른쪽 발등에 반창고를 붙였다. 생각보다 꽤 깊게 파인 상처였다. 아내가 화장실에서 오줌을 누고 물양치를 하는 소리가 들렸다. 아내가 일어나 아침 식사를 하기 위해 식탁에 앉자마자 나는 스마트폰에 날씨 앱을 눌렀다. 기압골과 저기압의 영향으로 흐린 가운데 곳에 따라 비가 온다고 했다. 예상 강수량은 10~30밀리라며 기상 캐스터가 우비를 입고 날씨 소식을 전했다. 아내가 사과 조각 하나를 집어 삼키며 아랫입술을 삐쭉 내밀었다. 곱슬머리인 아내는 비가 오면 머리카락이 더욱 꼬불꼬불해진다며 비 오는 날을 무척 싫어했다. "형광등 다 됐나 봐. 깜빡깜빡거린다. 발, 다쳤어? 괜찮아?" 아내가 식탁 아래 내 발등을 손가락으로 가리키며 한 톤 올라간 목소리로 물었다. "어, 화장실 문 닫다가 발이 끼었어." 아내가 하품을 하며 손을 천장으로 뻗고 스트레칭을 했다. "화장실 문이 자동문도 아니고, 거기에 발이 끼어서 다쳤다는 사람은 또 처음 본다. 자기 자잘하게 자주 다치는 거 같아." 아내의 목소리는 부드러웠지만 초등학생에게 주의를 주듯 나를 보는 눈에 힘이 들어가 있었다. "그러게 말이다." 나는 반창고를 붙여놓은 오른쪽 발등을 내려다보았다. 반창고에 진하게 핏물이 배어들어 있었다. '너는 왜 그렇게 자주 다치냐, 인마.' 네가 다시 나에게 말을 거는 거 같았다. 굳게 잠긴 문을 누군가 억세게 잡아당겨 열어버린 것처럼, 돌부리도 없이 잘 빠진 길 한가운데에서 밀치는 사람도 없는데 자빠져 버린 것처럼, 형광등이 깜빡깜빡거리듯 일정한 속도로 조금씩 천천히 네 목소리가 들렸다.

아내는 출근을 하면서 나에게 오늘 이비인후과에 다녀오라고 했다. 보험회사에 실손 의료비를 청구해야 하니 처음 가는 이비인후과에서 초진차트와 진료비내역서를 꼭 챙겨오라고 말하며 립스틱을 발랐다. 해가 갈수록 점점 더 많은 서류를 요구하는 보험회사 때문인지 사고 이후로 아내는 보험 관련 서류에 민감했다. 내가 설거지를 하며 귀에서 자꾸 '띠이-' 하는 소리가 들린다고 당신은 들리지 않느냐고 했더니 귀에서 '띠이-' 소리는 안 나지만 나 때문에 항상 머릿속이 '띠-잉'하다고 했다. 내가 계면쩍어 웃는 소리에 아내가 나를 보며 열없이 웃었다. 나는 지방 소읍에 있는 대학에서 강의를 끝내고 올라오는 길에 광역버스가 빗길에 미끄러져 전복이 되는 사고를 당했다. 아내는 평소에 무조건 차에 타면 안전벨트를 매야한다고 잔소리를 했다. 그날 나는 광역버스 안에서 안전벨트를 매고 있는 사람 중 하나였다. 무엇보다 내리는 비가 광역버스 창문을 맨손으로 마구 두드리는 거 같아 겁이 나기도 했다. 나는 전복된 광역버스 안에서 안전벨트에 걸려 물구나무 서기를 할 때처럼 매달려 있었다. 무릎 아래는 부딪힐 때 충격으로 좌석이 앞으로 쏠리면서 앞좌석 아래로 빨려 들어가 꺾여 있었다. 운전자를 포함한 탑승자 23명 중에 11명이 사망한 큰 사고였다. 그 사고로 꼬박 3

주를 입원하고 결국 그 때문에 그나마 얻었던 대학 교양 강의를 못 하게 되었다. 강의를 못 하게 되면서 자연스럽게 실업자가 되었을 때, 나는 재활치료로 병원에 갈 때 빼고는 허벅지까지 올라오는 롱깁스를 하고 내 방에 우두커니 앉아 경품으로 받은 팝콘을 먹으며 시간을 보냈다. 다리가 멀쩡했을 때 아내와 함께 영화를 보고 나오니 입구에서 직원이 경품응모권을 나눠주었다. 그러면서 이름과 전화번호를 적어 '경품응모함'에 넣으라고 했다. 넣으라고 해서 넣었지 무슨 경품이 있는지도 몰랐는데 병원에서 퇴원한 날 경품에 당첨됐다고 문자가 왔다. 경품으로 전자레인지에 봉투째 넣고 3분만 돌리면 팝콘이 만들어지는 '전자레인지 팝콘'이 50개들이 세 박스나 와서 나는 습관처럼 팝콘을 전자레인지에 돌려 먹었다. 또 봉투 안에 튀겨지지 않고 남은 옥수수알을 모아서 프라이팬에 넣고 카레가루를 조금 섞어 튀겨먹기도 했다. 정말 아무 생각 없이 매일 팝콘만 먹으며 체중이 불고 있던 내게, 아내가 지금처럼 웃으며 이렇게 말했다.

"옥수수알을 전자레인지에 돌리면, 튀겨지지 않고 꼭 몇 알 남잖아. 제대로 잘 튀겨진 옥수수알은 꽃이 활짝 핀 것처럼 팝콘이 되는데, 안 그런 건 옥수수알 그대로 남아 있는 것도 있고. 자기가 그렇게 봉투에 남은 옥수수알 아깝다고 버리지 않고 모아서 프라이팬에 튀기잖아. 그렇게 튀긴 건, 두 번을 튀겨서 그런가 훨씬 고소하기도 하고. 사는 것도 팝콘 같아. 또 알아? 자기 인생이 남은 옥수수알처럼 한 번 더 튀겨져서 지금보다 더 고소해질지. 꽃처럼 활짝 핀 팝콘이 되는 날이 올 거야. 나는 잘 튀겨지라고 프라이팬에 좋은 버터를 발라놓을 테니까."

아무 생각 없이 먹던 팝콘에서 기묘한 인생철학을 끌어내는 아내는 관찰력이 있는 초등학교 선생이었다. 차만 타면 안전벨트를 매라며 같은 말을 세 번 정도 반복하는 것도, 바라보는 사물에서 어떻게든 교훈적이 의미를 끄집어내는 것도, 초등학생에게나 통할 법한 그런 이상한 논리도, 아주 가끔은 다 큰 어른인 내게 위안이 되었다. 병원에서 난임 판정을 받고 나오던 길에도 눈시울이 붉어졌던 건 아내가 아니라 나였다. 아내는 그런 나를 두 팔을 벌려 안아주었다. '괜찮아, 아예 불가능한 건 아니라니까. 아이가 생길 수도 있다고 했으니까, 괜찮아.' 그런 아내의 품에서 나는 정말 아내가 담임을 맡고 있는 반의 초등학생처럼 안겨 붉어진 얼굴을 감추느라 아내의 허리를 꼭 끌어안았다.

아내가 출근을 하고나서 무릎에 무리가 가지 않도록 조심하며 청소기로 간단히 집안 청소를 하고, 세탁기를 돌렸다. 웬만큼 다리가 나은 뒤로는 자주 움직이려고 했다. 이른 점심을 챙겨 먹고 나는 350번 버스를 타고 이수역으로 향했다. 재활치료와 물리치료를 받는 정형외과도 이수역 쪽에 있었고, 대형마트도 그곳에 몰려 있으니 가는 김에 이비인후과도 들렀다 오려는 계산이었다. 가을 학기에 강의 자리를 얻으려면 재활치료도 열심히 받고, 무릎도 다 나아야 했다. 오른쪽 무릎이 불편했기 때문에 운동이나 외출 시에 등산 스틱을 지

팡이 삼아 걸었다. 눈에 띄게 다리를 저는 건 아니었지만 등
산 스틱으로 땅을 디디면 무릎 통증이 다소나마 분산돼 견딜
만했다. 노인처럼 지팡이를 짚고 다니기는 싫어서 궁여지책
으로 가지고 다닌 등산 스틱이 이제는 외출 때 손에 없으면
지갑이라도 놓고 온 것처럼 불안했다. 등산 스틱을 가지고
다녀서 자연스럽게 외출복은 등산복이 되었다. 구색을 맞추
느라 가벼운 등산 가방도 어깨에 멨다. 등산 가방은 품도 넓
어 그 외에 이것저것 툭툭 집어넣기도 편했다. 출근 시간이
지난 뒤라 버스 안도, 도로도 한산했다. 비가 올 듯 날씨가 궂
은 데도 4월 중턱이 넘어서인지 공기에 꽃 향기가 실려 있었
다. 뭉게뭉게 구름처럼 피어 있는 빨갛고 하얀 꽃들이 길을
따라 무리지어 봉긋 돋아 있었다. 버스가 국립 현충원 정류
장 앞에 서자 한 무리의 고등학생들이 꽃무더기처럼 우르르
버스에 올라탔다. 올라타자마자 여학생과 남학생의 목소리
가 버스 안을 꽉 채웠다. 내가 앉은 자리에서 학생들이 떠드
는 이야기를 대충 들어보니 담임선생 몰래 빠져나와 이수역
에 있는 영화관으로 영화를 보러 가는 듯했다. 한마디로 현
장체험학습 땡땡이. 까불까불 생긴 고만고만한 아이들이 휴
대폰을 붙잡고 무언가 쉴 새 없이 누르며 자기네들끼리 낄낄
깔깔 거리고 웃고 있었다. 등산 가방에서 진동으로 해 놓은
휴대폰이 울리는 느낌이 났다. 가방을 열고 휴대폰을 꺼내
확인하려다 하마터면 '아얏' 하며 크게 소리를 지를 뻔했다.
휴대폰을 찾으려고 가방 속에 손을 집어넣고 휘저었는데, 그
때 날카로운 뭔가에 오른쪽 검지 손톱 밑이 깊숙이 찔려버

린 것이었다. 굵은 주사바늘이 혈관을 잘못 찾아 쑤욱 들어
간 것처럼 전신에 번쩍 전기가 흘렀다. 후다닥 손을 꺼내 검
지손톱 밑을 살펴보았다. 손톱 자를 때 잘못하다 손톱 끝에
붙어 있는 살까지 잘랐을 때처럼 빨갛게 되어 금방 피가 터
질 것 같았다. 가방 안에 대체 뭐가 있었기에 하고 살펴보니
일회용 플라스틱 머리빗이 있었다. 결혼기념일에 아내와 일
본 온천에 갔을 때 객실 안에 편의용품으로 있던 빗을 쓰고
챙겨 넣은 것 같은데 그게 가방 안에서 굴러다니고 있을 줄
은 몰랐다. 빗 전체를 보면 위험한 물건이 아니지만 빗살 하
나하나를 살펴보면 그 끝이 뾰족하니 제법 날카로웠다. 나는
검지손가락에 침을 발랐다. 그때, 너는 아팠을 것이다. 손톱
밑이 빗살에 찔려도 이렇게 아픈데, 지혈하느라 누르고 있는
데도 쓰라려서 손가락이 오그라드는데, 순간이었겠지만 압
정이 네 엉덩이 어딘가에 깊숙이 찔렸을 때, 너는 무척 아팠
을 것이다. 압정에 엉덩이를 찔려 걸상에서 튕겨 오르던 일
그러진 네 얼굴이 증명사진처럼 내 눈앞에 선연히 떠올라 움
찔했다. 휴대폰 액정에는, 가지고 계신 휴대폰 번호 그대로
최신 스마트폰을 공짜로 준다는 스팸문자가 찍혀 있었다. 나
도 모르게 입에서 쌍욕이 튀어나왔다. 혼잣말이어서 작은 소
리라고 생각했는데 그때까지 옆에 서서 시끄럽게 떠들던 고
등학생들이 방송사고로 방송이 중단됐을 때처럼 시선이 나
에게 꽂힌 채로 말을 멈췄다. 순간, 급브레이크를 밟으면서
버스가 앞으로 쏠렸다. '어어어!', '아이 씨!' 사람들이 한 목
소리를 냈다. 빗길에 전복됐던 광역버스 안에서 분홍색 치마

를 입은 여자아이가 봉제인형을 던져놓은 것처럼 천장 실내
등 위에 내팽개쳐진 채로 눈을 뜨고 있었다. 빗소리라고 생
각했는데, 비는 그치고 여기저기서 신음 소리와 울음소리가
귀에서 윙윙거렸다. 내 몸 어딘가에서 터진 피가 거꾸로 매
달려 있는 내 목덜미를 타고 얼굴로 흘러내려 자꾸 눈 안으
로 들어갔다. 실내등은 깜빡깜빡하고 그럴 때마다 피범벅이
된 아이 얼굴이 선명해지다 흐려졌다. 손을 뻗어 아이를 잡
아보려고 했다. 허무한 손짓이었지만 손가락을 대면 아이가
움직일 거 같았다. 아이는 눈을 커다랗게 뜨고 있었다. 너무
놀라서 말을 잃은 건지, 아니면 그대로 숨을 놓은 건지 알 수
없었다. 나는 어떻게든 아이를 잡아보겠다고 손을 뻗어보려
다 의식을 잃었다.

　앞쪽에 앉아 있는 아주머니가 운전 좀 살살하라고 볼멘소
리를 했다. 버스기사는 죄송하다며 뒷좌석까지 들리도록 큰
소리로 사과를 했다. 플라스틱 빗살에 찔린 검지손톱 끝이 몹
시 쓰라렸다. '너는 왜 그렇게 자주 다치냐, 인마.' 새벽에 들
었던 네 목소리가 다시 들렸다. 검지손톱 밑에서 기어이 피가
번져 손톱주변으로 퍼져나갔다. 빗길에 전복된 광역버스 안
에서 분홍색 치마를 입은 여자아이가 동그랗게 눈을 뜨고 나
를 뚫어지게 바라보고 있는 것 같았다.

　"제발… 그만 하라고…… 나보고 어쩌라고, 어떻게 하라
고!"

　혼잣말로 중얼거리다가 그만 '어떻게 하라고!'라는 말에
는 버스 안에 있던 사람들이 전부 들을 정도로 큰 소리를 내

지르고 말았다. 얼굴이 화끈 달아올랐다. 갑작스러운 일이라 나도 놀랍고 당황스러워 큰 의지라도 되는 양 등산 스틱을 양손으로 꼭 쥐었다. 그러자 그 모습이 더 위협적이었는지 내 옆에 있던 한 무리의 고등학생들이 서로 눈짓을 하며 내게서 슬슬 떨어졌다. 저 아저씨 정상이 아닌 거 같아, 아까부터 혼자서 계속 중얼거리잖아, 라는 여학생의 목소리가 들렸다. 그 소리에 주변 사람들이 다시 한 번 나를 쳐다보는 시선이 느껴졌다. 습식사우나 안이라도 들어간 것처럼 홧홧한 기운이 얼굴로 쏟아지며 더운 김이 몸에서 뿜어져 올라왔다. 나는 내려야 할 정류장도 아닌데, 내리는 문이 열리자마자 허둥지둥 몸을 감추듯 버스에서 빠져나왔다. 등산 스틱이 아니었으면 발을 헛디뎌 넘어졌을 지도 몰랐다. 병원까지는 두 정거장 정도를 더 가야 했다. 버스를 다시 타기도 걷기도 애매한 거리였다. 나는 가방에서 등산 모자를 꺼내 깊이 눌러 썼다.

길을 천천히 걷기로 했다. 좀 걸으면 어수선한 정신이 한결 정리될 듯싶었다. 도로 한 가운데 있는 버스정류장에서 신호등을 건너고, 태권도장을 지나 자동차 수리 센터를 지나고 순대와 떡볶이를 팔고 있는 노점을 지나니, 사단법인 노인회라고 크게 입간판이 붙어 있는 노인정이 보였다. 노인정 앞 간이의자에 앉아 있는 대여섯 명의 할아버지들은 하나같이 야구 모자를 쓰고 지팡이 위에 두 손바닥을 걸쳐놓고 있었다. 사람들이 움직이는 거에 따라 시선도, 고개도 따라 움직였다. 노인들은 심심해 보였고 심심해서 쓸쓸해 보였고 쓸쓸해서 무척이나 낡아 보였다. 내 방에 우두커니 앉아 팝콘을 씹고 있는 나를 보면서 아내도 그렇게 생각했을 거 같아 쓴웃음이 나왔다. 인도 양쪽으로 교회에서 나온 아주머니들이 더러는 찬송가를 부르고, 더러는 교회 소식지를 나눠주었다. 걸어가면서 슬쩍 보니 소식지 상단에 '평화롭고 행복한 삶'이라고 큼지막하게 쓰여 있었다. 소식지와 함께 스테플러로 고정되어 있는 반창고 두 개가 눈에 띄었다. 보통 교회에서 나눠주는 소식지에는 사탕 몇 알이 붙어 있거나 휴대용 휴지를 같이 건네주거나 했는데 반창고는 특이했다. 교회에 가면 정말 평화롭고 행복해질까, 나는 잠깐 생각했다. 내가 주춤 멈춰있자 나에게 '평화롭고 행복한 삶'을 나눠준 아주머니가 다가와 말을 걸었다. "교회 다니세요? 우리 교회에나오시면 마음에 난 수많은 상처에 하나님께서 반창고를 붙여주십니다.", '반창고는 붙여줄 수 있겠지, 반창고는…….' 나는 버스 안에서처럼 혼자 중얼거렸다. 아주머니는 "네?" 하면서 더욱 나에게 다가왔다. 그러자 아주머니 입에서 역한 구취가 코끝으로 확 끼쳐왔다. "하나님은 당신을 사랑하십니다." 네가 옷이 다 벗겨진 채로 철제 침대에 새파랗게 누워 있었다. 사진 속에 너는 너였지만, 내가 아는 네가 아니었다. 겨우 고등학교 1학년이었던 내게 형사는 왜 네 사진을 내밀었는지 나는 불쑥불쑥 화가 났다. 세수를 하다가, 밥을 먹다가, 발톱을 깎다가…… 잠시 멈추고, 숨을 골라야 하는 날이 많았다. 나는 그날 이후, 한글을 막 깨우쳤을 때부터 다녔던 교회에 가지 않았다.

　너는 나보다 한 뼘은 키가 컸다. 정기고사나 모의고사 때마다 별로 공부를 하지 않는 거 같은데도 상위권 성적을 유지했고, 체육 시간에는 큰 키 때문인지 유난히 도드라졌다. 고등학교 1학년 미술 시간에 조각칼에 손가락을 베어 결국 미술교사는 나를 교탁 앞으로 끌고나왔다. 시선을 어디에 둘지 몰라 퀭해진 눈으로 교실바닥만 바라보고 있는데도 반 전체 아이들이 내게로 시선을 모으고 있는 것이 온몸으로 느껴졌다. 네가 맨 뒷좌석에서 벌떡 일어나 나를 뚫어지게 보고 있었다. 미술교사는 청개구리처럼 개굴개굴 울라고 호통을 쳤지만 나는 입을 꾹 다물고 있었다. 미술교사는 조각칼에 베인 내 손가락을 자신의 손으로 꼭 쥐고 있었다. 미술교사가 반 아이들에게 혹시 휴지 있는 사람 있냐고 물었다. 반장이 가방에서 휴대용 휴지를 꺼내 앞으로 가지고 나왔다. 미술교사가 건네받은 휴지로 내 왼손을 감싸 쥐었다. 같은 사고가 또 일어날까 걱정을 해서 그랬던 것인지 미술교사는 평소와 다르게 엄했다. 미술교사가 개굴개굴 울지 못하면, 선생님 하는 말을 따라하라고 했다. 미술교사는 '그러면 그렇지, 그렇고말고!'라며 선창을 했다. 나는 다 기어들어가는 목소리로 '…그러면 …그렇지, 그렇고말고……'라고 하는데 말끝에서 나도 모르게 후들후들 떨리는 소리가 묻어 나왔다. 반 아이들은 내 말이 끝나자마자 책상을 손바닥으로 두드리면서 목젖을 드러내고 깔깔거렸다. 그중에서도 네가 제일 큰 목소리로 손가락으로 나를 가리키며 배를 잡고 웃었다. 미술교사가 아이들

164

에게 눈을 부라리며 입 다물라고 소리를 질렀다. 그러고는 내 등을 밀며 보건실로 가라고 했다. 나는 미술교사에게 꾸벅 인사를 하고 보건실로 뛰어갔다. 등 뒤에서 네가 손가락으로 나를 가리키면서 웃는 모습이 자꾸 따라붙었다. 나는 보건실에서 보건교사가 상처에 소독약을 바르고 연고를 바르고 거즈를 대 붕대를 감는 동안 너를 떠올렸다. 너만 웃은 것도 아니었고, 반 아이들 앞에서 창피를 준 건 미술교사지 네가 아니었는데도 제일 크게 웃고 그 큰 키로 교실 맨 뒤에서부터 손가락으로 나를 가리키며 웃던 너를 가만 둘 수 없었다. '너는 왜 그렇게 자주 다치냐, 인마. 체육대회 때는 아무도 안 넘어지는 데 혼자 벌러덩 운동장에서 넘어져서 구르더니.' 그 말을 할 때도 나는 입을 꾹 다물고 있었다. 그리고 교실 뒤 게시판에 꽂아 있던 압정 세 개를 뽑아왔다. 쉬는 시간 네가 자리를 비운 사이에 슬쩍 네 의자에 압정 세 개를 올려두고 내 자리로 돌아왔다. 가슴이 쿵쿵 뛰었지만 나는 태연한 척 책을 폈다.

아내에게 전화가 왔다. 병원 진료 끝나고 돌아오는 길에 마트 들러서 형광등을 꼭 사오라고 했다. 이비인후과에 가면 초진차트와 영수증도 잊지 말라고 했다. 아내에게 전화를 받는데 손등에 벌레가 기어가는 것처럼 간지러워 반대편 손으로 손등에 붙은 벌레를 쳐내듯 비볐다. 아침 기상예보처럼 하늘에 구름이 많고 공기는 습했다. 그런데도 4월 중순이라고 하기에는 무색할 만큼 더웠다. 이마와 겨드랑이에 축축한 땀이 맺혔다. 전화를 끊고 나니 이제는 양쪽 발가락에서 스멀스멀 벌레가 기어가는 느낌이 났다. 신발을 벗어 뒤집어 땅바닥에 탁탁 털었다. 신발 터는 소리가 공명이 되어 탁탁 뒤통수를 때리는 거 같았다. 신발 속에는 아무것도 없었다. 사람들이 지나다니는 길에서 양말까지 벗기가 뭐해 나는 다시 신발을 신었다. 양발 속에 벌레가 있을 리 없겠지만 여전히 발가락 사이사이를 꾸물꾸물 기어가는 느낌이 들었다. 나는 안 되겠다 싶어서 비교적 한산하고 작은 빌딩 입구 한쪽으로 걸음을 옮겼다. 좀 전에 교회 아주머니가 나눠준 소식지에서 반창고는 떼어 주머니에 넣고 소식지를 넓게 펴 바닥에 깔고 '평화롭고 행복한 삶'이 인쇄된 부분에 걸터앉았다. 신발을 벗어 신발 안쪽으로 손을 집어넣어 훑어보았다. 벌레는 없었다. 차례로 양말을 벗어 발을 살펴보았다. 역시 벌레는 보이지 않았다. 이번에는 양말을 뒤집어 혹시 가시 같은 게 박혀 있나 살폈지만 없었다. 오른쪽 발등에 붙여놓은 반창고는 여전히 핏물이 배어 있었다. 가방에서 물을 꺼내 한 모금 마셨다. 물에서 물비린내가 났다.

네가 있던 사진 속에서도 물비린내가 났었다. 네가 왜 스스로 목숨을 끊었는지 나는 아직까지 모르고 있다. 성적 때문이었는지, 가정형편 때문이었는지, 혹은 있었을 지도 모를 여자 친구 문제였는지, 그렇게 키가 크던 너를 누가 괴롭혔던 건지, 나는 아직까지도, 지금까지도 아무것도 몰랐다. 아무도 알려주지 않았고, 나도 일부러 알려고 하지 않았다. 알려고 하면 알았을 수도 있었을 텐데, 왜 나는 아무것도 알려고 하지 않았는지, 그때 나는 무엇을 두려워했는지, 오목렌즈로 사물을 보는 것처럼 생각이 왜곡되어 몽롱했다. "너는 왜 그렇게 손에 힘을 꾹꾹 주면서 글씨를 쓰냐? 글도 많이 쓰면서 손가락 아프게." 네가 연필 골무를 사와서는 내가 쥐고 있는 펜을 뺏어 연필 골무를 끼워줬다. 그러더니 씩 웃고 네 자리로 돌아갔다. 나는 압정이 생각나 입을 꾹 다물었다. 내가 입을 열면 '네 엉덩이를 찌른 압정은 내가 놓아둔 거야', 라는 말을 해버릴 것 같았다. 이미 네가 다 알고 나를 떠보려는 것일 수도 있다는 생각을 하니 더욱 말문을 열 수 없었다. 흔들리는 목소리를 들키고 싶지 않았기 때문이었다. 무슨 말을 해야 할 지 생각도 안 났고, 네가 나를 의심할 수도 있다는 생각으로 머리가 뒤엉켰다. 아무도 눈치채지 못하게 압정을 놓아두고 왔었다. 나는 얼떨결에 연필 골무를 낀 펜을 쥐고 있었다. 중지에, 툭 튀어나온 연필 혹에 닿는 말랑말랑한 고무느낌이 젤리 같았다. 야간자율학습을 마치고 교문을 빠져나오는데 네가 교문 앞에 서 있었다. 나는 너를 그냥 모른 척하고 지나갈 셈이었다. 길은 한 길이라 다른 길로 샐 수도 없었다. 네가 내 목덜미를 잡고, '네가 내 의자에서 압정 둔 새끼지', 라고 할까 봐 나는 걸음이 빨라졌다. 네가 내 앞 길을 막았다. 나는 주먹을 그러쥐었다. "지난주 미술 시간에, 미안했다." 네가 내 앞에서 나를 내려다보며 말했다. "너, 백일장에서 장원한 거 보고 놀랐다. 맨날 넘어지고 까지고 해서 그런 앤가 보다 했지. 나는 글 쓰는 게 제일 어려운데, 넌 그걸 잘 하는 거 같더라." 우르르 빠져나왔던 아이들이 집으로 가거나 줄줄이 학원 차를 타고 사라지는 동안 어느새 학교 앞에 사람이 드물어졌다. 나는 여전히 입을 꾹 다물고 있었다. "나는 글 잘 쓰는 사람들이 부러워. 근데 너는 맨날 뭐를 쓰더라." 다행이었다. 내가 네 의자에 압정을 놔둔 사실을 까맣게 모르고 있는 거 같았다. 다른 말은 귀에 잘 들리지 않았다. 빨리 이 자리를 벗어나고만 싶었다. 교내 백일장에서 입상을 했다고 나를 부럽다고 하는 너를 보며 처음 보는 사람과 마주 서 있는 것 같았다. 나는 성적이 좋아 갈 수 있는 대학이 많은 네가 더 부러웠다. "글 쓰는 연습을 좀 해보고 싶다. 나도 글 쓰는 거에 관심이 많거든. 이상하게 들릴지 모르겠지만, … 나랑 펜팔 하지 않을래?" 그날, 길이 갈리는 사거리까지 너랑 같이 걸어오면서 나는 머릿속으로 계산을 했다. 나보다 성적이 좋은 너를 미묘하게 질투했었다. 키가 작은 나에게 반에서 키가 제일 큰 네가 머리를 긁적이며 펜팔을 하자는 소리가 이상하게도 하나도 이상하게 들리지 않았다. 오히려 어깨가 으쓱해지며 야릇한 쾌감을 느꼈다. "그래 보내봐라, 답장은 하지." 내가 대답했다. 네가 싱긋 웃었다. 너는 네 집 방향으로 나는 내 집 방향으로 각자 돌아서 가는데, 네가 가던 길을 멈추고는 내 이름을 불렀다. 처음이었다. 네 입으로 내 이름을 부른 건. 그러고는 "고맙다"라고 말했다. 나는 아무 대꾸도 하지 않고 가던 길을 갔다. 문득 압정은 그래도 좀 너무 심했나, 라고 생각하면서도 내가 압정을 놓아둔 범인이라는 건 끝까지 말하지 않을 생각이었다. 그리고 쑥스러워하지만 사과를 할 줄 하는 너라면, 펜팔 정도는 괜찮을 거 같다는 막연한 생각이 들었다. 너에게 날이 서 있던 내 마음도 연필 골무의 젤리 느낌처럼 말랑말랑해지는 순간이었다.

기어코 비가 쏟아지기 시작하면서 공기에서 젖은 흙내가 났다. 무릎은 더 쑤시고 아팠다. 한걸음 내디딜 때마다 찌릿했다. 길 위에서 나는 병원까지의 거리를 가늠해 보았다. 멀리 커다란 병원 입간판이 보였다. 병원에 가면 거미줄처럼 범위를 넓혀가는 이 갑작스럽고 난데없는 통증을 낮게 해 줄 수 있을까. 정말 그럴 수 있을까. 우산을 챙겨오지 못한 사람들이 건물 입구를 처마 삼아 서 있었다. 나는 등산 가방 안에 접이식 우산이 있었지만 방수가 되는 등산복을 입고, 등산 모자를 쓰고 있어서 그냥 걸었다. 비를 좀 맞으면 손가락과 발가락에 벌레가 기어가는 것 같은 느낌이 좀 가실 수도 있겠다고 생각했다. 차들이 라이트를 켰다. 오후 1시를 지나고 있다는 것이 무색할 만큼 사방이 어두워졌다. 광역버스 전복사고로 실려 간 병원에서 정신을 차리자 아내의 얼굴이 제일 먼저 눈에 들어왔다. 웬만한 일에는 눈물을 보이지 않던 아내가 울고 있었다. 나는 그런 아내에게 분홍색 치마를 입은 여자아이는 어떻게 됐는지 물었다. 나는 분명 말을 하고 있다고 생각했는데, 아내가 내 입에 귀를 바싹대고 몇 번이나 뭐라고 하는 지 물었다. '분홍색 치마 입은 꼬마 여자아이…… 내리는 문 쪽, 천장 실내등 위에…… 눈 뜨고 있었던 아이……' 아내가 내게서 몸을 떼며 말했다. "운전기사가 녹내장이었대. 비도 비지만, 녹내장이란 걸 숨기고 일을 했나 봐. 시야가 좁아지는데… 그걸 어떻게… 숨기고……", 아내가 엉뚱한 소리를 했다. '꼬마여자아이…… 어떻게 됐냐고……?' 아내가 입을 가리고 더 크게 울기 시작했다. 난 임 통보를 받았던 날도 울지 않았던 아내였다. 나는 자꾸 졸음이 쏟아지는 눈을 부릅뜨려고 했지만 눈꺼풀의 무게를 이길 수 없었다. 눈을 감았다 뜨면 누군가 이 모든 것은 꿈이었어, 라고 말해주길 바랐다. GS25를 지나고, 가구점을 지나, 저 앞에 초등학교 건물이 보였다. 꽤 걸어왔다고 생각했는데 뒤를 돌아보니 아까 교회에서 나눠 준 소식지를 깔고 앉아 있던 빌딩 입구로부터 50미터도 채 걸어오지 못한 듯했다. 나는 병원을 향해 계속 걸었다. 그리고 네가 내 옆에서 사라진 뒤로도 나는 지금까지 계속 걸어왔다. 고등학교를 졸업하고, 대학에 입학하고, 군대를 다녀오고, 취업을 하고, 결혼도 했다. 그렇게 너를 잊은 줄 알았다. 하지만 너는 오른쪽 발등에 붙인 반창고에 핏물이 배어 있는 것처럼, 반창고 아래 상처가 흉터가 되어 평생 남게 되는 것처럼, 17살 그대로 내 안에 숨어 있었다. 너는 기말고사 하루 전날 가출을 했었다. 네가 왜 가출을 했는지 나는 알지 못했다. 그사이 너와 나는 펜팔 편지는 십여 통 남짓이었다. 나는 그 편지를 꼼꼼히 읽지 않았고, 겉모습과 다르게 질척이는 네 문장이 계집애 같다고 얕봤다. 하지만 답장에는 그런 내색을 일체 하지 않았다. 너는 어디서 베낀 듯한 시 한편을 편지에 적기도 했고, 피천득의 수필을 베껴 보내기도 했다. 글 쓰는 연습을 하고 싶

어 펜팔을 한다고 했으니 남의 잘 된 글을 베끼는 것도 나쁘
지 않다고 생각해 나는 그에 맞춰 다른 좋은 글들을 찾아 답
장으로 써줬다. 네가 가출을 하고 일주일 되던 날, 학생주임
은 이제 가출에서 돌아와도 최소 유기정학을 면할 수 없다고
했다. 네가 펜에 껴준 연필 골무를 만지거리며 나는 시험
공부를 했었다. 기말고사를 안 보다니 나는 네가 간이 배 밖
으로 나왔다는 생각을 하며 이럴 경우 네 성적처리는 어떻게
되는 건지, 사유가 인정되면 중간고사 때 성적을 100% 인정
해 주는 건지, 학생주임 말로는 최소 유기정학을 면치 못한
다고 했으니 징계에 해당하게 되고 그러면 성적은 인정을 못
받는 건지, 징계를 받으면 대학에 갈 때 불리한 건 아닌지, 나
는 그런 생각만을 했다. 기말고사가 끝난 바로 그날 저녁, 집
으로 전화가 왔었다. 집에 아무도 없어 전화는 내가 받았다.
여보세요, 라는 말을 두어 번 해도 상대편은 아무 말도 하지
않았다. 나는 직감적으로 너라는 걸 알았다. 네 이름을 불렀
다. 그때서야 짧고 얕은 한숨소리가 들렸다. 너라는 걸 확신
했다. 나는 다시 한 번 네 이름을 부르고 혹시라도 네 말을 알
아듣지 못할까 봐 수화기를 대고 있는 반대편 귀를 손으로
꾹 눌러 막았다. 수화기 너머 네 목소리는 들리지 않고 멀리
파도치는 소리가 흐릿하게 들렸다. 그러는 사이 전화를 끊을
까 봐 지금 어디냐고 몇 번이나 다그쳐 물었다. 막상 네 전화
를 받고 보니 성적은 어떻게 할 거냐는 생각 따위는 나지 않
았다. 더 늦기 전에 돌아만 오면 네가 보낸 편지를 꼼꼼하게
다시 읽겠다고 마음속으로 다짐했다. 그리고 나는 말하고 싶

었다. 네 의자에 있었던 압정은 내가 놓아둔 거라고, 그거 내가 한 거라고. 얼마나 아팠냐고……. 네가 나를 한 대 친다면, 기꺼이 맞아주겠다고 그러니 이제 그만 돌아오라고. 내가 그 말을 하려고 입을 떼는 순간 전화기에서 '뚜뚜뚜-' 하는 신호음만 들렸다. 귀에 물이라도 들어간 듯 먹먹했다.

다음 날 너를 찾았다며 네 누나에게서 전화가 왔다. 나는 네가 어디에 있냐고 물었다. 누나는 네가 인천 K병원 영안실에 있다며 울었다. 비가 내렸다. 하루 종일 비가 내려서 강에 물이 불어나고 불어난 강물은 바다로 흘러 들어가 세상이 온통 물 천지 같았다. 나는 방 안에 있는데도 빗물에 온몸이 젖어드는 것 같았다. 누나가 챙길 게 있어 집에 들렀다 다시 인천 K병원 영안실로 간다고 해서 나도 데리고 가달라고 했다. 아무래도 내 눈으로 보지 않으면 믿지 못할 거 같았다. 누나와 만날 장소를 정하고 전화를 끊었다. 나는 네가 보낸 십 여 통의 편지를 챙겨들었다. 손이 떨려 잡은 편지를 자꾸 손에서 놓쳤다. 이 편지 안에 단서가 있을지 몰랐다. 자살을 했다고 하는데, 편지 안에는 그런 내용을 읽어낼 수 없었다. 그저 공부하기 힘들다, 여자 친구가 생겼으면 좋겠다, 시험 끝나면 영화나 보러 가자, 여름방학 때 바다 보러 가자……, 남의 글을 잔뜩 베끼고 그 글 끝에 이런 시답지 않은 글이나 써놓은 글이, 너라도 되는 양 나는 편지를 두 손으로 붙잡고 '왜?'라는 말만 반복하며 집을 뛰쳐나왔다. 나는 빈소나 네가 안치된 영안실로 안내될 줄 알았는데 영안실 앞에 있는 작은 방으로 먼저 불려갔다. 형사가 있었다. 그리고 그곳에 네가 입고 있었던 옷, 신고 있던 신발, 메고 있던 가방이 물에 푹 젖은 채 범인들의 증거물품 처럼 선반 위에 나란히 놓여 있었다. 옷은 모르겠지만 가방이나 신발은 네 것이 분명했다. 가방 안에 있던 여러 가지 물건 중에 나와 주고받던 편지도 보였다. 내가 보낸 편지 말고도 다른 종류의 편지가 더 있었다. 편지를 보고 싶어도 이미 물에 완전히 젖어 있고 종이가 겹쳐있어 어떻게 해 볼 수가 없었다. 형사가 내 앞으로 다가와 선반을 가리키며 네 물건이 맞느냐고 물었다. 나는 형사를 바라보며 고개를 끄덕였다. 그가 내게 사진을 내밀었다. 네가 철제 침대에 눈을 감고 누워 있었다. 바닷물이 숨통을 막아올 때의 참혹한 고통이 그대로 느껴지는 일그러진 표정, 시반(屍班)이 퍼진 새파랗다 못해 검푸른 얼굴, 물에 퉁퉁 불어 평소 너보다 훨씬 살이 찐 것 같은 모습…… 사진 속에서 코를 싸쥐고 싶은 물비린내가 나는 것 같았다. 내 안에서 툭 전구의 필라멘트가 끊기는 것 같은 소리가 났다. 나는 나도 모르게 고개를 획 돌렸다. 네 젖은 신발을 만지작거리며 쪼그려 앉아 울던 누나가 벌떡 일어나더니 형사에게 성큼 다가가 지금 애한테 뭐하는 짓이냐며 형사가 들고 있던 사진을 빼앗았다. 나는 그때서야 네가 죽었다는 것을 실감했다. 바다에 빠져 익사했다는데, 시신을 건지고 보니 메고 있던 가방에는 큰 돌덩이가, 옷 주머니란 주머니에는 자잘한 돌덩이가 가득가득 들어 있었다고 했다. 귀에서 '띠이-' 하는 소리가 들리기 시작했다. 다리가 여러 게 달린 벌레들을 누가 일부러 올려놓은 것처럼 손가락과 발가락이 근질근질 거렸다. 네 어머니가 영안실 앞에서 울다 지쳐 쓰러져 있었고, 네 아버지가 그 옆에서 바닥을 주먹으로 치며 울고 있었다. 누나가 네 어머니 곁으로 가려고 발을 떼었다. 나는 누나를 붙잡고 그동안 너와 주고받은 편지를 건넸다. 내가 갖고 있는 것 중, 네 흔적이 가장 많이 남아 있는 것이었다. 내가 할 수 있는 것이 그것 외에 달리 생각이 나지 않았다. 네가 쓴 편지라고 하자 누나가 받아 챙겨 넣었다. "서로 주고받은 편지예요. 혹시 이 안에 단서라도 있을지 몰라 가져왔어요……." 누나가 내 어깨를 한번 잡아주었다. 누나 손이 떨리고 있었던 건지, 내 어깨가 떨리고 있었던 건지, 아니면 세상이 마구 흔들리고 있었던 건지, 뜨거운 여름밤이었는데도 나는 몹시 춥고 어지러웠다. 너무 춥고 어지러워서 자꾸 헛구역질이 나왔다.

빗줄기가 더욱 거세졌다. 나는 인도를 계속 걸었다. 바로 코앞이 병원인데 병원이 자꾸 뒷걸음질을 치는 거 같았다. 걸음걸음 마다 네 얼굴이 따라왔다. 광역버스 천장에 고꾸라져 있던 분홍색 치마를 입은 아이가 내 옆에서 방긋 웃고 있는 듯했다. 나는 그만 발을 헛디뎌 앞으로 엎어지려다 차도와 인도 사이에 있는 안전난간을 간신히 붙잡고 중심을 잡았다. 그 바람에 손에 잡고 있던 등산 스틱을 놓쳐버렸다. 중심을 잡고 한 발 내디디며 앞으로 나가려는데 휘청거렸다. 무릎이 후들후들 떨리기 시작했다. 몸의 중심이 휘청거리고 정신이 휘청거려 안전난간을 잡은 채 다시 바닥에 무릎을 대고 주저앉았다. 무릎에서 우두둑 소리가 났다. 찡 울리는 통증에 숨을 헉 삼켰다. 내 옆으로 차들이 빗물을 튀기면서 달려가고 있었다. 네가 보고 싶었다. 그때로부터 지금까지, 심장 깊은 곳에 잘 숨겨두었다고 생각했다. 영안실에 있다던 너를 나는 끝까지 볼 수 없었다. 급하게 마련된 빈소에는 네 영정 사진을 미리 준비했을 리 없었다. 그때 나는, 모래알을 한줌 움켜잡은 것처럼 내 안의 슬픔들을 다 쏟아내지 못했다. 네 어머니의 무너지는 슬픔과 네 아버지의 찢어지는 슬픔과 네 누나의 위태위태한 슬픔에, 나는 바보처럼 그저 놀란 눈을 크게 뜨고만 있었다. 형사가 건넨 사진 속에서 시반이 검푸르게 번져 퉁퉁 부은 벌거벗은 네 모습만이, 내 동공에 찰싹 달라붙어 있을 뿐이었다. 내가 충격을 받을까 봐 뒤쫓아 온 아버지가 나를 서둘러 빈소에서 끌어냈고, 뒤이어 달려온 담임교사가 나를 똑바로 바라보며 확인을 받아두겠다는 눈빛으로 정신 차리고 아버지 따라 집에 가라고 했었다. 그 목소리가 가시처럼 날카로워 숨소리도 내면 안 될 것 같았다. 문하나만 열면 네가 차갑게 얼어 보관되어 있는 영안실이었다. 그 문을 열고 들어가 너를 볼 수도 있었는데, 나는 무서웠다. 그리고 도망치고 싶었다. 나까지 네 죽음의 그림자가 덮치는 것 같아서, 이 일에 내가 엮여 눈곱만큼이라도 내 인생이 비뚤어질까 봐 그런 비뚤어진 마음이 혹여나 누군가에 들킬까 봐 나는 온몸이 후들후들 떨렸다. 아버지가, 담임교사가, 네 누나가 등을 떠밀어 나왔다고 했지만, 나는 도망을 친 것이었다. 너로부터, 얼음을 부셔 발라놓은 것 같은 영안실로부터, 빈소로부터, 그리고 너에게 고개를 돌린 나로부터. 나는 안전난간이 너라도 되는 것처럼 결사적으로 붙잡고 놓지 않았다. 빗물이 손가락마디마디에 차갑게 스며들었다. 오른쪽 눈꺼풀에서 경련이 일어났다. 가슴이 조여 왔다. 손으로 가슴을 잡는다고 해서 통증이 사라질 건 아니지만 나는 손으로 가슴을 움켜잡았다. 광역버스 안에서 내 손이 닿지 못한 분홍색 치마를 입은 여자아이의 동그란 눈이, 무거운 돌을 주머니마다 가득 넣고 바다에 빠져죽은 검푸른 네 얼굴이, 아내의 자궁 속에서 끝내 길을 찾지 못하고 있는 내가, 빗속에 흠뻑 젖은 채로 통증을 토해내고 있었다. '띠이-' 귓속에서 이명이 울리며 사방이 점점 뿌옇게 흐려졌다. "……그날, 너 죽은 날, 집에 와서 네가 준 연필 골무를 아무리 찾아도 없더라고. 시팔, 필통이며 가방, 교복주머니, 온 방이라는 방은 다 뒤지고 엎고 했는데도 네가 준 연필 골무가 없는 거야…… 아무리 찾아도…… 없는 거야……" 눈꺼풀에서 시작된 경련이 얼굴 전체로 퍼졌다. 선뜩한 한기로 입술이 떨렸다. 빗물이 몸을 때리는데 뾰족하게 조각난 얼음이 살갗을 찌르는 것 같았다. 나는 계속 중얼거리면서 한 손으로는 안전난간을, 다른 손으로는 가슴을 부여잡고 너를 불렀다. '너는 왜 그렇게 자주 다치냐, 인마', 라식 수술 때 각막을 들어 올린 것처럼 세상이 온통 캄캄한데 네 목소리만 길 위에서 여전히 내 귓속으로 쏟아져 들어오고 있었다.

블루데이

술에 적당히, 혹은 정신이 혼미할 정도로 취해 있을 때 나는 블루데이에 간다. 지하철을 타고 오는 내내 매스꺼운 속을 연신 쓰다듬었다. 지하철 안에서는 비릿한 사람들의 냄새로 가득하다. 자꾸 감기는 눈에 힘을 주어 출입문 위에 펼쳐져 있는 노선표를 들여다본다. 글자들이 겹쳐 춤을 춘다. P역까지는 아직 아홉 정거장을 더 지나가야 한다. 차내 설치되어 있는 멀티비전에서는 지하철 공중도덕에 관한 동영상이 여러 번 반복되고 있다. 타이트한 청바지를 입은 이십 대 후반의 남자가 휴대폰을 만지작거리며 내 건너편에 서 있다. 흐느적거리는 나와는 무미건조한 눈빛만이 스쳐 갈 뿐이다. 무엇을 하는지 남자는 간혹 웃는다. 그의 착 달라붙은 청바지 속의 매끈한 다리를 떠올린다. 탄탄한 허벅지의 탄력을 손끝으로 튕겨 보는 것처럼 나는 손가락을 들어본다. 차가운 물방울이 손끝에 맺힌 듯 나는 움츠러든다. 그래도 남자는 눈치채지 못하고 있다. 금빛 십자가 목걸이가 남자의 굵은 목에서 빛나고 있다. 그의 구릿빛 손목에는 색색의 줄 팔찌가 헐겁게 매달려 있다. 남자의 니트 티 사이로 단단한 빗장뼈가 보인다. 호흡이 가빠지기 시작한다. 자꾸만 감기던 눈에 힘이 들어가 그의 발끝에서 머리끝까지를 찬찬히 들여다본다. 그는 여전히 휴대폰 버튼을 눌러대고 있다. 남자의 입가에는 미소가 번지다가도 순식간에 딱딱하게 굳어져 버린다. 내 시선이 남자의 턱선을, 손끝을 떨리게 하는 빗장뼈를 지나 가슴에 머물고 그 시선이 배꼽 아래로 내려갈 즈음, C역에 도착한다는 안내방송이 흘러나왔다. 나사 풀린 내 머릿속에서 그의 청바지를 마구 벗기려고 할 찰나였다.

C역에 지하철이 서고 출입문이 열린다. 밖으로 빠져나가지 못하고 지하에 머물러 있는 매캐한 공기가 후욱 끼쳐 들어온다. 남자는 붙잡고 있던 휴대폰을 아무렇게나 주머니에 쑤셔 넣고 내린다. 내가 그를 끈적한 눈으로 계속 바라보고 있었다는 것을 그는 모를 것이다. 나는 그와의 불협화음 같은 섹스를 생각하고 있다. 그는 어떤 체위를 좋아할까, 매스꺼운 속에 구토가 치밀 것 같은데도 나는 생각을 멈추지 않는다. 남자는 뒤도 돌아보지 않고 지상으로 나가는 층계를 두 계단씩 밟고 올라간다. 자동문이 닫힌다. 내 마음도 닫히는 것 같다. 뒷덜미에 소름처럼 바람이 불었다.

-네 어미는 미쳤다. 제정신이 아니야!

아버지는 내게 전화를 하자마자 다짜고짜 엄마가 미쳤다고 소리쳤다. 분이 삭히지 않는지 했던 말을 또 할 때는 목소리가 조금 높아졌고 전화가 끝날쯤에는 바싹 마른 땅처럼 갈라지기 시작했다. 썩은 우유 속에서나 맡을 수 있는 역한 냄새가 수화기에서 나는 듯했다. 아버지는 그렇게 내 호흡 간에 곰팡이처럼 존재한다. 나는 아직 아버지에게 남자를 좋아하게 됐다는 말을 하지 못했다. 그 말을 했을 때, 아버지의 표정이 어떻게 변할지 상상만 해도 간질간질 웃음이 비어져 나온다. 초등학교도 입학하기 전, 엄마를 따라간 시장에서 나는 계집아이들이나 입는 치마를 사달라고 떼를 쓰며 울었다고 했다. 두 손을 뻗대고 어떻게든 나를 달래 집으로 데리고 가려던 엄마는 발끝에 갈고리라도 단 듯 온 힘을 모아 움직이지 않는 내게 결국 두 손을 들었다. 나는 팬티도 입지 않은 아랫도리로 치마 하나 걸치고 온 동네를 휘젓고 돌아다녔다. 동네 아저씨가 사내아이가 치마를 입고 폴짝폴짝 뛰어다니는 모습을 아버지에게 넌지시 일러주었다. 어린 나이였지만, 어쩌다 유리조각에 베였을 때 나는 선명한 핏자국처럼, 아버지의 억세고 거친 주먹이 나의 뺨을 치던 때를 잊지 못한다. 아버지의 주먹과 함께 내 어린 날에 철부지 같은 낭만은 무참히 끝나게 되었다. 내 눈앞에서 발기발기 찢겨지는 치마 조각들이 날 선 칼날처럼 내 가슴으로 날아와 그대로 박혔다. 언젠가 나는 아버지에게 똑같은 복수를 해주겠다고 다짐했다. 무엇을 어떻게 할지 구체적으로 계획을 세울 수 있는 나이도 아니었지만, 무언가 내가 느낀 피고름 같은 통증을 고스란히 되돌려 줘야겠다고 생각한 것은 틀림없다. 엄마가 아버지와 나를 버리고 집을 나갔을 때, 나는 엄마에게 돌아와 달라는 말을 하지 않는 것에서부터 아버지에 대한 첫 번째 복수를 시작했다. 입에서 단내가 나도록 수다를 멈추지 않는 동네 아줌마들은 도망간 엄마에게 악착같이 매달려 보라고 했다. 치맛자락을 붙잡고 계집아이처럼 징징 울어대면 엄마가 돌아올 거라고 했다. 나는 코웃음을 치는 것으로 생각 없이 입을 놀리는 아줌마들의 뒷담화를 깨끗이 무시했다. 아버지는 때로 술을 마시고 들어와 나를 때렸다. 나는 이유 없이 맞으며 아버지가 죽어 없어졌으면 좋겠다고 생각했다. 아버지가 텔레비전을 통째로 들어 나에게 던지려고 할 때, 나는 겨우 초등학교 3학년이었다. 아버지는 때때로 집에 들어오지 않았다. 어디서 잠을 자고 오든지 나와는 상관없었다. 나는 수돗물이 간간이 끊기거나 일주일에 한 번은 전기가 나가는 동네에서 살았다. 그런 곳에서 사는 순진한 엄마들에게 촌지를 뜯어내는 초등학교 담임선생이 내준 일기장 속에 나는 아버지 욕을 썼다. 그 많은 촌지를 받아 어디다 쓰는지 파마도 제때 하지 않은 푸석푸석한 담임의 머리를 마귀할멈 같다고 일기장 속에서 통렬하게 비웃기도 했다. 그 바람에 나는 담임에게 단단하게 찍혀 문제아가 되었다. 눈이 나빠 앞자리에 앉았는데, 담임은 꼴 보기 싫은 불량학생이라 제멋대로 치부하고는 나를 교실 끝 쓰레기통 옆에 앉혔다.

-너는 쓰레기만도 못한 놈이야!

아버지는 밤이슬을 맞고 들어오는 날이 많았다. 담임이 내주는 일기를 쓰느라 나는 손가락에 연필 혹이 박힐 지경인데, 아버지는 때때로 낯선 냄새를 묻히고 와서는 씻지도 않고 내 곁에 누웠다. 학교에서 강제로 배급되는 흰 우유를 나는 먹지 못했다. 딸기우유를 시켜달라고 담임에게 말했다가 귀싸대기를 맞았다. 담임은 내게 지독한 이기주의자라는 기분 나쁜 소리를 했다. 이기주의자라는 말이 무슨 말인지 한참 뒤에야 알았지만, 딸기우유를 먹고 싶다는 것이 따귀를 맞고 이기주의자라는 소리를 들을 정도인지 나는 지금도 이해가 가지 않는다. 나는 내 옆의 쓰레기통에 항상 비린내 나는 흰 우유를 토해냈다. 비록 엄마가 나를 버리고 갔지만 나는 모유를 먹고 자랐다. 엄마의 모유 속의 야멸찬 고집과 살얼음 같은 선득함이 그대로 내 혈관 곳곳에 남아 머리를 차갑게 했다. 내 혈관 속에 맴돌고 있는 모유의 흔적은, 흐물거리는 커다란 젖통을 가진 젖소 따위가 만들어 송아지들이나 먹이는 것을 단호히 거부했다. 흰 우유를 고스란히 토해내는 것으로 나는 수전노 같은 담임을 전부 게워내며 말했다.

—쓰레기는 내가 아니라 당신이야!

엄마는 내게 가끔 전화를 했다. 미안하다느니 용서하라느니 같은 구닥다리 말을 우리 모자는 하지 않았다. 엄마는 항상 아버지가 급살을 맞아 죽을 거라고 했다. 나 역시 아버지를 좋아하지는 않지만 아버지에 대한 지리멸렬한 험담을 들어주는 것도 짜증 나고 힘겨운 일이었다. 엄마는 아버지에게 맞아 꿰맨 상처가 아직도 아물지 않았다고 했다. 엄마가 집을 나가버리는 바람에 찢어지고 긁혀 약을 아무리 발라도 아물지 않은 것 같은 내 마음의 상처를, 나는 언제쯤 이야기할 수 있을까. 엄마는 아버지가 없는 곳은 지상낙원이라고 생각하고 있는 것 같았다. 지상 낙원에서도 뱀 같은 사탄이 있어 어리석은 여자 하와를 꼬셔내 선악과를 먹게 하지 않았던가. 엄마도 곧 선악과를 먹게 될 거야. 나는 그 말을 하고 싶었지만 끝내 냉정하게 입을 다물어 버리고 말았다. 엄마는 상큼한 목소리로 그렇게 좋아하는 수박을 배 터지게 먹고 있다고 내게 말을 했다. 나는 매일 말라비틀어진 김치쪼가리에 라면을 꾸역꾸역 먹고 있는데, 엄마는 기회가 되면 커다란 수박을 사 들고 먼지가 쌓인 아버지와 나의 집에 찾아오겠다고 했다. 나는 피식 웃음이 나왔다. 그 웃음 사이에 쌍 시옷자가 들어가는 욕이 비어져 나왔을지도 모르겠다. 수박을 사오겠다고……, 거위침이 올라왔다.

담임은 흰 우유를 먹지 못해 통째로 쓰레기통에 버리는 날 보고는 머리카락을 잡고 교탁 앞으로 끌고 갔다. 지난번 학부모 총회 때 아버지는 나오지 않았다. 그날 부모님이 오지 않은 반 아이들 몇몇은 선생 말을 듣지 않았다고 점심시간에는 밥을 10분 만에 먹고 화단청소를 했고, 방과 후에는 지린내나는 화장실 청소를 해야 했다. 게다가 나는 고린내 나는 담임의 구두도 닦아야 했다.

-너는 구두를 잘 닦는구나. 구두닦이를 하면 잘 하겠어. 안 그래?

담임은 흰 우유를 버린 내 머리카락을 쥐어뜯듯 잡아채고는 40명이 넘는 반 아이들 앞에서 돈도 쥐뿔 없는 가난뱅이 아이가 학교에서 주는 우유를 먹지 않았다고 공개심판을 하듯 침을 튀기며 말했다. 배은망덕한 쥐새끼 같은 놈이라고 말하며 내 뺨을 후려갈겼다. 찝찌름한 코피가 좌르륵 쏟아졌다. 출석부를 들어 나를 사정없이 갈겼다.

　-네가 쓰레기통 옆에서 인상을 잔뜩 찌푸리고 나를 보면 수업하다가도 먹었던 게 다 올라와, 이 새끼야!

　먹은 것이 없이 바짝바짝 말라 가는 내 가는 뼈들이 담임이 내리치는 출석부에 요동을 쳤다. 먹고 싶지 않은 우유를 억지로 먹이는 학교를, 그리고 그것을 핑계로 나를 개 패듯 패는 담임을 나는 저주했다. 할 수만 있다면 사정없이 내 입 속에 구겨 넣고 잘근잘근 씹어주고 싶었다.

　-목욕한 지는 얼마나 된 거야? 이 목에 때 좀 봐!

　우유를 먹지 않은 일이 내 목에 있는 때와도 깊이 관련될 수 있다는 것을 나는 처음 알게 되었다. 그때 처음으로 엄마가, 나의 하나뿐인 엄마가 그리웠다. 글씨체가 곱고 예쁜 엄마는 내 삐뚤빼뚤한 글씨를 바로잡아주려 애를 썼다. 탄 음식을 먹으면 해롭다고 어쩌다 먹는 고기의 탄 부분을 가위로 싹둑싹둑 잘라내어 내 밥숟가락에 얹어주기도 했다. 물론 그런 날들은 가뭄에 콩 나듯 일어나는 일이기는 했지만. 엄마는 다세대주택에서 쓰는 공중화장실 안에서 담배 피우기를 즐겼고, 판을 벌이고 고스톱을 치는 곳을 찾아다니며 시간을 죽였다. 엄마에게 나는 밥때가 되면 허기를 느끼듯 간간이 생각나다 허기가 채워지면 잊혀버리는 존재 같았다. 담임에게 맞아 처음으로 코피가 터졌다. 엄마가 지금쯤 선악과를 따먹을지도 모르겠다는 생각이 들었다. 나는 눈을 감았다.

지하철이 깜깜한 터널에서 멈춰있다. 이제 다섯 정거장만
더 가면 내가 가려는 블루데이에 도착하는데 지하철은 꼼짝
을 하지 않고 있다. 30초쯤 지나자 사람들은 웅성거리기 시
작했다. 30초라, 인간의 인내심은 생각보다 짧다. 엄마를 패
대기칠 때의 아버지는 엄마가 술 좀 처먹지 말라는 말이 끝
나기도 전에 손이 올라갔었다. 엄마는 그런 아버지에게 칼을
휘두르며 악을 질러댔다. 무엇이 아버지와 엄마를 저리도 날
카롭게 만들었는지 나는 알 수 없었다. 안내 방송이 흘러나
왔다. 도착할 역에서 인사사고가 났다고 했다. 더이상은 아무
말도 없었다. 멀티비전에서는 케이블TV의 종합 뉴스를 내보
내고 있었다. 사람들은 휴대폰으로 전화를 하기 시작했다.
　-어떤 미친놈이 철로로 뛰어들었나 봐. 왜 하필 여기서 뒈
지고 지랄이야. 그 많은 역 놔두고.
　-야, 좀 늦을 거 같아. 사고가 났대. 화재? 화재는 아닌 거
같은데, 여하튼 졸라 짜증나!
　뉴스에서는 한강 물에 뛰어 들어 자살한 사람의 보도가 자
막으로 떴다. 인터넷 무료통신 사업가 K씨 자살. 계속된 아
이디어 개발 실패와 늘어나는 부채를 감당하지 못한 것으로
추정, J대 교수이기도 했던 K씨는 올해 재임용에서 탈락했다
고도 전했다. J대 교수 K씨. 그가 아닐 것이라고 나는 시선을
황급히 돌려버렸다. 아직도 그가 내게 보낸 문자 메시지가
고스란히 내 휴대폰에 생채기처럼 남아 있다. 그는 어떻게
내 연락처를 알아냈던 것일까? 하기야 인터넷으로 사업을 해
먹고사는 그가 내 휴대폰 번호 따위를 알아내는 것은 손쉬운

일일지도 모른다. 그런데 왜 갑자기 내게 연락을 했던 것일까. 나는 그를 오랫동안 잊고 있었다. 그리고 기억하지 않으려고 했다. 그가 결혼을 한다고 이제 그만 만나자고 했을 때 눈물까지 흘리면서 나를 버리지 말라고 했던가. 이제 누구와 같이 딸기우유를 먹느냐면서 나는 얼토당토않은 이유를 대 그를 붙잡으려고 했다. 그는 떠났고 나는 남았다. 지하철은 10분이 지나도 움직일 생각을 하지 않았다. 나는 서서히 술이 깨어갔다. 이미 뉴스는 예년보다 빨리 벚꽃이 만개할 거라며 주말에 꽃 나들이 갈 명소를 소개하고 있었다. 한강에서 시체를 건져 올리는 모자이크 처리된 화면만이 내 두 눈에 유리조각처럼 날아와 박힐 뿐이었다.

그를 처음 만난 건 내가 대학에 들어와 지저분한 쓰레기들이 창자를 드러내고 고약한 냄새를 풍기는 집을 떠나 하숙을 했을 때부터다. 20만 원을 내고 머무는 하숙집의 맛대가리 없는 계란찜에 서서히 질려 갈 때쯤, 나는 랜선이 들어오지도 않고 컴퓨터도 없는 내 방에서 빠져나와 피시방으로 향하는 날이 많았다. 인터넷을 통해 나는 동성애자 사이트를 접하게 되었다. 처음에는 호기심으로 나중에는 게임 중독자처럼 빠져 동성애 혹은 이반 사이트를 휘젓고 다니며 그 다음날 점심값과 책값을 고스란히 피시방 계산대 안으로 들어가게 했다. 아담이라는 닉네임을 쓰는 그가 채팅 창에서 내게 말을 걸었다. 커피 한잔할까요? 나는 채팅을 승낙하며 그에게 인사도 없이 커피는 싫으니 녹차를 사 주세요, 라고 했다. 그는 꽤 솔직한 거 같았다. 자기는 32살이고 얼마 전에 미국의 UCLA 대학에서 학위를 받아 들어왔다고 했다. 지금은 J대학의 L학과 강사라고 했다. 그는 솔직한 만남을 원한다고 했다. 채팅에서는 거짓말이 난무하기 마련이다. 진심이라는 것은 애초에 없었다는 듯한 허무의 공간이기도 하다. 어떤 때는 동성애자들을 증오하는 사람이 채팅을 걸어 마구 욕을 해대고는 휑하니 나가버리는 키보드 워리어도 많다. 아무도 신뢰할 수 없는 사이버 공간에서 그는 내게 솔직하게 자신의 이야기를 했다. 그와 나는 서로의 신체 사이즈나 섹스 성향에 대해서 이야기하지 않았다. 그는 환경오염에 대해 지대한 관심을 보였다. 또한 자신을 채식주의자라고 말했다. 화학성분이 들어 있는 샴푸와 바디샴푸의 사용을 절제해야 한다고도 했다. 그는 또 자신이 소속된 J대학 강사의 한 달 강사료가 턱없이 부족하다고 불만을 털어놓았다. 자신이 채식주의자라서 다행이지 고기라도 좋아했다면 막노동이라도 뛰어야 할 판국이라고 했다. 그는 분명 말랐을 것이다. 돼지처럼 뒤룩뒤룩 살이 찌고 배가 봉긋 튀어나온 아버지 같은 사람이 아닐 거라고 생각했다. 나는 그를 만나기로 했다. 그는 내게 신선한 브로콜리가 들어간 샐러드를 만들어 주기로 약속했다.

초등학교도 들어가기 전 엄마를 졸라 사 입은 치마를 아버지가 내 눈앞에서 발기발기 찢어버렸을 때부터 여자들만 입는 치마라는 것에 나는 접근금지와 같은 오그라든 거리낌을 느꼈다. 엄마가 나를 두고 집을 뛰쳐나가 수박을 배 터지게 먹는다는 말을 했을 때부터 나는 여자를 사랑할 수 없게 되었다. 그 사실에 잠시 잠깐 괴로워하다 나는 받아들이기로 했

186

다. 어차피 세상은 온통 불온한 일들과 당치 않은 일들의 천국이 되어버린 지 오래이다. 수박을 배 터지게 먹여주는 사람을 따라 집을 나간 엄마나, 아버지가 밤이슬을 맞으며 묻혀오는 싸구려 화장품 냄새나 태초에 하나님이 만드신 세상의 에덴동산은 이제 어느 곳에도 없는 것이다. 남자에게 매력을 느끼는 일쯤, 남자와 섹스를 하는 일쯤 이제는 장애조차 될 수 없다.

초등학교를 졸업하고 나는 공장들이 즐비하게 늘어서 있는 중학교에 입학을 했다. 수업시간이면 공장에서 풍겨져 나오는 화학물질 혼합된 냄새가 코를 찔렀다. 그 냄새는 술떡을 만들기 위해 효소 대신 막걸리를 부어 넣었을 때 콤콤하게 나는 알코올 냄새와 비슷했다. 선생님이 무슨 말을 하든 막걸리에 취해 버린 듯 졸린 눈을 비비는 멍청한 아이들이 모인 소굴에서 나는 늘 탈출을 꿈꿨다. 아버지는 내가 중학교에 입학하자마자 나를 큰집에 맡기고 살림을 차렸다. 큰아버지는 아버지가 나를 맡기고 매달 30만 원을 보내주는 조건으로 일체 한마디 없이 나에게 방을 내 주었다. 4살 어린 사촌 남동생과 한 방을 썼지만 오래가지 않았다. 나는 매일같이 사촌 남동생을 괴롭혔다. 내 물건을 만졌다고 초등학교 담임이 그랬듯 머리카락을 쥐어뜯고 귀싸대기를 날렸다. 자다가 코를 고는 사촌 남동생의 코와 입을 막아버려 기절을 시킨 적도 있었다. 큰어머니는 당장 제 집으로 보내라고 난리를 쳤지만 아버지는 원래 보내는 돈에서 5만 원을 더 보내준다는 조건으로 나를 당분간 더 두고 봐 달라고 했다. 그날로 사촌 남동생은 내 방에서, 아니 원래는 사촌 남동생의 방에서 제 발로 걸어나갔다. 중학교에서는 흰 우유를 마시지 않는다고 나를 벌레 취급하지 않았다. 선생들은 공부를 못하는 아이들에게는 도통 관심이 없었다. 흰 우유를 강제로 마시지 않게 하고 선생 마음에 들지 않는다고 쓰레기통 옆에서 공부를 시키지 않는 것만으로 막걸리 냄새가 나는 학교를 다니는 것에 큰불만을 품지 않았다. 창문을 열어놓으면 금세 아이들의 코밑이 검게 변해버리고는 했다. 공장에서 뿜어내는 검은 먼지가 고스란히 학교 창을 넘어 우리들의 호흡기를 타고 폐부 깊숙이 쌓여갔다. 나는 그때 첫 키스를 했다.

공돌이 공순이의 자식들이 다니는 학교에서도 공부를 잘하는 아이는 있었다. 천부적으로 술에 강한 핏줄을 타고났는지 시시때때로 기습하는 막걸리 냄새에도 아랑곳하지 않고 책을 보는 아이가 있었고 콧잔등에 새까만 먼지가 내려앉을 때면 세수를 하고 와서는 어김없이 책을 보는 아이가 있었다. 그 아이와 짝이 된 것이 애초에 잘못이었다. 어느 날인가부터 내 손을 잡기 시작했다. 나를 보고 계집애처럼 곱고 예쁘다면서 내 귓불을 만지작거렸고 또 어느 날은 내 볼에 갑작스럽게 뽀뽀를 하기도 했다. 그 아이는 공부를 잘했다. 공부를 잘했기 때문에 멍청하게 앉아 시간 가기만을 바라는 다른 아이들과는 다르다고 생각했다. 그 아이는 선생이 사랑하고 아끼는 똑똑한 아이였기 때문에 그 아이가 하는 행동은 곧 선생같이 여겨졌다. 처음에는 싫다고 거부를 했다. 그러면 그럴수록 그 아이는 내게 엉겨 붙었다. 급기야는 나를 화장실로 끌고 갔다. 그 아이의 혀가 내 입술을 비집고 들어왔다. 나를 좋아한다고 했다. 그 말 때문이었던가, 아버지나 엄마, 하다못해 나를 맡아 키우는 큰아버지나 큰어머니에게조차 들어보지 못한 말이었다.

　-너를 좋아해. 아니 사랑하는 거 같아.

　그 아이가 사랑이라는 것을 알든 모르든 그 말을 하는 순간에 나는 그만 입을 벌리고 그 아이의 혀를 받아들였다. 그때였다. 화장실 문이 벌컥 열리면서 아이들 돈을 삥뜯거나 때리고 괴롭히는 일로 하루를 즐기는 녀석에게 우리가 입을 맞추는 모습을 적나라하게 들켜버렸다. 화들짝 놀라 혀를 도르르 말아버리는 그 아이의 눈동자가 보였다. 교실 안에서의 당당하고 거만했던 모습과는 달리 그 아이가 찬물을 뒤집어쓴 쥐새끼처럼 변한 것은 순식간이었다. 입술까지 덜덜 떨고 있는 모습에 나는 키스하는 모습을 들켰다는 것보다, 나를 좋아하고 사랑한다는 아이가 나를 외면하고 종잇장처럼 바들바들 떠는 모습에 가슴이 내려앉았다. 곧 교실에는 불같은 소문이 번졌다.

　-호모 같은 새끼들! 더러운 새끼들! 추잡한 새끼들!

　담임선생은 종례시간에 나를 불러냈다. 내가 교탁 앞으로 나가자 이번에는 그 아이를 불러냈다. 그 아이가 주춤주춤 교탁 앞으로 나왔다. 수업시간에 선생의 눈을 똑바로 응시하는, 오만하게 빛나는 눈빛이 아니었다. 살림을 차려 나가면서 나를 큰집에 맡길 때 아버지가 큰아버지에게 보였던 비굴한 눈빛이 떠올랐다. 어금니를 깨물었다. 선생은 키스한 사실이 있냐고 물었다. 그 아이는 두 번 생각할 것도 없이 있다고 말하며 자기가 그랬던 게 아니라고 했다.

　-진우가…… 진우가 한 번 해보면 재미있을 거 같다고 했어요. 저는 안 하려고 했는데, 자꾸……하자는 바람에…….

　반에서 1등을 하는 오만한 그 아이는 막걸리 냄새에 취해 풀린 눈을 치켜뜨고, 콧잔등에 새까만 먼지가 내려앉은 멍청한 아이들 앞에서 그보다 더 멍청하고 바보같이 엉엉 울어버렸다. 그 아이는 손바닥을 다섯 대 맞았다. 나는 선생에게 무참히 밟혔다. 변명의 여지는 없었다. 그 아이는 선생이 아끼는 제자였고 나는 별 볼일 없이 눈에도 띄지 않는 저 어리석고 멍청한 아이들과 하나 다를 게 없는 아이였을 뿐이었다. 중학교에서는 흰 우유를 마시지 않는다고 맞지는 않았지만 그보다 더한 깊고 아린 상처가 내 가슴에, 살갗에, 손끝 하나하나에 핏물을 냈다. 부모님을 모셔오라고 했다. 나는 아버지에게 전화를 해 구원을 요청했지만 지방에 내려가 있다며 언제나 그렇듯 거절했다. 할 수 없이 엄마에게 전화를 걸어 나와 달라고 했다. 엄마는 의외로 흔쾌히 승낙을 하고 다음날 학교에 나왔다. 엄마의 분홍색 양산이, 검은 먼지가 바람처럼 날아다니는 학교에서 봉긋 솟아 있었다. 교무실로 들어간 엄마를 교문 앞에서 1시간쯤 기다리고 있으니, 분홍색 손수건으로 점잖게 눈가를 닦아내는 엄마가 벚꽃 잎처럼 사분사분 걸어 나왔다.

　-사실이니?

　-아니야. 내가 먼저 그런 게 아니야.

엄마의 봉긋한 뱃속에는 나와 씨가 다른 동생이 자라고 있었다. 엄마는 들어서는 안 되는 말을 듣기라도 한 듯 한숨을 내쉬며 내게 돈을 쥐여주었다.

-수박 사먹어라. 엄마가 가야 하는데, 네가 큰집으로 들어갔다니 이제는 갈 수도 없게 되었잖니? 네가 그러지 않았으리라 엄마는 믿는다.

엄마는 그렇게 말하고는 나를 등지고 가야 할 길을 서둘러 걸어 사라져갔다. 엄마의 분홍색 양산이 보이지 않을 때까지 나는 엄마가 쥐여준 만 원짜리 지폐를 구겨 쥐고 꼼짝 않고 그 자리에 붙박여 있었다. 중학교를 졸업할 때까지 그 아이와 나는 단 한 번도 말을 하지 않았다. 거짓말이든 아니었든 처음으로 내게 사랑한다고 말했던 아이였다. 졸업식 날 최우등상을 받으러 교단에 올라간 그 아이의 뒷모습을 보고 나는 침을 뱉어주고 싶었다.

우리는 과천에서 만났다. 약속한 대로 그와 나는 커피전문점에 들어가 메뉴판의 3분의 2를 차지하는 다양한 커피를 싹 무시하고 냉녹차 두 잔을 시켰다. 그는 머리가 반쯤 벗겨져 있었다. 미국의 UCLA 대학에서 공부를 했다고 했다. 그곳에서 학위를 따며 백인들의 더러운 꼬락서니를 질리도록 봤다고 했다. 그는 학비를 보내주지 않는 아버지 때문에 백인들을 위한 식당에서 백인들이 먹다 남은 음식찌꺼기를 맨손으로 치워야 했다고 했다. 그의 등은 굽어 있었다. 한쪽 어깨는 다른 쪽 어깨보다 낮았다. 감기라도 걸린 것인지 마른기침을 간헐적으로 끊이지 않게 했다.

　-블루데이 알아요?

　-블루데이? 우울한 날이잖아요. 아니면 카페이름?

　-왜 있잖아요. 남자들만 가는 휴게텔 같은 곳⋯⋯.

　그가 괜찮다면 같이 가보지 않겠냐고 내게 물었다. 싫다고 말해버리면 그 기울어진 한쪽 어깨가 더 내려갈 것 같아 나는 고개를 끄덕였다. 그가 차를 세운 곳은 은행이 있고 술집이 있고 노점상이 있고 도로에는 차들이 지나다니는 늘 보는 흔해빠진 곳이었다. 그를 따라 24시간 편의점이 있는 건물 4층으로 올라갔다. 그곳에서 그는 돈을 지불하고 가운을 건네받았다. 그가 건네받은 두 개의 가운 중에 하나를 내게 주었다. 그는 능숙하게 옷을 벗고 샤워실로 들어갔다. 벗은 몸을 보니 그의 어깨는 확실히 삐뚤어져 있었다. 그 삐뚤어진 어깨가 나의 마음을 놓아주지 않았다. 다른 사람들도 있었다. 그들은 한결같이 목욕 가운 같은 것을 걸치고 맨발로 바닥에 찌그락 찌그락 소리를 내며 서로의 시선을 야릇하게 교차했다. 나를 아래위로 훑어보는 남자가 담배를 꺼내 물더니 내게 윙크를 했다. 나는 고개를 돌렸다. 내가 가운을 갈아입자 그가 샤워를 끝내고 내 앞에 섰다. 어둡고 침침한 곳으로 내 손을 끌고 들어갔다. 어둠 속에서 반짝이는 수많은 눈빛으로부터 나를 보호해야 하는 것처럼 씻지도 않은 나를 벌집같이 다닥다닥 붙은 방 중 비교적 안락한 방으로 안내했다. 어디선가 거친 신음 소리가 들려왔다.

　-여기서는 모두 섹스를 하죠. 말만 휴게텔이지요.

나는 그 어둡고 협소한 곳에서, 옆 방 사람들이 무슨 짓을 하는지 눈을 감고도 상상이 되는 곳에서 남자와 처음으로 섹스를 했다. 그는 격렬하고 거침없이 내 몸을 혀로 핥아내고 쓰다듬었다. 나는 물속에서 헤엄을 치는 물고기가 된 듯했다. 그의 발가벗은 몸과 내 발가벗은 몸은 서로 엉겨 붙었다. 물고기가 물에 감겨 헤엄을 치듯, 그는 나에게 감겨 떨어질 줄 몰랐다. 중학교에 들어와 처음 마스터베이션을 할 때와는 다른 기분이었다. 나는 마스터베이션을 할 때조차 야리야리한 여체가 떠오르지 않았다. 치마를 입고 거웃에 뒤덮인 아랫도리를 드러낸 키만 훤칠하게 커버린 사내아이가 눈앞에 있었을 뿐이었다. 아버지의 두꺼운 손이 내 머리를 가격할 때가 스쳐 지나갔다. 엄마가 집을 나가버리고 매일같이 술을 마시는 아버지는 동네에서 폭군처럼 굴었다. 술을 마시고 술값을 내놓지 않았고 술을 팔지 않으면 식칼을 들이밀고 휘둘렀다. 여자를 만나 살림을 차리고 나를 큰집으로 보냈을 때, 아버지는 여자의 가랑이 사이에 파묻혀 나라는 존재를 생각조차 하지 않았을 것이다. 엄마에게 수박을 배 터지게 먹여주는 남자의 새끼가 엄마의 뱃속에서 수박을 받아먹고 무력무력 자랄 때, 나는 큰집에서 수박은커녕, 큰아버지에게 수학 여행비를 달라고 했다가 파리나 잡는 파리채로 머리통을 얻어맞았다. 네 애비 에미 놔두고 누구에게 돈을 달라고 하냐면서 징그러운 새끼라고 씹어뱉었다. 그가 내 입속으로 그의 물건을 집어넣었다. 조금만 더 깊이 넣게 해달라고 했다. 내가 조금 더 입을 벌리자 그의 물건이 내 입속 가득히 들어차 목구멍을 막았다. 나는 갑자기 구역질 같은 웃음이 나왔다. 웃음이 비어져 나와 그의 것을 더는 물고 있을 수가 없었다. 나는 입을 틀어막고 아버지가 여자의 가랑이 사이에서 혀를 날름거리는 모습을, 엄마가 씨가 다른 내 동생을 보듬어 안고 모유를 먹이는 모습을 떠올리며 입을 틀어막고 웃음을 토해냈다. 선득한 한기가 나를 스쳐 지나갔다. 그의 물건이 바짝 쪼그라든 걸 보고 나는 웃음을 멈췄다. 그와 나는 섹스를 끝내고 편의점에 들렀다. 그가 딸기우유 두 개를 사와 하나를 내게 내밀었다.

　-힘 뺏으니까 먹어둬.

　그는 이제 내게 반말을 했다. 딸기우유를 단숨에 마셔버리고 나는 그를 좋아하게 될 것 같다는 생각을 했다.

　10분 째 지하철은 꼼짝 않고 있다. 거기다 두 번이나 차내의 실내등이 꺼졌다 켜졌다. 사람들은 점점 공포감에 휩싸여 가는 모습이 역력했다. 모두들 불안한 듯 휴대폰을 손에 들고 있거나 전화를 하고 있었다. 어떤 사람은 지하철 공사에 전화를 걸어 거칠게 항의를 했고, 좌석 좌우로 낯모르는 사람들이 이야기를 주고받았으며 방송에서는 연신 죄송하다는 말을 했다. 또 어떤 사람은 술기운에 맨주먹으로 지하철 창문을 내리쳤다가 피가 터지기도 했다. 피를 보자 사람들은 더욱 새하얗게 변해 가는 듯했다.

　-어떤 개쌍놈의 새끼가 뛰졌길래 이러는 거야. 에이 씨발. 철로에 깔려 뛰졌으면 그냥 밟고 가면 될 거 아니냐고!

고등학교 3학년 때, 친구가 자살을 했다. 표면적인 이유는 성적비관이었다. 학교를 가는 6일 중 단 하루 토요일 날은 자율학습을 하지 않는 날이었다. 집을 나간 지 5일째 되던 날 친구는 인천 앞바다에서 익사체로 발견되었다. 친구가 메고 있던 가방 속에는 나와 지난 한 달 동안 펜팔을 했던 편지들과 친구의 사랑하는 연인에게서 받은 편지를 빼고는 전부 감당할 수 없이 무거운 돌덩어리가 가득했다. 돌은 가방에만 있지 않았다. 친구의 바지 호주머니와 신발 속에서도 빼곡하게 들어차 있었다. 친구의 죽음으로 학교에서는 토요일조차 자율학습을 밤 11시까지 시키게 되었다. 교무주임은 보무도 당당하게 우리들 앞에서 집에 일찍 돌아가면 허튼수작을 부리는 망나니들이기 때문에 주구장창 학교에 잡아 둬야 한다고 말했다.

-개새끼, 뒈지려면 전학을 가서 뒈지든지 하지 왜 학교에서 뒈지고 그래, 그 씨발놈, 옆 반 정철이랑 그렇고 그런 사이였다며? 성적 때문에 자살한 게 아니라, 그 정철이 새끼가 마음을 안 받아줬다고 물에 빠져 뒈진 거래. 사내새끼들이 더럽게.

나는 그때 내 안에 잠재되어 있던 폭력성을 발견했다. 거침없이 내리꽂혀 버리는 주먹을 나도 어쩔 수가 없었다.

-너 같은 풋내 나는 새끼들이 뭘 알아? 더럽다고, 친구가 죽었는데, 그것도 주머니라는 주머니에는 모두 돌을 가득 집어넣고 바다에 빠져 죽었는데, 너 같은 새끼는 죽어 없어져야 해!

나는 도시락통에 들어 있는 포크로 내 밑에 깔려 있는 아이의 허벅지를 찔렀다. 나는 무기정학을 당했다. 그동안 친구가 하얀 가루가 되어 뿌려진 강가에 가서 친구와 나눈 편지를 불태웠다. 공부를 못하는 친구도 아니었다. 말수가 적어도 날 보면 곧잘 웃어주는 아이였다. 그 아이가 느닷없이 펜팔을 하자고 하고 그 편지 내용에 힘들고 지친다는 말을 했을 때, 한 발 더 다가가 보듬어 주었다면, 친구가 사랑했다는 아이가 여자가 아닌 옆 반 정철이었다는 것을 조금만 더 일찍 알았더라면, 소통을 하려고 내게 편지를 보낸 내용을 내가 허술하게 읽지만 않았더라도 친구는 그렇게 죽지 않았을 것이다. 친구가 죽었다는 소식을 듣고 달려간 영안실에서 친구의 아버지는 땅을 치고 목 놓아 울고 있었고 친구의 어머니는 울다 지쳐 쓰러져 있었다. 경찰은 경위를 조사 중이었고, 그사이에 정철이가 왔다. 작고 야무진 입술을 가진 아이였다.

–우리는 단지 펜팔 친구였을 뿐이에요.

너는 알고 있는 것일까. 너로 인해, 단지 펜팔 친구였을 뿐이었다고 말하는 시답지 않은 너로 인해 한 사람이 눈을 감았다는 것을, 말 한마디 제대로 하지 못하고 그 썩어 가는 속을 그대로 감추고 바다의 재물이 되어 사라졌다는 것을, 너는 그 마음을 더럽히지 말아야 한다. 나는 뚝뚝 떨어지는 눈물 속에서 정철에게 말하고 싶었다.

지하철 창문에 주먹을 내리친 사람은 입에 게거품을 물고 고래고래 소리 지르기 시작했다. 술에 취한 할아버지는 차내와 차내를 연결하는 사이로 들어가 오줌을 쌌고, 방송에서는 이제 아예 아무런 말이 없었다. 멀티비전 방송도 중단되었다. 그가 나를 떠난 건 결혼을 하기 위해서였다. 아니 정확히 말하자면 내 이용가치가 없어졌기 때문이다. 그는 인터넷 무료통신 사업을 위해 조바심을 내고 있었고, 나에게 대학 등록금과 맞먹는 돈을 투자하면 두 배로 되돌려 주겠다고 했다. 우리는 블루데이에서 때로는 이름 모를 여관에서 불협화음 같은 섹스를 계속했다. 채식주의자라고 했던 그가 H동 유명한 돼지 갈빗집에서 상추쌈을 싼 고기를 볼이 미어터지게 밀어 넣고 돼지처럼 먹었을 때부터, 나는 그가 거짓말쟁이라는 것을 알았지만 그깟 거짓말쯤 대수롭지 않다고 생각했다. 딸기우유를 권하는 그의 손이 나는 좋다고 생각했다. 흰 우유를 강제로 먹이는 초등학교 담임의 손과는 다르다고 생각했다. 너무 많으면 절반 정도만 투자를 하라고 했다. 그것도 지금은 꽤 도움이 될 거라고 했다. 나는 그의 눈을 똑바로 보고 말했다.

-먹고 죽을라고 해도 돈 같은 거 없어요.

그와 마지막 섹스를 하고 블루데이를 나오면서 그는 밥 먹었니? 라는 말투로 나 결혼하기로 했어, 라고 말했다. 나는 그가 편의점에서 사 온 딸기우유를 차 안에서 마시며 그렇냐고 대답했다. 앞으로 2, 3년 후면 J대학의 교수로 채용될 거라고 했다. 그러기 위해서는 이제 나와는 만날 수 없다고 했다.

-당신은 나와 섹스를 했어요. 나를 사랑한다고 했잖아요.

-남자끼리 하는 건 섹스가 아니야. 스킨십, 그래 애무라고 해두지. 너 이제 보니, 꽤 질리는 애구나.

나는 마시고 있던 딸기우유를 그대로 토해냈다. 초등학교 담임이 내게 강제로 흰 우유를 먹게 했을 때처럼, 나의 목구멍은 더이상 딸기우유조차 받아들이지 않았다.

-멀미 기운이 있으면 말을 하지. 시트가 더러워졌잖아.

아버지는 내가 대학에 입학하고 나서 살림을 차렸던 여자와 헤어졌다. 그 여자는 아버지를 탈탈 털어내 먼지 하나 없이 아버지의 피를 쪽쪽 빨아먹고 자취를 감추었다. 아버지는 때때로 내 하숙집에 기어들어왔다. 그리고는 내게 말 같지도 않은 훈계를 했다. 방 안이 왜 이리 지저분하냐? 창틀에 먼지는 털어 내니? 이렇게 지저분한 곳에서 너는 어떻게 사니? 따위의 말을 그냥 툭툭 던졌다. 아버지의 인생이나 깨끗이 청소하세요, 라는 말이 목구멍까지 올라왔다가 간신히 삼켜버렸다. 엄마에게 버림당한 나를 아버지는 여자와 눈이 맞아 또 버렸다. 큰집에 보낸 35만 원이 아니었으면 너는 고등학교도 졸업하지 못했을 거라며 아버지는 나를 힐뜯었다. 그의 물건이 나의 목구멍을 막았을 때처럼 나는 숨이 막히면서 비실비실 웃음이 터져 나왔다. 내가 아버지를 향한 두 번째 복수를 가슴에 품고 있다는 걸 알면 아버지의 표정이 어떻게 변할지 생각만으로도 온몸이 달아올랐다.

-네 어미는 미쳤어. 완전히 미쳤어. 너를 버리고 나를 버리고 딴 놈 애를 낳고 사는 네 어미는 창녀야. 더러운 갈보년이라고. 나는 절대 이혼해주지 않을 거야. 그년이 행복하게 사는 꼴을 볼 수 없지. 너도 그렇게 생각하지 않아? 네 어미라는 년. 이혼을 해 달라고? 누구 좋으라고 이혼을 해!

나를 버리고 간 10년이 넘는 세월 동안 아버지와 엄마는 법적으로는 부부였다. 굳이 변명을 하자면 아버지는 아버지의 여자에게, 엄마는 엄마의 남자와 그의 새끼에게 마음을 빼앗겨 서류상의 이혼 따위는 생각할 겨를이 없었다. 그리고 아버지와 엄마는 때때로 내 자랑을 늘어놓았다. 그래도 그 녀석이 나를 닮아 머리는 있잖아. 대학까지 턱 붙여놓고, 안 그래? 큰집을, 곰팡내 나는 집구석에서 탈출하기 위해서는 나는 대학을 들어갈 수밖에 없었다. 대학생이면 성인이었고, 그럼 어떻게든 나 혼자도 살 수 있을 거 같다는 생각 때문이었다는 걸, 아버지와 엄마는 늘 그랬듯이 제멋대로 생각하고 제멋대로 판단하여 단 하나 뿐인 자식에 대해 아무것도 모르면서 다 이해한다고 말했다.

15분쯤 지나 지하철이 조금씩 움직이기 시작했다. 지하철이 움직이자 깜박거리는 실내등도 환하게 빛을 발했고, 안내방송을 하는 승무원의 목소리에도 힘이 들어갔다. 꺼져버렸던 멀티비전의 화면도 켜지고 그 속에서 10대 어린 가수가 사랑의 아픔 따위를 전혀 아프지 않을 거 같은 눈망울로 노래 부르며 방긋거리고 있다. 사람들의 시선은 차분하게 정돈되었고 분에 못 이겨 차창을 내리치던 남자의 손에는 어느새인가 손수건이 감겨져 있다. 차내와 차내 사이에서 오줌을 싸던 할아버지도 언제 그랬냐는 듯이 노약자석으로 돌아와 멀티비전을 올려다보고 있다.

그가 오늘 한강에 빠져 자살했다면, 어제 내게 때때로 만나 서로를 위로하자며 휴대폰 메시지를 보낸 그의 손길을 야멸

차게 뿌리쳐버린 나는, 자살방조죄에 해당하는 걸지도 모르겠다. 어쩌면 그는 내 아버지와 엄마처럼, 공평을 모르는 초등학교 담임선생과 겁쟁이 내 첫 키스 상대처럼, 내 영혼에 대한 자살방조죄인 일지 모른다.

엄마는 쓰레기가 넘쳐나고 급살을 맞아 죽어버렸으면 좋겠다는 아버지가 사는 지옥 같은 집에서 나가 엄마가 발견한 에덴동산에서 행복했을까. 엄마는 아직 엄마의 에덴동산에서 선악과를 따먹지 않은 것 같다. 뱀의 꼬임에 넘어가 뱀을 닮은 새끼를 낳았지만, 그 간사하고 한 차원 업그레이드된 뱀은 선악과를 따먹으면 부끄러운 수치감을 느낀다는 걸 알고 있었던 것이 분명하다. 그래서 사악한 뱀이 엄마가 볼 수 있는 곳에 자라나는 선악과를 씨도 남기지 않고 모두 잘라버린 것이었으리라. 엄마는 여전히 엄마가 믿는 에덴동산에 갇혀 뱀이 물어다 주는 수박을 배 터지게 먹으며 징그러운 뱀을 닮은 새끼를 계속 낳고, 그 새끼에게 모유를 먹이며 분홍색 양산을 쓰고 있을 것만 같다.

나는 블루데이에 간다. 그 곳에서 나는 또 다른 남자를 만나 섹스를 할지도 모른다. 이 사실을 알면 아버지는 어떤 표정을 지을까? 그러고 보니 오늘은 정말 우울한 날이다.

비행

    아내는 왜 집을 나갔을까? 양변기 레버가 부러진 건 아내를 생각한 순간이었다. 레버를 내리는 손에 힘이 들어갔던 것일까, 매일 몇 번이고 내리는 레버에 내 손가락 힘 말고 다른 무엇이 덧대어졌나, 관자놀이로 피가 몰렸다. 아내가 조금씩 변하기 시작한 건 건설된 지 10년 안팎의 브랜드 J아파트 12층에 살다, 한국과 북한이 UN에 동시 가입하던 해, 그러니까 1991년에 완공된 낡은 K아파트 1층으로 이사 오고 나서부터였다. 눈 아래 세상을 굽어보는 12층에 살다 땅바닥에 붙어 지면의 냉기를 빨아들이는 1층으로 이사할 때 아내의 섭섭한 마음은 충분히 이해했다. 그렇다고 전세자금대출로 1억을 빌려 무리하게 브랜드 J아파트에 살았던 것을 탓할 수는 없었다. 은행에서 1억을 빌릴 수 있는 것도 능력이라면 능력이었고, 좀 더 넓고 쾌적한 공간에서 신혼생활을 시작하고 싶었던 욕심도 있었다. 무엇보다 그 모든 것이 아내를 위한 것이었다.

관리실로 전화를 걸었다. J아파트에 살 때는 인터폰으로 관리실과 통화가 됐는데 K아파트는 휴대폰으로 전화를 해야 했다. 아내는 그걸 무척 낯설어했다. 한 달에 20만 원 넘게 관리비를 내고 있는데 전화요금을 들이며 관리실에 전화를 해야 한다는 사실에 화가 난다고 했다. 나는 그래 봤자 전화비가 얼마나 되겠냐고 했지만, 막상 휴대폰에 저장되어 있는 관리실 전화번호를 찾으려니 미간이 좁아지며 목 언저리로 열이 올라왔다. 관리실 소장에게 양변기 레버가 부러졌다고 말하니 머뭇거림도 없이 전화번호를 받아 적으라고 했다. 말하는 품새가 아파트 주민으로부터 이런 민원이 늘 있었던 모양이었다. 직접 와서 봐주는 거 아니냐고 그랬더니, 양변기 레버 부러진 걸 관리실에서 어쩌느냐고 관리실 소장이 데퉁스럽게 대꾸했다. 이치는 맞는 말이라고 생각했으나, 불친절한 목소리를 듣자 목 끝으로 넘어오려는 부아에 나도 모르게 입꼬리를 씰룩였다. 화를 삭이며 불러주는 전화번호를 마트 광고지 끄트머리에 꾹꾹 눌러 적었다. 아내는 J아파트에 살 때는 형광등이 나가면 관리실 직원이 와서 형광등 값만 받고 갈아 끼워줬다고 했다. K아파트 관리실에서는 형광등 자체를 구비해 두고 있지 않았다. 형광등처럼 간단한 건 내가 해도 되니 그런 배부른 소리 좀 그만하라고 아내에게 말했었다. 그 뒤로 아내는 자주 아랫입술을 깨물며 한동안 말을 하지 않았다. 그러고 보니 그때쯤부터 아내의 산책 시간이 길어졌다.

관리실 소장이 알려 준 번호로 전화를 걸었다. 기사인 듯한 남자에게 양변기 레버가 부러졌으니 빨리 와달라고 했지만, 일이 밀려서 당장은 어렵고 최대한 빨리 가도 2시간 후라고 했다. 레버가 부러져서 물이 내려가지 않아 고역이었으나, 안방에 작은 화장실이 있으니 한두 시간 늦게 온다고 문제 될 건 없어 그렇게 하라고 하고 전화를 끊었다. 별것 아닌 전화였는데, 전화를 끊고 나니 입이 바짝 말라 있었다. 양변기 레버 하나 부러졌는데 온 집안이 어제와는 180도로 달라 보였다. 이사 온 지 1년이 넘어 이제는 J아파트 구조도 가물가물해지고 정말 거기에 살았었나, 라는 생각이 들 정도로 K아파트에 익숙해졌다고 느꼈는데도 그랬다. 집안이 뭔가 구부정했고 왜곡돼 보였다. 마치 오목렌즈로 사물을 들여다보듯 볼록하고, 서름했다.

크루가 거실 구석에서 잔뜩 몸을 말고 나를 노려보고 있다. 저 녀석은 아내가 집을 나간 이후로는 더욱 내 곁에 오지 않았다. 크루는 아내를 위해 산 페르시안 고양이다. 정확히는 아내의 시선을 붙잡아 두기 위해서였다. 아내는 하루 종일 집안에 있으면서도 자꾸 사람들이 자기를 쳐다본다고 했다. 집에 있는데 누가 쳐다보냐고 한 소리 하면, 주방에서 설거지를 하고 있으면 지나가는 사람들이 주방 창 밖에서 힐끗힐끗 집안을 들여다보는 것 같다고 했다. 다용도실에서 빨래를 할 때는 다용도실 창문에서, 거실에 앉아 내 옷을 다리고 있을 때는 베란다 밖으로 지나다니는 사람들이, 안방 화장대에서 로션이라도 바르고 있으면 안방 창문 넘어 베란다 밖으로 지나다니는 사람들의 시선이 느껴진다고 했다. 연일 30도를 웃도는 여름에도 내가 없을 때 아내는 집안의 창문과 커튼을 모두 닫아두고 있었다. 나는 퇴근하고 들어오면 닫힌 창문과 커튼을 활짝 열어젖히는 것이 일과가 된 지 오래였다. K아파트로 이사 온 뒤부터 아내는 다시 비행기를 타고 있는 기분이라고 했다. J아파트 12층 꼭대기에 살 때는 농담으로라도 그런 소리를 한 적이 없었다. 하물며 K아파트는 1층이었다. 비행기를 다시 타고 있는 느낌이라니, 별 해괴한 소리라고 생각했다. 아내는 장거리 비행을 갈 때 겔리 안에서 장갑을 끼고 뜨거운 앙트레를 잡을 때마다 겁이 났다고 했다. 프랑크푸르트 행 비행기 안에서였다. 동료가 겔리 안에 있는 오븐에서 앙트레에 담긴 뜨거운 기내음식을 꺼낼 때, 느닷없는 난기류를 만나 앙트레에 있던 음식물이 겔리 바닥에서 음료 상자를 정리하던 신입 승무원의 손등 위로 쏟아진 걸 잊지 못한다고 했다. 그 순간에도 아내는 얼음 팩을 신입 손등 위에 얹어놓고 재빨리 트레이를 끌고 아무렇지 않은 척 좁은 기내 복도를 다니며 손님들에게 기내식을 날라야 했다고 했다. 뜨거운 커피가 든 주전자를 한 손으로 들고, 주전자 무게에 부들부들 떨리는 손목에 있는 힘을 주며 손님이 내미는 커피잔에 커피를 따를 때는 비행기가 또 흔들릴까 늘 조마조마했다고 했다. 난기류가 지나 비행기가 안정적으로 운항 중인데도 아내는 머릿속의 뇌가 시계추처럼 일정한 간격으로 왔다 갔다 하며 흔들거리는 거 같다고 이야기했다. 비행을 그만두고도 아내는 사람들이 많이 몰린 곳이라면, 비행기 안이 아닌데도 불구하고 기내 손님들의 시선이 항상 느껴지는 것 같다고도 했다. 그 수많은 눈동자들이 자꾸 따라다녀 꿈속에서도 나온다고 했다. 아내에게 프러포즈를 했을 때, 그 안에서 자기를 꺼내 준 나에게 평생 감사한 마음으로 살겠다고 말한 건 바로 아내였다. 아파트 창밖으로 지나다니는 사람들이 신경 쓰인다고 하는 아내의 말 때문에, 나는 밖에서 안을 들여다볼 수 없는 불투명 시트지를 베란다 전면창에 붙이는 공사를 알아보았다. 인터넷으로 알아보다가 좀처럼 진행이 안 되자, 답답했는지 아내가 여러 군데 비교를 해보고 좀 더 싼 가격으로 맞출 수 있는 데를 찾아보겠다고 해서 그렇게 하라고 했다. 공사비로 60만 원이나 들었다. 그 모든 것이 아내를 위해서였다.

긴 꼬챙이를 깁스 안쪽으로 살살 집어넣어 가려운 부위를 긁었다. 출근길 서둘러 나가다 밤사이 꽝꽝 언 아파트 입구 빙판길에서 그대로 미끄러졌을 때, 나는 어두컴컴한 겨울 새벽하늘에서 번쩍이는 별을 보았다. 불꽃축제 때도 자리를 못 잡아 가까이서 보지 못했던 수많은 불꽃들이 눈앞에서 피날레를 장식하며 그야말로 우수수 떨어져 내렸다. 나는 그때 살려달라는 말을 태어나 처음으로 해보았다. 뒤로 자빠지면서 그대로 넘어졌다면 뇌진탕에 걸렸겠지만 순간적으로 오른쪽 다리로 버텨보려다 발목의 뼈를 부러뜨리고 나서야 하늘의 별을 보게 되었으니 불꽃축제 때 놓친 구경 값을 제대로 치른 것이기도 했다. 깁스를 하기 전에 부러진 뼈를 맞추기 위해 부분 마취를 하고 뼈에 철심을 박으면서 들리는 소리에 순식간에 혈압이 160까지 치솟아 올랐다. 군대에서 화생방 훈련 때 가스실에 들어가기 직전에 느꼈던 공포감을 뛰어넘는 소름을 실로 오랜만에 느껴보았다. 수술을 집도하는 의사에게 맨정신으로 그 소리를 듣고 있을 수 없으니 수면 마취를 해달라고 했다. 부분 마취로는 힘들 거라고 집도의가 말한 것을 애초에 듣지 않은 것을 후회했다. 어느 사이 수면 마취가 됐는지 주사액이 들어간다는 소리를 마지막으로 깊은 잠에 빠졌다. 눈을 떠 보니 아내가 우는 것도 아니고 웃는 것도 아닌 표정으로 나를 내려다보고 있었다. 보호자 침대에 앉아 있어도 되었는데 계속 서서 나를 바라보고 있었던 건지, 눈을 뜨자마자 아내와 눈이 딱 마주쳤다. 아내 눈가에 눈 그늘이 짙어진 걸 보면 내가 병원에 실려 오고 나서 수술하고 깨어나는 동안 꽤나 노심초사한 듯했다. 아내의 그런 표정을 보자 왠지 마음이 가라앉아 다시 졸음이 쏟아졌다. 깁스를 풀려면 아직 보름을 더 기다려야 했다. 회사는 깁스를 풀 때까지 휴가를 내 놓은 상태였다. 병가와 연가를 모두 끌어다 써서 깁스 풀기 바로 직전까지 겨우 휴가를 얻어낼 수 있었다. 깁스를 하기도 했고 겨울이기 때문에 샤워를 자주 하지 않았다. 다리에 방수커버를 씌우고 샤워를 해도 개운하지 않았고, 꼭 화장실에서 볼일을 중간에서 끊고 나온 것 같이 찜찜했다. 그래도 여름이 아닌 것이 어디냐며 위안을 삼았다. 깁스를 하고 이주일이 지나서야 샤워를 했다. 그것도 아내가 냄새가 난다며 코를 막고 나를 샤워실로 밀어 넣었기 때문에 억지로 한 것이었다. 내 겨드랑이에서 암내가 심하게 난다고 했지만, 나는 군대를 제대하고 취업하기 전에 피부과에서 암내제거 수술을 받았다. 그 이후로는 암내가 난다는 말을 들은 적이 없는데, 크루를 키우고 나더니 냄새에 더욱 민감해진 건지 아내의 후각은 점점 예민해졌다. 꼬챙이를 깁스 안쪽으로 넣어 긁어도 시원하지 않았다. 혼자서는 절뚝절뚝거리며 제대로 걷지도 못하는 나를 버려두고 아내는 나흘 전에 결혼반지를 식탁 위에 올려두고 집을 나갔다. 전화를 해도 받지 않았고, 카톡을 해도 수신하지 않았다. 혹시나 메일을 볼까 해서 메일도 보내놓은 상태인데 역시 수신하지 않고 있었다. 장인 장모에게는 아내가 전화를 걸 때나 수화기를 넘겨받아 인사를 했지 직접 전화를 걸어 본 적이 없었다. 처제가 작년에 집을 살 때 내가 돈을 빌려 준 적이 있어 전화를 할까 하다 빚 독촉을 하는 건 아닌지 해서 망설였지만 방도가 없었다. 안 본 지 꽤 됐으니 시간 있으면 놀러 오라는 메시지를 보내는데 망설이느라 시간 반이 걸렸다. 처제에게서 바쁜 일이 끝나면 형부랑 언니를 보러 꼭 가겠다고 답이 왔다. 아내가 장인 장모 집이나 처제 집에 갔다면 처제가 나에게 이런 반응을 보일 리 없었다. 아내는 처제 집에 가지 않았거나 아니면 처제가 거짓말을 하고 있는 것일지도 몰랐다. 어느 쪽이든 내게 희망적인 이야기는 아니었다. 아내가 K아파트로 이사 온 뒤로는 딱히 아파트 주민들과 어울리지도 않는 거 같았다. 기억을 더듬어 올라가 아내가 비행을 할 때 절친하게 지냈던 친구의 페이스북을 찾아 들어가도 온통 새로 태어난 아기 사진이 도배를 하고 있었지, 옛 동료였던 아내의 흔적은 찾아보려야 찾아볼 수가 없었다. 아내의 동료는 언제 결혼을 해서 아이를 낳았는지, 아내와 함께 결혼식장에 간 것도 같고, 시집가는 친구 손을 붙잡고 같이 눈물을 흘리던 아내 모습도 스쳐 지나갔지만, 도대체 형체가 없는 두루뭉술하고 몽한 장면만이 깜박거리다 사라졌다. 아내는 어디를 간 걸까?

아내가 나간 후로 가장 피부로 느낀 건 집안에 켜켜이 쌓이는 먼지와 머리카락이었다. 나는 휴대폰을 손에 쥔 채 아내를 기다리며 하루 종일 TV를 보았고, TV를 보다 등이 배기면 책상에 앉아 컴퓨터를 켰다. 포털 사이트를 돌아다니다 지나간 쇼 프로 동영상을 찾아보고 뜻 없이 깔깔거리며 웃다가 그것도 지치면 클라우드에 아내 몰래 저장해 둔 야동을 켜고 자위를 했다. 그러다 노곤해지면 침대에 엎드려 잠을 자고, 배가 고파서 깨면 라면을 끓여 먹었다. 라면 끓이는 것도 귀찮으면 집안에 있는 전단지를 찾거나, 스마트폰 앱으로 치킨이나 짜장면을 시켜먹었다. 무척이나 단순한 시간이었고, 집안에서도 이동거리가 고정되다시피 정해져 있었다. 그런데 먼지가 보였다. 깁스를 하지 않은 왼쪽 발바닥은 몇 걸음만 걸어도 새까맣게 먼지가 달라붙었다. 조금은 집중을 해서 바닥을 내려다보면 먼지와 함께 여기저기에 떨어져 있는 머리카락이 있었다. 먼지를 보고는 공포심을 느끼지 않았지만 머리카락은 달랐다. 아직 40도 되지 않았다. 내가 머리카락이 이렇게 많이 빠졌나 하고 손가락으로 머리를 쓸어보면 그 손가락 사이마다 머리카락이 거머리처럼 감겨있었다. 아내가 있었을 때는 한 번도 본 적이 없었다. 욕실에서 샤워를 할 때

길고 긴 머리카락은 봤지만 내 머리카락이라고는 생각하지도 않았다. 그런데, 아내가 없는 지금 이곳에 눈을 돌리는 곳곳마다 남자 머리카락이 분명한 짧고 굵은 검은 털이 떨어져 있었다. 그중에는 머리카락이라고 볼 수 없는 꼬불꼬불한 거웃들도 덤불처럼 섞여 있었다. 바닥에만 있는 것이 아니었다. 아침에 일어나면 베개에 다섯 가닥 이상이 붙어 있었고, 침대 위로도 무수한 머리카락이 떨어져 있었다. 침대 옆에 있는 협탁 위에도 먼지가 있었고, 먼지 위로 마치 장식 포인트처럼 머리카락 한 가닥이 살포시 놓여 있었다. 도대체 내 몸에서는 얼마나 많은 털이 빠지고 있는 건지, 이렇게 빠져서 머리카락이 남아나는 건지 순식간에 겁이 몰려왔다. 깁스한 다리도 잊고 절뚝거리며 욕실로 들어가 거울을 보니 머리는 떡이 져 있었다. 그렇다고 머리카락이 몽땅 빠져 대머리가 된 것도 아니었다. 가르마 탄 곳을 중심으로 숱이 엷어지긴 했지만 결코 대머리라고 할 수 있는 정도는 아니었다. 내가 아는 한 친가나 외가 쪽 할아버지는 대머리가 아니었고, 물론 아버지도 대머리가 아니었다. 나 역시 머리숱이 적다는 말을 들어본 적도 없다. 그런데 어디서 이렇게 많은 머리카락이 빠진단 말인가, 그리고 그 머리카락과 뒤엉켜 있는 먼지는 어디에서 나와서 차곡차곡 쌓여 집안을 감싸고 있었단 말인가, 아내는 지금까지 그 많은 먼지와 머리카락을 보고도 왜 내게 한 번도 말을 하지 않았단 말인가, 나는 아내의 빈자리를 먼지와 머리카락을 통해 습기가 벽지에 스며들 듯 눅진하고 진하게 느끼고 있었다.

점심시간이라 중국집에서 짜장면을 한 그릇 시켜 먹었다. 광고지에 실려 있는 메뉴는 거의 다 먹어본 듯했지만 짜장면만큼 입에 착착 감기는 음식은 없었다. 터미네이터나 에이리언 시리지 영화는 보고 또 봐도 질리지 않듯, 오히려 반복해서 봤을 때에야 놓치고 있었던 장면을 발견하게 되는 신기함처럼, 매번 먹는 짜장면은 먹을 때마다 맛이 달랐다. 하지만 아내가 없는 지금, 혼자 먹는 짜장면은 무척 짜고 퍽퍽했다. 다만 먹고 나서의 더부룩함과 쉼 없이 나오는 방귀의 고린내만 똑같을 뿐이었다. 아내는 중국음식을 싫어했다. 결혼을 한 후로는 아내가 직접 짜장면이나 탕수육을 만들어 준 적이 있지만 시켜먹는 것만 하지 못했다. 시켜 먹는 것에는 각종 화학조미료가 들어갔기 때문에 맛있을 수밖에 없다고 아내가 설명했지만, 그래도 짜장면은 짜장면 맛이 나야 했고, 탕수육은 탕수육 맛이 나야 했다. 비행기 기내식 음식에 질려서 그런지 아내는 사 먹거나 조리되어 있는 음식을 좋아하지 않았다. 하지만 건강을 찾아 조미료를 사용하지 않거나, 천연조미료를 사용하고 소금을 거의 쓰지 않는 음식은 몸에 좋을지는 모르겠지만 결코 맛있다고는 할 수 없었다.

나는 다리를 다치고 회사를 쉬면서 자연스럽게 아내와 하루 종일 집에 있게 되었다. 출근을 할 때는 점심을 회사에서 해결했고, 점심시간마다 동료들과 회사 근처 맛집을 찾아다니며 식도락을 즐겼다. 냉면을 먹으러 짧은 점심시간에 차를 타고 회사와 정반대에 있는 종로까지 찾아간 적도 있었다. 아내가 만들어주는 저녁 식사 한 끼쯤 맛있게 먹어주는 게 어려운 게 아니었다. 그나마 야근이 있거나 회식이 있으면 회사에서 저녁에 야식까지 식사를 해결하고 들어오게 되니 아내가 만들어주는 한 끼 정도는 괜찮다고 생각했다. 하지만 다리를 다치고 하루 종일 집에 있으면서 삼시 세끼 아내가 만들어준 음식을 먹는 것은 고역이었다. 특히 소금을 거의 쓰지 않고 멸치 가루나 새우 가루로 간을 맞추는 국은 뒤끝에 비린 맛을 견딜 수가 없었다. 소금이나 다시다를 듬뿍 넣어 감칠맛을 나게 하면 그나마 밥 한 그릇 먹겠다 싶었다. 나는 아내에게 국에 간을 할 때 나를 부르라고 했다. 내 딴에는 아내의 기분을 어떻게 하면 나쁘게 하지 않으면서 내 입맛에 맞게 음식 간을 하게 할까 머리를 굴려 최대한 부드럽게 이야기를 했다. 건강을 생각하는 것도 중요하지만 맛을 살려 음식을 하면 입이 즐겁지 않겠냐고 에둘러 이야기하고 아내가 고개를 끄덕이면서부터 내 입에 맞게 국간을 시작했다. 아내는 조미료의 느끼하고 달달한 맛에 먹지 못하겠다고 했다. 아내가 만드는 음식에 내가 조금씩 손을 대기 시작하면서 아내는 자꾸 입술을 잘근잘근 씹었다.

점심을 먹고 거실 소파에 누웠는데 잠이 들었다 초인종 벨소리에 눈을 떴다. 엉거주춤 일어나 절뚝거리며 인터폰을 받으니 모자를 푹 눌러쓴 남자가 서 있었다. 양변기 레버를 교환하러 온 기사였다. 공구 박스를 어깨에 멘 기사는 집에 들어오자 거실에 서서 잠깐 집을 둘러보았다. 그때서야 남자와 눈이 마주쳤다. 수염을 길렀으나 깔끔하게 손질되어 있었고 작업복은 그다지 깨끗해 보이지 않았지만 은은한 섬유유연제 냄새가 났다. 그러자 갑자기 트레이닝복 바람에 세수도 안한 얼굴과 떡 진 머리가 머쓱해져 나는 얼굴을 쓸어내렸다. 슬쩍슬쩍 집을 둘러보던 남자의 시선이 베란다 창에 잠시 고정되었다.

"잘 붙어 있네요. 저 시트지 작업 제가 해드렸는데, 그때 사장님 못 뵀었죠?"

남자의 목소리가 꽤나 밝고 쾌활해 덩달아 나도 목소리가 커졌다.

"아, 그랬어요?"

기억나지 않았다.

"그때, 사장님 막 퇴근하고 들어오셔서 현관에서 잠깐 인사했어요. 하도 사모님이 가격을 깎아달라고 사정을 해서 가격은 못 깎아 드리고 대신 서비스로 주방에 작은 창문에도 시트지 붙여 드렸어요."

남자는 너스레를 떨며 메고 온 공구 박스를 바닥에 내려놓은 뒤 화장실 안으로 들어갔다. 아내의 이야기를 뜻밖의 사람에게서 들어 나는 귀가 솔깃해지며 식탁 의자에 걸터앉았다. 앉고 보니 왼쪽 발바닥이 먼지로 새까맸고 머리카락도 들러붙어 있었다. 나는 얼른 발을 뒤로 뺐다.

"그렇게까지 해주시고 고맙습니다. 제 아내가 가격을 막 깎고 그런 사람이 아닌데 실례를 범했네요. 고생하시는 분들 돈을 더 드리지는 못하더라도 그런 말을 하면 안 되는데, 참."

나는 마음에도 없는 소리를 제법 교양 있게 말하며 계면쩍게 웃었다.

"아, 아니에요. 그리고 나서도 매번 불러주셔서 제가 더 고맙지요. 제가 명함을 안 드렸죠?"

매번? 나는 고개를 갸우뚱했다. 화장실을 마주보는 자리에 식탁이 있어 나는 화장실 안이 훤히 다 보였다. 남자가 양변기 물탱크 뚜껑을 열다 말고 화장실을 마주보고 식탁 의자에 앉아 있는 나를 돌아보며 이야기했다. 뚜껑을 변기 위에 올려놓더니 작업복 상의 주머니에서 명함을 꺼내 나에게 건넸다. 내가 의자에서 일어나서 받으려고 하니 다리도 불편하신 거 같은데 가만히 계시라며 남자가 화장실에서 나와 명함을 건넸다. 생긴 것처럼 예의가 바르다는 생각은 했다. 명함에는 '한영종합건재'라고 적혀 있었다. '종합건재'라는 말이 딱 와닿지 않았다. 명함에는 '철물, 건재, 설비, PVC 자재일절, 인테리어: 주택 철거 및 보수 각종 공사전문, 누수탐지 및 언 수도 해동'이라고 적혀 있었다. 그러니까 자동차로 말하면 카센터 같은 곳이라고 생각했다. 자동차가 고장 나면 카센터에 가서 수리를 하고 점검을 받는 것처럼, 집 안팎의 시설이나 설비에 문제가 생기면 '종합건재'에 도움을 받는 거라는 것을 새삼 깨달았다. 그동안 살아오면서 집에 문제가 생겼을 때 어떻게 수리를 하며 살았는지, 분명 그 순간에도 어떻게 전화번호를 알아내서 어딘가 전화를 했고 누군가 와서 가제트형사처럼 집안의 문제를 해결해줬는데 그 모든 것들을 꼼꼼하게 기억해두지 못했다. 무엇보다 그 사람들을 딱히 뭐라고 불러야 할지 진지하게 생각해본 적이 없었다. 내 앞에 있는 남자가 양변기 레버만 고치는 사람이 아니라는 것은 확실했다.

"여기 사모님이 자주 부르셨어요. 변기가 막혔다고, 이 아파트가 산을 깎아 만든 아파트고 오래되어 수압이 좀 약하거든요. 아시죠? 그래서 그런지 이 아파트 주민들은 변기가 자주 막혀요. 애들 키우는 집은 변기 안에 뭐가 잔뜩 들어가서도 부르기도 하고요. 이 집은 1층이라 좀 덜했을 텐데도 이상하게 자주 막히더라고요. 겨울철에는 세탁기 호스도 얼고 해서 녹이러도 몇 번 왔어요."

변기가 막히기는 했다. 하지만 '뚫어 뻥'이 항상 변기 옆에 있었고 웬만한 건 '뚫어 뻥'으로도 잘 뚫렸는데 나 없는 사이에도 그런 일이 있었는지 몰랐다. 한겨울 강추위가 기승을 부릴 때는 세탁기 호스가 얼어붙어 세탁기 통 안으로 뜨거운 물을 부어 녹였다는 소리는 들었어도 사람을 불렀다는 소리는 금시초문이었다. 사소한 일이라 아내가 이야기를 하지 않았을 수도 있었겠지 싶었다. K아파트 인테리어 공사는 다 남자의 가게에서 한다고 말했다. 나는 고개를 끄덕거리며 베란다 문틈 사이로 들어오는 찬바람을 막을 방법을 의논해 보면 좋겠다고 생각했다. 무심결에 옮긴 시선 끝에 자석으로 고정된 남자의 명함이 냉장고에 붙박이처럼 붙어 있는 것이 보였다. 저 명함은 언제부터 저렇게 냉장고와 한몸처럼 붙어 있었던 걸까, 라고 생각하는데 크루가 화장실 앞으로 슬금슬금 다가왔다. 하루 종일 소파 밑에 들어가서 나오지도 않던 녀석이었는데 어느 사이에 화장실 앞에서 남자를 바라보고 있었다. 그러면서 야옹거리며 울기까지 했다. 아내가 있었을 때나 하던 재롱이었다. 내가 손을 뻗어 크루를 잡으려고 했던 것과 기사가 변기 레버를 교체하다 말고 크루를 돌아다본 것은 동시였다. 아주 짧은 찰나의 순간이었지만 나는 크루가 두 번 생각할 것도 없이 내 쪽으로 오리라 생각했다. 아니 와 주길 바랐다. 아내가 나간 사흘 동안 발을 절뚝거리면서도 나는 크루 밥그릇에 사료를 주고 물통을 갈아주었다. 아내처럼 참치 캔을 따서 마요네즈랑 섞어주거나 닭가슴살을 삶아서 일일이 찢어주지는 못했지만, 사료는 항상 챙겨줬다. 그러니까 내가 없었으면 크루는 당장 집 밖을 뛰쳐나가 아내가 다니는 산책길에서 쥐라도 잡아먹어야 하는 신세였다는 것이다. 그런데, 크루는 0.1초의 망설임도 없이 남자를 향해 화장실로 한 발을 내디뎠다.

"크루!"

나도 모르게 목소리가 높아졌다. 크루가 잠깐 멈춰 나를 돌아보았다. 내가 왜 그렇게 큰 목소리로 크루를 불렀는지 남자는 이해하지 못하겠다는 얼굴로 나를 힐끔 쳐다보았다. 고양이에게 이렇게 간절한 눈빛을 보내본 적이 없었다. 크루의 주인은 바로 나였다. 크루는 내 목소리를 듣고는 꼬리를 바짝 세웠다. 남자가 내 눈빛을 봤는지 크루를 바라보던 시선을 거두었다. 갑자기 배에서 꼬르륵거렸다. 그러고 보니 아침에 변을 참았다. 변기 레버가 고장 나서 물이 안 내려간 것도 있었고, 안방에 있는 작은 화장실은 수압이 낮아서 변을 보면 깨끗하게 내려가지 않아 아내도 나도 사용하기를 꺼렸다. 전셋집이라 고쳐서 쓸 생각이 없었고, 거실에 큰 화장실이 있었기 때문에 불편할 줄 몰랐다. 짜장면을 먹고 배가 뒤틀릴 줄 전혀 예상하지 못했다. 아침에 참았던 것과 짜장면의 소화불량까지 합쳐져 변의가 급속도로 몰려왔다. 아직 남자가 레버를 떼어내고 새로운 상자에서 레버를 꺼내는 중이었다. 금방 끝날 거 같지만 그때까지 참을 수는 없었다. 나는 자리에서 일어났다. 내가 일어나자 크루가 눈치를 채고 저를 단속 할 줄 알았는지 후다닥 화장실 밖으로 튀어나왔다. 남자가 다시 나를 슬쩍 돌아봤다. 남자와 눈이 마주쳤다. 방귀가 밀려 나오려는 걸 엉덩이에 힘을 줘 꾹 눌러 참고 나는 안방 화장실로 절뚝이며 걸음을 옮겼다. 하필이면 이런 때에 변의가 밀려올 것은 뭔지, 안방 작은 화장실에서 바지를 내리면서 나는 잔뜩 인상을 찌푸렸다. 냄새가 지독했다.

아내의 산책 시간은 크루를 품에 안고 동네 한 바퀴를 도는 아주 단순한 것이었다. 저녁을 먹고 아내가 설거지를 마치면 크루가 현관문 앞에 앉아 있었다. 산책을 안 한다는 게 고양이의 습성이라는데 아내가 품에 안고 나가서 그런지 크루는 아내를 무척 따랐다. 나는 K아파트로 이사 오고 한두 번은 소화도 할 겸 아내와 동행을 했다. 그러면서 크루의 머리라도 쓰다듬으려고 하면 내게 눈길도 주지 않고 아내 품속으로 머리를 숨겼다. 정이 들래야 들 수가 없는 녀석이었다. 크루의 냉대도 냉대지만 아내와 그다지 할 말이 없었고 무엇보다 피곤했다. 아내는 하루 종일 집안에서 있던 일들을 주절주절 이야기했지만, 나는 그 소리들이 모두 주파수가 맞지 않는 라디오를 틀었을 때처럼 잡음으로밖에 들리지 않았다. 아내가 뭔가를 물어도 건성으로 대답하고, 그 대답 중에는 집수리에 관한 것도 상당 부분 있었을 것이다. 소화를 하며 뱃살을 뺀다는 목표는 삼 일도 가지 못해 끝이 났고, 저녁밥을 먹고 나서 아내가 크루를 안고 산책을 나가면 나는 소파에 드러누워 TV를 보다 스르르 잠이 들 때가 많았다. 한동안 아내는 그런 나를 깨워 안방 침대에서 자게 하더니, 어느 사이에 눈을 뜨면 소파에서 아침을 맞을 때가 많았다. 왜 깨우지 않았냐고 아내에게 물으면 무슨 꿈을 꾸는지 히죽히죽 웃으면서 자고 있는 걸 깨우고 싶지 않았다고 했다.

남자가 보이지 않았다. 깁스한 다리는 꼬챙이가 닿을 수 없는 깊고 깊은 곳이 간지럽기 시작했다. 절뚝거리며 깁스 위를 긁어본들 개운할 리 없었다. 깁스 위로 머리카락 한 올이 툭 떨어져 내렸다. 방금 변을 봤는데도 방귀가 엉덩이 사이를 비집고 '뿌우웅' 하며 곧 다시 변이 비어져 나올 것 같은 소리를 냈다. 냄새가 금세 코를 자극해 나는 미간을 좁혔다. 남자를 의식해 엉덩이에 힘을 잔뜩 주며 방귀를 참으려고 했지만 그것 역시 내 마음대로 되지 않았다. 크루가 소파 위에서 나를 노려보았다. 이런 제기랄…… 나도 모르게 욕이 튀어나왔다. 남자가 내 방귀 소리를 듣고 비웃는 것은 아닐까, 라고 하며 한 발 옮겨 주방으로 다가갔다. 오후 2시밖에 안 된 시간인데도 집안은 어두침침했다. 보일러실 문이 열려 있고 그 문틈 사이로 그만큼의 햇살이 주방으로 길게 드리워져 있었다. 나는 한발 더 다가갔다. 남자가 햇살을 밟으며 물바가지를 손에 들고 보일러실에서 나왔다. 남자의 길고 까만 그림자가 주방의 햇살을 가려 순간 집안은 더욱 어두침침해졌다. 남자는 살짝 웃고 있는 것 같았다. 입꼬리가 한쪽으로 올라가 있는 것이 내 방귀 소리를 듣고 웃음을 간신히 참고 있는 것 같았다. 나는 무안해져 남자 손에 들려 있는 물바가지에 시선을 고정시켰다. 깁스 안쪽의 깊고 깊은 곳에 간지러움은 시간이 지날수록 범위를 넓혀갔다. 긁고 싶어 손가락이 저절로 오그라들었다.

"사장님, 이 보일러는 실내조절기 표시등에 불 들어오면 물 보충 해주셔야 방이 더 따뜻해져요. 요즘은 자동으로 되는 보일러도 많기는 한데, 가을에 보일러가 자꾸 꺼진다고 하셔서 점검을 하러 왔었거든요. 점화퓨즈 불량으로 교체해 드리고, 실내조절기 버튼 불량이라 고쳐 드리고 했어요."

내가 남자 손에 들려 있는 물바가지에 시선을 고정해두고 있자 남자가 나와 시선을 피하며 서둘러 말했다. 가을에 보일러가 작동을 하지 않아 찬물로 세수만 하고 출근했던 적이 기억났다. 아내가 서둘러 가스레인지에 들통을 올려놓고 물을 데웠지만 그걸 기다렸다가는 지각은 불을 보듯 뻔한 일이라 보일러 고장 난 것이 온통 아내의 탓이라도 되는 듯 퉁퉁거리며 출근을 했었다. 아내는 화가 난 듯 입술을 살짝 깨물고 얼굴 여기저기에 붉은 기운이 돌았었다. 하루 종일 집에 있으면서 보일러 점검도 제때 못 해놓고 화를 낼 사람이 누군데, 라고 생각하며 나는 다녀오겠다는 인사도 없이 현관문을 닫았다. 현관문의 녹슨 완충기 생각을 미처 못 하고 손끝에 힘이 들어갔는지 현관문이 '쾅' 소리를 내며 닫히고 말았다. 그 소리에 내가 깜짝 놀랄 정도였다. J아파트에서 살 때는 보일러가 고장 난 적이 없었다. 가스레인지에 곰탕이나 끓일 때 올려두는 들통에 물을 끓여서 머리를 감아야 한다는 생각을 해본 적도 없었다. 내가 출근을 하고 그 데운 물로 아내는 머리를 감았을 것이고 한영종합건재에 전화를 해서 남자를 부른 것이었다.

"보일러까지 봐주시고…… 고맙습니다."

고맙다는 말을 했지만 나는 턱이 딱딱해졌다. 남자는 별말씀을요, 하면서 보일러에서 빼낸 물바가지에 차 있는 물을 화장실 바닥에 버렸다. 남자가 화장실로 가며 내 옆을 빠르게 스쳐 가는 짧은 순간에도 섬유유연제 냄새가 났다. 내 몸에서 구리텁텁한 냄새가 났을까? 남자는 냄새가 없었다. 철 냄새라든가 기름 냄새라든가 구취라든가, 하다못해 김치 냄새라도 나야 했다. 그게 기름 때 묻히며 일하는 사람의 당연한 냄새였다. 나는 그렇게 생각하며 간질간질하는 깁스 안쪽에 꼬챙이가 닿지 않아 자꾸만 조급해졌다. 보일러에 물 보충을 한 효과가 바로 나타나 집안 온도가 한층 올라갔는지 나는 이마 언저리에 땀이 맺혔다. 머리를 감지 않아 떡 진 머리에 땀이 솟아오르자 그 쿰쿰한 냄새야말로 더욱 견딜 수 없었다.

"레버 교체하고 쓰레기가 나와서요. 플라스틱이고 종이상자고 해서 분리수거를 해야 할 거 같아서, 보일러실에 분리수거박스가 있어 들어갔다가 보일러도 잘 돌아가나 확인 한번 했어요. 아니나 다를까 경고등이 들어와 있더라고요. 사장님, 춥지 않으셨어요?"

춥지 않느냐고? 나는 지금 땀이 나고 있었다. 그보다는 우리 집 분리수거박스가 보일러실에 있다는 걸 남자가 알고 있다는 것에 신경이 쏠렸다. 대체로 거기다 쓰레기박스를 놓기는 하나 그건 집집마다 달랐다. 남자는 새로 달린 레버를 식탁 의자에 앉아 있는 내가 보란 듯이 한번 내렸다. 변기 물이 시원스럽게 내려갔다. 남자는 자신이 고쳐놓은 양변기 레버가 마음에 든다는 듯 물 내려가는 소리보다 더 시원하게 미소 지었다. 치아가 하얗고 가지런했다. 그 틈에 배에서 꾸르륵거리며 다시 한 번 방귀가 비어져 나오려고 했다. 이런 순간에 왜, 나는 다시 힘을 주었지만 그럴수록 터져 나오는 방귀 소리는 더욱 괴상했다. '피이익, 뽕, 부욱.' 나는 나도 모르게 초등학교 학예회에서 혼자 무대에서 울먹이는 초등학생처럼 얼굴을 붉히고 말았다. 남자의 입가에 또다시 웃음이 번진 듯했다. 코털과 입꼬리 한쪽이 올라가며 씰룩이는 것이 보였다. 남자가 공구가방에 장비들을 챙겨 넣었다. 크루가 장비를 챙기는 소리를 들었는지 귀신같이 알고 귀를 쫑긋 세웠다. 그러더니 소파에서 뛰어내려 화장실로 오려다 식탁 의자에 앉아 있는 나를 보고 멈칫했다. 소파에서 뛰어내릴 때, 소파 위에 쌓인 먼지가 뽀얗게 일어났다 공기 중으로 흩어졌다.

"아참, 사모님이 며칠 전쯤에 저희 가게 앞으로 오셨어요. 제가 그때 건너 동네 원룸 공사를 다시 해달라는 좀 안 좋은 전화를 받고 있었거든요. 사모님이 가게 안쪽을 바라보고 계시길래 눈인사만 하고 전화로 목소리를 높이고 있었는데, 전화를 끊고 나니까 안 계시더라고요. 밖에 나오실 때는 항상 크루를 안고 나오셨는데, 그날은 혼자셔서 기억이 나요."

그러니까 아내가 집을 나가면서 남자의 가게에 들렀다는 건가, 며칠 전쯤이 정확히 나흘 전 아니냐고 캐묻고 싶은 걸 남자는 간신히 참았다. 집을 나가면서 마지막으로 본 사람이 남자란 말이지, 머릿속이 먼지와 머리카락으로 덤불처럼 엉키기 시작했다. 그사이에 넝쿨 같은 머릿속에서 툭 가시 하나가 돋아났다. 깁스 안쪽은 미칠 듯이 간지러웠고, 아랫배는 꾸르륵거리는 소리가 밖으로까지 들리며 신속하게 가스를 만들어냈다. 이마에 맺힌 땀이 찐득했다. 나는 식탁 의자에서 벌떡 일어나 손을 뻗으면 닿는 냉장고를 손으로 짚었다. 남자가 간이영수증을 식탁에 놓는 것과 내가 식탁 의자에서 일어난 것은 거의 동시였다. 남자가 나를 또 힐끔 쳐다봤다. 꾀죄죄한 모습에 깁스한 다리를 긁으려고 꼬챙이를 들고 있는 모양이 우스울 거 같다고 생각했다. 남자의 코털들이 쿠들쿠들 흔들리고 있는 것 같았다. 남자가 모자를 꾹 눌러쓰고 있어 눈은 보이지 않았다. 냄새도 섬유유연제로 가리고, 눈도 모자로 가린 이런 남자를, 도통 정체를 알 수 없는 이런 남자를 아내가 집을 나가며 마지막으로 보러 갔다는 말이지. 나는 짚고 있던 냉장고 문을 벌컥 열었다. 냉기가 얼굴을 덮쳤다. 눈에 보이는 음료 캔을 꺼냈다. 그리고 남자가 간이영수증을 쓰고 있는 식탁 위에 놓았다. 음료 캔을 놓을 때 '탁' 소리를 내려고 했던 건 아닌데, '탁' 하는 소리가 생각보다 크게 울렸다. 크루가 꼬리를 바짝 세우고 나를 노려봤다. 남자는 안 그래도 목이 말랐는데 감사하다고 하며 음료 캔을 따 벌컥벌컥 마셨다. 그러면서 보일러 점검 비용은 받지 않았다고 생색을 냈다. 남자는 목젖이 툭 튀어나왔고 불거져 나온 목 심줄이 굵고 선명했다. 나는 괜히 내 목 언저리를 쓰다듬었다.

"사모님이 주신 음료가 이 수정과였네요. 항상 컵에 따라 주셔서, 사모님이 직접 만드신 수정과인 줄 알았어요. 저 사장님, 여기 수리비 영수증입니다. 그리고 저 죄송한데 화장실 좀 잠깐 써도 될까요?"

나는 그러라고 하고 식탁 위에 지갑을 손에 쥐었다. 수정과를 캔 채 주지 않고, 컵에 따라 줬다는 말에 나는 지갑에서 만 원짜리를 만지작거리다 K아파트에 이사 오던 날이 떠올랐다. 아내는 이사가 정해진 날부터 얼굴을 펴지 않았는데, 이사하는 날은 아예 입을 꾹 다물었다. 나는 아침 일찍부터 은행에 가야 했고 부동산에서 신혼부부라고 해서 시세보다 싸게 줬다며 잰 체를 하는 집주인의 거들먹거리는 소리를 들으며 마음에도 없는 미소를 짓고 전세계약금을 치르고 등기부등본을 다시 확인하고 확정일자를 받으러 동사무소에 가느라 정신이 없었다. 그 모든 일을 다 끝내고 이삿짐이 거의 다 들어가 한창 이사청소가 진행되던 집 안으로 들어갔을 때, 아내는 이삿짐을 옮기던 남자 일꾼들과 주방 청소를 마친 도우미 아주머니들에게 종이컵을 꺼내 오렌지주스를 따라 나눠주고 있었다. 기내에서였다면 저런 무뚝뚝한 표정으로 손님들에게 음료를 나눠줬다가는 당장에 컴플레인을 받을만한 일이었다. 나는 부아가 났지만, 그래도 이삿짐 일꾼들에게 사람 좋은 미소를 지으며 수고하셨다고 인사를 하고 이사비용을 지불했다. 아내에게 다가가 부동산 서류랑 확정일자도 다 받았다고 말했다. 아내는 아무 말 없이 도우미 아주머니들이 깨끗하게 닦아놓은 유리컵을 손에 잡더니 싱크대에서 다시 한 번 물로 헹군 뒤에 주스를 따라 내게 건넸다. 남과 우리를 줄자로 선을 긋듯 정확하게 구분 짓는 행동이었다. 그런 아내가 유리컵에다가 수정과를 따라 남자에게 전해주었다고 했다.

화장실 문틈으로 새어 나오는 남자의 오줌발 소리가 화장실 물 내리는 소리처럼 크고 우렁찼다. '콸콸콸' 폭포수가 쏟아지는 것처럼 눈으로 보지 않아도 요도를 통해 쏟아져 나오는 오줌 줄기가 굵고 힘차다는 게 영화관의 서라운드처럼 내 귀를 울렸다. 남의 집에서 오줌을 싸는 주제에 화장실 문을 꽉 닫지도 않고 문을 잠그지도 않고 오줌을 싸는 건 무슨 심보인지, 오줌 싸는 소리를 들으라는 건가 나는 콧방귀를 뀌며 화장실 문을 노려보았다. 저 소리를 아내도 분명 들었을 것이다. 우리 집에 무슨 일이 있을 때마다 매번 와서 집안을 구석구석 뒤져가며 수리를 했을 남자가 화장실을 이용하지 않았을 리 없었다. 아내는 가슴이 뛰었을까? 어쩌면 얼굴이 발그레하게 상기되었을지도 모를 일이었다. 나는 아내에게 88정을 먹고 있다는 것을 숨기고 있었다. 깁스를 한 뒤로 아내가 샤워를 하고 맨몸으로 나와도 아랫도리 반응이 신통치 않았다. 다리가 아프기도 했지만, 다리뿐만 아니라 온몸에 스멀스멀 한 두 마리도 아니고 수십 마리의 벌레가 기어다니는 것처럼 끔찍한 기분이었다. 롱깁스를 하고 있었기 때문에 사타구니 바로 아래까지 깁스가 닿아 있어 깁스에 사타구니가 쓸려 쓰리고 아린 것은 둘째 치고 짓물러 피부염이 번져가고 있기도 했다. 한동안은 진통제를 먹지 않으면 잠들지 못했다. 그 와중에도 아내 보드라운 살 생각을 영 지울 수는 없어 88정을 챙겨 먹었다. 새벽에 소변이 마려워 눈을 뜨면 88정 반응에 아랫도리에 핏줄이 섰다. 아내는 린넨 차림으로 잠들어 있었다. 아내 위를 덮쳐 올라가면 아내는 다리를 벌리며 나를 끌어안았다. 깁스한 다리의 통증을 참으며 들숨과 날숨이 거칠어지면, 아내는 더욱 입을 꼭 다물었다. 입을 맞추려고 하면 자꾸 고개를 돌렸다. 아내는 숨을 참고 있다 내 입에서 생선 썩은 내 같은 냄새가 너무 심하게 난다며 나를 밀치고 화장실로 뛰어들어갔었다.

남자도 88정을 먹고 있는 것일까. 남자가 화장실에서 나오며 감사하다고 꾸벅 인사를 했다. 이번에는 내가 절뚝거리며 화장실로 들어가 오줌을 눴다. 쪼그라든 성기를 내려다보고 만져보았다. 이렇게 작았었나…… 이렇게 흐물거렸나, 오줌을 다 누고 새로 교체된 레버를 내리자 '쏴아' 하며 물 내려가는 소리에 흠칫 놀라 떨어지는 오줌 방울을 손에 묻히고 말았다. 동시에 '뿌지직' 하는 방귀 소리가 터져 나왔다.

"사장님은 행복하시겠어요? 사모님처럼 미인에, 요리 솜씨도 좋으신 분을 아내로 두셔서요. 지난번에는 현관문 완충기가 녹슬고 고장이 나서 이게 살포시 닫혀야 하는데, 완충기가 못 쓰게 되면 쾅쾅 소리가 나거든요. 닫을 때마다. 그게 위

아랫집 분쟁이 되기도 하고 해요. 사모님이 그거 고쳐달라고 해서 왔는데, 고치는 중에 정전이 된 거예요. 전기공사한다고 정전이 된다는 걸 사모님이 깜박하셨대요. 냉장고에 해놓은 음식이 쉰다고, 쉬면 못 먹는다며 저한테 장조림을 좀 싸주셨 는데, 그게 진짜 가게에서 사 먹는 맛하고 다른 거 있잖아요. 집에서 엄마가 만들어 준 것처럼 맛있더라고요. 그때도 진짜 잘 먹었어요. 고양이 데리고 산책 다니시는 분들이 없다시피 해서 사모님이 인상에 남았는데, 크루 안고 산책 다녀오시면 서 커피도 가끔 사다주셔서 정말 몸 둘 바를 몰랐습니다."

　남자는 바지 지퍼 부분에 오줌이 튀었는지도 모르고 만난 지 30분도 안 된 생판 남 앞에서 잘도 떠들어댔다. 아내의 산 책 시간이 길어진 데에는 다 이유가 있었던 것이었다. 아내가 승무원이었을 때 기내에서 손님들에게 미소 짓는 게 싫었다. 나만 보고 웃었으면 좋겠는데, 딴 놈들한테는 나한테 웃어주 는 것보다 더 환하고 밝게 미소 짓는 것 같았다. 아내가 모처 럼 비행 오프 때 만나 데이트라도 할 때면 아내는 틈나는 대 로 졸았다. 무엇보다 잘 웃지 않았고, 말도 별로 없었다. 비행 이 힘들다고 해서 결혼과 동시에 아내를 그 안에서 꺼내주었 다. 나는 정말 아내를 사랑했고, 그 모든 건 아내를 위한 것이 었다. 나는 뜨거운 콧바람이 나오는 걸 느꼈다. 눈꺼풀이 씰 룩이며 시신경 위로 지나가는 핏줄기가 일시에 한곳으로 몰 리는 것 같아 잠시 남자가 뿌옇게 보였다. 고개를 들어 웃고 있는 남자의 시선과 마주쳤는데 그 눈동자가 또렷하게 보이 지 않았다. 배에서는 다시 꾸르륵거리며 가스가 모이는 소리가 들렸다. 나는 이번에는 엉덩이에 힘을 주지 않았다. 그러니까 아내는, 양변기 레버를 교환해주고 창문에 시트지를 붙이고 보일러를 살펴주고 현관문 완충기를 고쳐주는 이 남자를 마음에 품었을지 모른다. 이 어린놈을 말이다. 섬유유연제 냄새가 코를 찌르는 이 새끼를 말이다. '푸쉬' 하는 힘 빠진 방귀 소리가 들릴 듯 말듯 났다. 남자의 입꼬리가 살짝 올라가는 것이 식탁 의자에 앉아 있는 내 눈에 들어왔다. 나는 남자를 칩떠보았다. 남자는 그런데도 어색한 미소를 지은 채 우물쭈물하며 눈앞에서 사라지지 않고 내 앞에 서 있었다. 오줌 튀긴 바지 앞섶을 보여주며 감히 품삯을 받아야 할 놈이 품삯을 주는 내 앞에서, 정체를 알 수 없는 몸뚱이로 먹고사는 놈이, 나를 비웃고 있는 것이었다. 관자놀이에 신경 줄기 하나가 툭 끊긴 것 같이 전신이 뻣뻣해졌다.

"웃어?"

남자는 그게 아니라며 손사래를 치며 체구에 맞지 않게 몸을 옹송그렸다. 나는 깁스를 하지 않은 왼쪽 발을 있는 힘껏 뻗어 남자의 정강이를 걷어차는데, 재빨리 남자가 뒤로 물러났다. 운동신경이 남다른 날�쌘 몸이었다. 크루가 어느 틈새인가 남자 뒤로 바짝 다가와 있었다. 나는 크루를 씹어 먹기라도 할 기세로 이를 갈았다.

"사장님 진정하세요……."

"그래, 내 마누라가 해 준 장조림이 그렇게 맛있으셨어? 정전이 났는데, 완충기를 고치기만 했다고. 여기 1층이라 어두컴컴한데, 아무도 없는 시간 아니었어? 왜 완충기만 고쳤어?

남의 집 화장실을 제 화장실처럼 쓰는 새끼가? 화장실 문을 살짝 열어두고 오줌 싸는 기술은 어디서 배웠어? 아주 노련해, 박수 쳐줄 만 해. 그래서 자지가 불뚝불뚝 섰나? 그거 보여주려고 내 앞에 떡 버티고 서 있는 거야? 이 개새끼야!"

남자가 허리를 곧추세우고 정색을 했다. 나는 그게 더 가소로웠다. 주먹 쥔 손에 땀이 비어져 나왔다. 보일러 물 보충을 해서 집안은 점점 더 기온이 올라갔다. 꼬챙이가 닿지 않는 깁스 안쪽의 깊고 깊은 곳이 간지러워 깁스를 깨고 손가락을 집어넣어 벅벅 긁지 않으면 돌아버릴 것 같았다. 나는 침을 꿀떡 삼켰다.

"사장님, 말씀이 너무 지나치십니다. 저는 다만, 수리비용 결제를 해주셔야 해서 서 있었던 것뿐이고요, 그런 막말을 들을 행동을 하지 않았는데, 갑자기 왜 이러세요?"

"갑자기 왜 이러세요? 크루를 봐! 저 고양이 새끼! 네가 얼마나 우리 집 문턱이 닳게 드나들었으면 조금 있으면 고양이 새끼가 개새끼처럼 뱃가죽을 드러내고 네 앞에서 재롱이라도 부리겠어?"

남자는 얼굴을 확 구기며 공구 박스를 여며 메고 현관문으로 성큼성큼 향했다. 나도 벌떡 일어나서 절뚝거리며 남자 어째죽지를 덥석 잡았다. 절뚝거리는 다리 통증이 '찡' 하고 머리끝까지 순식간에 튀어 올라왔다. 절로 '으윽' 소리가 입 밖으로 새어 나왔다. 그럴수록 남자의 어깻죽지를 더욱 세게 붙잡았다. 할 수만 있다면 어깨를 잡아 으깨버리겠다는 듯이 쥐어 잡았다. 남자는 그런 내 손을 억세게 틀어쥐고는 털어버리듯 뜯어냈다. 굳은살이 박인 손바닥이었다. 그 힘에 바람이 일어 거실 바닥에 쌓인 먼지가 남자와 내가 서 있는 코끝까지 일렁이는 듯했다. 남자가 내게 잡혔던 어깨를 살짝 돌리자 '우두득' 뼈 소리가 났다. 나는 절뚝거리며 식탁 위에 있던 지갑을 잡아채듯 가져와 손에 잡히는 지폐를 끄집어내 남자 얼굴에 내리꽂듯 던져버렸다. 만 원짜리와 천 원짜리 몇 장이 남자 왼쪽 얼굴에 맞고 흩어져 떨어져 내렸다.

"아, 시팔! 왜 이러세요, 정말!"

남자의 그 말이 떨어지자마자 나는 주먹 쥔 손을 남자에게 날렸다. 남자는 정확하게 내 주먹을 제 손아귀에 잡아채더니 있는 힘껏 나를 밀어 재꼈다. 나는 뒤로 나자빠지며 엉덩방아를 찍었다. 깁스한 다리 어딘가에서 남자의 어깨에서 나던 '우두득' 하는 소리가 선명하게 느껴졌다. 순간 숨이 헉 막히면서 호흡하기가 어려웠다. 남자가 이렇게까지 하려고 했던 게 아니었던 듯 눈동자가 마구 흔들리며 나를 내려다보다 일으켜 세워주지도 못하고 그렇다고 그냥 가기도 애매한 듯 엉거주춤 머뭇거렸다. 나는 이를 악물고 상체를 세워 다시 일어나려고 했다. 남자를 덮쳐 사생결단을 내지 않으면 이 끝 모를 분노를 어떻게 할 수 없을 듯했다. 상체를 세우려고 양팔로 거실 바닥을 짚고 일어나려고 하면 할수록 나는 더욱 버둥거릴 뿐이었다.

"사장님, 오늘 실수하신 겁니다. 저한테도, 사모님께도요. 사모님이 그런 분이 아니시란 건 사장님이 더 잘 아실 텐데요."

남자가 나를 가르치려 들었다. 그러면서 모자를 더 깊숙이 눌러썼다. 나는 깁스한 사실을 잊어버리고 기어코 일어났다. 나는 '으으으윽, 으으으으' 하면서 짐승이나 낼 법한 소리를 짓씹어 내뱉으며 남자를 노려보고 노려보다 남자에게 달려들려고 손을 뻗어 남자를 움켜잡으려고 했다. 남자가 그런 나를 보고 몸을 재빨리 뒤로 빼며 더 할 말이 있다는 듯 입을 달싹거리다 나를 슬쩍 흘겨보더니 이내 몸을 돌려 서둘러 현관문을 빠져나갔다. 나는 '으으으으, 으으으으' 짐승 울음소리를 내다 왼쪽 무릎이 꺾이며 다시 거실 바닥에 나동그라졌다. 고개를 돌리는 거 외에 몸을 움직일 수가 없었다. 식탁 의자 등받이에는 남자가 벗어놓은 작업복 상의가 그대로 걸쳐있었다. 아주 오래전부터 그 자리에 있었던 것처럼 남자의 상의가 걸쳐 있는 폼이 더없이 자연스러웠다. 식탁 위에 있는 휴대폰을 집어 119에 전화를 해야 했다. 손이 닿을 리 없었다. 이 집이 그렇게 문제가 많았던가, 여기저기 고칠 곳이 많았던가, 이사를 오기 전에 부동산 공인중개사랑 여기저기 꼼꼼하게 살피며 체크를 했다. 12층에서 1층으로 내려오긴 했지만 평수는 그대로였고, 지하철역과도 가깝고 무엇보다 10분만 걸어가면 한강시민공원과 연결되어 아내가 집안에서 답답하다고 느낄 때 언제든지 산책할 수 있는 곳을 고르고 골랐다. 형광등이 나가면 군말 없이 갈아주었고, 창문에 방한 비닐을 오리고 잘라 유리창마다 붙이며 혹시라도 1층의 찬기가 아내를 감쌀까 내내 걱정했었다. 아내의 밍밍한 음식을 참아주며 먹었고, 아내가 만든 국에 다시다를 조금 넣은 것 말고 아내

신경을 건드리지 않으려고 애를 썼다. 1층에 살면서도 머리가 흔들려 비행기를 다시 탄다고 말을 해서, 아내 귀 달팽이관이 문제가 생긴 건 아닌지 하며 근처 이비인후과를 알아보기도 했다. 어떻게든 돈을 빨리 모아 전세계약기간이 끝나면 쾌적한 아파트로 이사를 가려고 아내 몰래 곗돈을 붓고 있기도 했다. 이 모든 것이 아내를 위한 것이었다. 그런 나를 두고 아내가 아무 말 없이 결혼반지를 식탁 위에 올려두고 집을 나갔다. 이 어두침침한 1층, 지면의 습한 기운이 올라와 보일러를 켜지 않으면 곰팡이 냄새가 나는 이곳에, 나보다 남자를 더 따르는 크루를 남겨두고 말이다. 크루는 거실 장식장 오디오 스피커 위에 올라가 도도한 눈빛으로 꼬리를 감아쥐고 나를 노려보고 있다. 깁스한 다리는 아예 내 다리 같지 않고, 넘어지면서 허리와 골반 뼈를 부딪쳤는지 감각이 없다. 나는 아내에게 잘못한 것이 없었다. 나는 출근길에 아파트 앞 빙판길에서 넘어져 머리 위로 무수하게 별들이 쏟아지던 때처럼 소리를 지르기 시작했다. '으으으윽! 아아아악!' 살려달라는 소리를 내고 싶은데, 그 말은 나오지 않고 '으으으윽, 아아아악!' 소리만 나왔다. 휴대폰을 향해 손을 휘젓다가 거실 바닥에 쌓여 있는 먼지와 머리카락의 덤불만 끈적해진 손바닥에 들러붙었다.

119가 올 것이다. 와서, 나를 구해줄 것이다. 나를 이 먼지와 머리카락이 쌓인 쓰레기 더미에서 꺼내줄 것이다. 그래, 괜찮다. 119가, 119가 있으니까. 곧 올 것이다. 이제 곧 와 줄 것이다……. 크루를 안방 화장실에 가두고 밥을 안 주고 굶겨

죽일 거라고 아내에게 문자를 보내면, 그러면 혹시 아내가 돌아올지 모른다. 그런데, 이런 내 꼴을 보고, 냄새가 난다며 헛구역질을 하고 크루만 데리고 나가면 어쩌지…….

비행기가 하늘을 가르고 지나가는 소리가 어렴풋이 들렸다. 날아가는 비행기 안에 아내가 타고 있을지도 모르겠다는 생각이 불현듯 들었다. K아파트가 지어진 1991년 남한과 북한이 함께 UN에 가입하던 해, 남한과 북한의 간극만큼이나 나와 아내는 그만큼의 거리가 있을지도 모를 일이었다. 하지만 내가 한 모든 행동은 모두 아내를 위한 것이었다. 크루가 야옹야옹 울기 시작했다. 식탁 위의 휴대폰 전화벨이 울렸다. 손을 뻗어 휴대폰을 집을 수 없고, 배가 고파 울고 있는 크루의 밥통에 사료를 부어줄 수도 없다. 고양이 우는 소리와 휴대폰 울리는 소리가 겹치면서 어두워지는 1층 아파트 공간에 어둠이 깊이 드리워져 가고 있었다. 나는 퍼뜩 오한이 들어 진저리를 쳤다. 그런데 정말 아내는 왜 집을 나간 걸까?

강이가 온다

샤워기에서 찬물이 나왔다. 찬물이 맨살에 닿자마자 온몸에 솜털이 바짝 일어섰다. 뜨거운 물이 잘 나오다 10분쯤 지나면 여지없이 찬물로 바뀌었다. 12살 때, 얼음낚시 하는 아버지를 따라갔다가 강에 살얼음이 깨지면서 빠진 순간의 소스라침이 선뜩하게 되살아났다. 알레르기 피부질환 때문인지 샤워하다 찬물세례를 받으면 신경이 곤두섰다. 아파트 관리실 직원이 데리고 온 보일러 기사가 다녀간 지 얼마 되지 않았다. 요즘 전신에 홍반성 발진이 자주 일어나는데 찬물 때문일지도 모른다고 생각했다. 세 아이들이 아직 어렸을 때, 여름이 되면 돌아가면서 '해수욕장' 노래를 불러 마지못해 따라나섰을 때도 바닷물에는 들어가지 않았다. 막내 아이가 튜브에 매달려 위태로워 보여도 모래사장에서 주먹에 힘을 잔뜩 주고 아이를 뚫어지게 바라만 봤다. 남편이 아이 옆에 있어 안심이 되어 나서지 않은 것도 있었지만 하얀 거품을 일으키며 넘실대는 바다가 자꾸만 나를 끌어당기는 거 같아 겁이 났었다.

강이가 온다.

샤워를 한 건 강이가 온다는 전화를 받고 나서다. 한겨울이기도 하고 샤워기에서 찬물이 나온 후로는 샤워를 자주 하지 않았다. 겨드랑이에서 시큼한 냄새가 나기도 했다. 발가락에서는 구릿한 고린내가 나는 것도 같았다. 오늘 하룻밤 누나 집에서 신세질 수 있겠냐는 전화를 받고 뜨악했다. 나도 모르게 손톱을 물어뜯었다. 남편 장례식 때 보고 나서 처음 연락한 것이니 1년여 만이었다. 평소답지 않기도 했지만 남편이 살아 있었다면 강이가 이런 전화를 할 수 없다는 생각이 들었다.

저녁 식사를 마치고 컴퓨터 카드게임을 하고 있는 중이었다. 아무도 나를 자극하지 않는 공간에서 카드게임에 열중하는 시간만큼 편안한 것은 없었다. 카드게임을 완성하면 카드가 일제히 곡선을 그리며 춤을 추는 것에 짜릿함을 느꼈다. 그런 내 마음에 고르지 않은 곡선을 그리게 한 건 강이었다. 강이가 온다는 소리가 없었다면 게임을 하며 꾸벅꾸벅 졸다 잠들었을 텐데, 몸에서 좀 냄새가 난다고 이 밤에 굳이 씻지 않아도 되었을 것이다. 막내 아이가 시집가기 전까지 썼던 현관방은 냉기가 벽마다 스며 있어 급하게 전기장판을 꺼내야 했다. 집에 먹을 것도 없고 현관방은 보일러를 잠가놔서 잠자리도 마땅치 않다고 이야기했다. 강이는 밥은 먹었고 누울 자리만 있으면 된다고 하며 서둘러 전화를 끊었다. 강이를 불렀지만 신호음만 들릴 뿐이었다. 나는 발칵 역정이라도 난 듯 얼굴이 화끈거렸다.

강이는 잘 울었다. 12살, 얼음낚시터에서 물에 빠진 뒤로 나는 줄곧 앓아누웠다. 귀에서 고름이 흘러나와 방 안의 소리가 윙윙대는 데도 강이 울음소리는 피고름처럼 귀에 달라붙었다. 할 수만 있다면 두꺼운 이불을 발로 차고 일어나 강이 입을 틀어막고 싶었다. 이불자락을 붙잡고 놓지 않는 강이 손가락을 억지로 떼어낸 건 아버지였다. 엄마가 땀에 젖은 내 속옷을 갈아입히려고 이불을 걷어냈다. 아이 몸에 열꽃이 가라앉지 않아요. 강이는 괜찮은데, 경이는 왜 이렇게 뜨거울까요. 엄마 목소리가 동굴 속에 있는 것처럼 내 귓가에서 울려 퍼졌다. 경이 일부러 빠진 거야. 경이 이상해. 강이 마저 물들겠어. 강이를 둘러업고 방을 나가면서 아버지가 말했었다. 강이 마저 물들겠어……. 아버지가 내뱉은 말이 희미하게 내 귓속을 파고들었다. 내가 열에 들떠 헛소리를 하는 와중에 웃었는지 아니면 흐느꼈는지 나를 보는 엄마 눈동자에 붉은 실핏줄이 가득했다. 엄마 눈동자에도 열꽃이 피었다고 생각했다. 경이 왜 그러니, 우리 경이 정말 왜 그래, 응 경아? 나는 자꾸 웃음이 나왔다. 엄마가 작은 눈을 커다랗게 뜨고 눈물을 방울방울 흘리는 것도, 내 귀에 맴도는 아버지의 말도, 아버지의 품에 안겨 방을 나가면서도 나를 뚫어지게 쳐다보는 강이도, 그저 우스웠다. 너무 우스워서 침이라도 뱉어주고 싶었다.

모자를 쓴 강이는 낯설었다. 현관문을 열자 강이가 고개를 숙인 채 마트에서 먹을 걸 사 담은 것 같은 비닐봉지를 내밀었다. 건네받은 비닐봉지를 내려놓고 강이 얼굴을 보았다.

"너 모자 잘 안 쓰잖아? 어려서부터 답답하다고."

"그냥, 누나 화장실 좀."

화장실로 들어가는 강이 뒷모습이 야위었다고 생각했다. 비닐봉지 안에 있는 것을 식탁 위에 벌여놓으니 생선회와 복분자 술이 있었다. 낚시를 좋아했던 아버지 덕분에 나와 강이는 생선을 좋아한다는 공통점이 있었다. 대충 비닐봉지 안에 먹을 것들을 정리해 식탁에 놓으니 강이가 나왔다. 여전히 모자를 쓰고 고개는 숙이고 있었다.

"모자 좀 벗지, 그래. 왜 안 하던 짓 하니?"

강이가 모자를 벗으려고 손을 올리는데 접어놓은 와이셔츠 소매에 핏자국이 있다. 모자를 벗은 강이가 열없이 웃었다. 열꽃이 피어 신음하는 나를 바라보던 엄마의 눈동자처럼 내 눈이 동그랗게 커졌다. 강이 이마에 긁히고 깊이 팬 상처가 있었다. 강이가 웃고 있어 흰 이가 더욱 도드라졌다. 가만히 보니 안경 너머 눈꼬리도 멍들었다. 왼쪽 턱 부근에 검붉게 피고름이 맺혀 있다. 얼굴이 왜 그 모양이냐고 물으니 올케와 싸웠다며 말끝을 흐렸다. 강이가 외투를 벗었다. 외투를 벗은 와이셔츠 상단에 단추가 떨어져 나갔다. 외투 속에 감춰진 상처투성이 목덜미가 그제야 눈에 제대로 들어왔다. 올케한테 여기저기 할퀴고 멱살까지 잡힌 것 같았다. 그런데도 나를 보고 새하얀 이를 드러내놓고 웃고 있는 강이를 보자 샤워기에서 느닷없이 찬물세례를 받았을 때처럼 난데없는 기분이 들었다. 강이 얼굴에 위험해 보이는 상처가 있지는 않았다. 손톱에 긁힌 흔적이 분명한 작은 상처들이 이마와 가슴에 산발해 있을 뿐이었다. 우선 소독을 해야 했다. 병원에 갈 정도였다면 강이가 알아서 갔을 것이다. 비상약통을 찾으려고 식탁 의자에서 일어섰다. 나도 강이 얼굴에 손톱자국을 내고 싶은 때가 있었다. 너만 없으면 숨을 좀 쉴 수 있을 거 같다고 생각했을 때도, 아버지가 강이를 무릎 사이에 끼고 낚시를 할 때도, 손톱을 세워 강이 얼굴에 깊은 상처를 남기고 싶었다.

"이혼하려고, 이제. 그 사람도 그러자고 하네."

올케가 쥐고 있던 선글라스를 강이에게 던졌다고 했다. 신고 있던 실내용 슬리퍼 뒷굽으로 강이를 내려쳤다고도 했다. 선글라스가 강이 이마에 맞고 깨지면서 상처를 냈다. 눈이라도 맞았으면 어쩔 뻔했냐고 물어도 강이는 억세게 묶어놓았던 밧줄이 몸에 감겼다 풀린 것처럼 편안해 보였다. 남편의 인공심장박동기를 제거했을 때 의사는 인공심장박동기를 내게 보여주었다. 화장할 때 폭발할 수도 있기 때문에 제거해야 한다고 했다. 남편의 사망통보를 받았을 때는 실감이 안 나다가 남편의 심장에서 떼어낸 인공심장박동기를 보니 지진이라도 난 것처럼 바닥이 흔들렸다. 어지러워 손을 휘저었는데 아이들보다도 먼저 내 손을 마주잡아 준 건 강이었다. 강이가 나를 감싸 안고 의자에 앉혔다. 강이 품에 안겨서야 바닥이 흔들리는 게 아니라 내 몸이 흔들린다는 걸 알았다. 강이는 내 등을 쓸어내리며 괜찮다고 했다. 나는 괜찮지 않았다. 괜찮은 건 강이었지 내가 아니었다. 나는 '이거 놔, 제발'이라고 하며 강이를 밀어내고 싶었다. 하지만 말은 숨이 막혀 나오지 않았고 강이를 밀어내려고 해도 자꾸만 떨리는 몸을 어찌할 수 없었다. 장례가 끝나고 나서 겨우 물 한 모금 마시는데 강이가 내게 왔다. 내 두 손을 마주 잡고 나를 보며 말했다. 하늘에서 매형이 누나 지켜줄 거야, 그러니 괜찮아. 무엇이 괜찮다는 건지 나는 알지 못했다. 기껏해야 가시광선 내의 사물들만 볼 수 있는 주제에, 세상 만물이 다 보이고, 나에 대해 아무것도 모르면서 다 알고 있다는 거 같은 눈빛을 하고 있는데 마시고 있던 찬물이라도 강이 얼굴에 끼얹어버리고 싶었다.

"와이셔츠 벗어라. 내일 입고 나갈 거 없잖아. 네 매형 거는 안 맞을 테고."

강이가 와이셔츠를 벗었다. 맨몸이었다. 여전히 앞가슴뼈 아랫부분이 살짝 튀어나와 있다. 어려서 새가슴이라고 무던히도 놀림을 받았다. 뼈가 조금만 더 튀어나왔어도 심장에 이상이 있거나, 호흡곤란 증세가 동반될 수 있었는데 다행히 그러지는 않았다. 하지만 분명히 달걀을 하나 삼키고 가슴골에 그대로 걸린 것처럼 가슴 정중앙이 볼록했다. 강이의 와이셔츠를 건네받아서 표백제를 넣고 세탁기에 돌렸다. 벗은 상체에서 강이의 새가슴이 더욱 도드라져 보였다. 남편의 잠옷과 소독약을 식탁 위에 올려두었다. 얼음 물속에 빠진 강이를 내 품에 끌어안았을 때, 강이의 고동치는 심장 소리가 느껴진 순간이 불현듯 떠올라 피부 여기저기에 발진 같은 두드러기가 나 있었다. 늘 있는 일이라 병원에서 타온 항히스타민제를 찾아 먹었다. 강이가 남편의 잠옷으로 갈아입고 복분자 술을 한 잔 따라 마셨다. 잠옷 옆에 둔 소독약은 내가 놓아둔 그대로였다. 사온 생선회에는 손도 안 대고 소쿠리에 담겨있는 귤을 한 개 까서 안주 삼아 먹었다. 옆집 701호 영감이 맛보라고 준 귤이었다. 귤을 까먹고 있는 강이를 보자 머리만 희끗한 7살 꼬마가 앉아 있는 것 같았다. 새가슴이라고 놀리던 친구들과 싸우다 흠씬 두들겨 맞고 들어온 것처럼, 그걸 또 금방 까먹은 것처럼.

"부부간의 일이니 내가 말할 건 아니다만, 이건 좀 아니다. 이혼을 하든 안 하든 그건 너희들이 결정할 일이고, 앞으로 어떻게 할 건데? 집에서 나온 거야? 회사는?"

강이는 입을 다물었다. 대답하기 곤란하거나 생각을 해야 할 때, 턱을 괴며 새끼손가락을 콧대 위에 올려두는 버릇은 아버지를 그대로 닮았다. 내가 아버지와 닮은 구석이 하나도 없다는 걸 나는 12살이 막 되었을 무렵 깨달았다. 그토록 닮고 싶어도 절대 닮을 수 없는 것이 있었다. 그 사실이 상처에 소금을 뿌린 듯 아프다는 걸 알기에는, 나는 아직 너무 어린 나이었다.

"원룸을 하나 구하려고. 그 전까지 당분간…… 누나 집에서 좀 머물 수 있을까? 누나 혼자 적적하지 않아?"

"이젠 혼자가 편하다. 회사 주변에 싼 호텔이나 여관에서 며칠 머물면서 원룸 알아보는 게 출퇴근하기도 편하지 않아? 여긴 네 회사하고 너무 멀잖아."

사람의 성격은 잘 변하지 않는다는데 나이가 들면 뻔뻔해지는 기질은 생기는지 강이가 하는 말에 기가 찼다. 원룸을 구할 때까지 같이 지내자는 건 말이 쉽지 그리 간단한 문제가 아니었다. 12살 이후로 강이랑 같은 방에서 자 본 기억이 없었다. 사실 강이의 상체 맨몸을 본 것도 그즈음 이후로는 처음이었다. 그런데 같은 공간에서 같이 숨을 쉬자고 했다. 강이 때문에 숨이 막혔던 시절로 돌아가고 싶지 않았다. 보지 않으면 기억도 안 났을 테고 기억할 일도 없는데 강이 얼굴을 보자 물이 끓어 넘치기라도 하듯 기억들이 가지를 치고 있었다.

강이는 더이상 말을 하지 않았다. 어떻게든 신세를 져볼 생각이었는지 여짓거렸지만 어림도 없었다. 이제야 겨우 혼자 사는 데 재미를 붙였다. 낯선 고요함에 익숙해져서 홀로 있어도 그런대로 잘 견딜 수 있게 되었다. 내 자식이나 손자들이 찾아온다고 해도 가끔은 귀찮다는 생각이 들었다. 하물며 데면데면한 남동생은 말할 것도 없었다.

"너, 그 가슴, 괜찮은 거야? 어렸을 때 보고 처음이네."

나는 부러 딴소리를 했다. 강이가 입을 꾹 다물고 있는 이 상황이 갑갑했다. 갑자기 불쑥 나타나서는 찢어진 이마를 보여주고 이혼을 하겠다고 하면서 당분간 함께 지내자고 말하는 강이가 염치없게 보이면서 퍽 낯설었다. 강이가 6살 때 마루턱에 서 있는 걸 밀고 도망갔을 때처럼, 강이를 이 공간에서 밀어내버리고 싶었다.

"아, 이거. 이 녀석… 용골돌기야. 원래는 새만 갖고 있는 특별한 골격이지. 날 수 있는 추진력을 내는 건데, 이게 어느 날부터 나한테 생기더니 평생을 함께하네."

용골돌기 같은 소리 하고 있네, 그게 새가슴이지 이 등신아, 라는 말이 목구멍 끝에 걸렸다.

"그놈의 새타령은……. 그렇게 새를 좋아했으면 새박사가되지 그랬어?"

"새 쫓아다니는 거 싫어하셨잖아, 아버지가."

강이가 우리 집 옥상 한구석에 둥지를 트고 알을 낳은 비둘기를 보살핀 걸 기억한다. 밤 고양이가 비둘기를 공격할지모른다고 옥상에서 날을 샌 적도 있었다. 내가 처음 강이가지키는 비둘기와 눈이 마주친 건 소나기가 지나고 무지개가떴을 때였다. 아버지가 강이에게 사 준 서양 그림책에서 본무지개는 일곱 가지 색깔이었는데 내 눈에 보이는 건 빨간색과 노란색, 파란색 정도였다. 좀 더 자세히 보기 위해 옥상으로 올라갔다. 보고 싶었던 무지개 색깔이 훨씬 선명해졌다. 나머지 색깔을 좀 더 찾을 수 있을까 발돋움을 했는데 코 안으로 들어오는 바람이 구리터분했다. 엄마가 가꾸는 화분과화분 사이에 비둘기가 있었다. 처음에는 이물스러워 놀랐고그다음에는 둥지에서 나는 퀴퀴한 냄새에 코를 싸쥐었다. 아버지도 강이가 옥상에서 밤을 지새운 걸 알았다. 한 번만 더그러면 비둘기 둥지를 다 치워버리겠다고 엄포를 놓아서 강이를 하얗게 질리게 했었다. 나는 옥상에 있는 빗자루를 들고비둘기를 찌르려고 했다. 비둘기는 빗자루를 가까이 들이대도 움직이지 않았다. 쫑긋 솟은 부리가 유난히 날카롭다고 느꼈다. 나를 바라보는 까만 눈은 내가 보지 못하는 것까지 꿰

뚫어 보겠다는 듯 매서웠다. 그래 봤자 비둘기였다. 나를 노려보고 있는 비둘기에 강이 얼굴이 겹쳐졌다. 빗자루 잡은 손에 힘이 들어갔다. 빗자루로 비둘기 왼쪽 날개 부근을 쿡 찔렀다. 비둘기가 움찔했다. 그러나 도망가지 않았다. 다시 한 번 깊숙이 꾹 찔러 넣었다. 이번에는 살짝 옆으로 몸을 움직였다. 그때였다. 눈도 뜨지 못한 비둘기 새끼가 어미 가슴 아래에서 숨을 헐떡거리고 있는 걸 본 건. 흰 색 비둘기 새끼였다. 나는 그만 얼음땡 놀이에서 얼음이라도 된 듯 그 자리에서 꼼짝할 수 없었다.

강이가 새벽에 일어나 기침을 했다. 현관방에 보일러를 오래 틀지 않아 냉기가 흘러 전기장판도 깔았는데 그래도 추웠겠다 싶었다. 혼자 일어나서 샤워하고 냉장고를 뒤지는 것 같았다. 나는 일어나지 않았다. 강이가 욕실에서 드라이기로 머리를 말리는 소리가 들렸다. 오래된 드라이기라 약풍으로 하면 바람이 시원치 않은데도 약풍으로 말리는 듯했다. 강이 기침 소리가 계속됐다. 강이가 조심스럽게 아파트 현관문을 열고 나가는 소리가 들렸다. 바깥에 찬바람이 내가 누워 있는 안방까지 불어 들어와 살갗에 닿았다. 그때서야 나는 이불을 걷어내고 일어났다. 거실에 마르라고 걸어둔 와이셔츠가 없었다. 단추도 달지 않았는데 그대로 입고 간 모양이었다. 식탁 위에는 절편이 놓여 있었다. 강이가 먹으려고 전자레인지에 데워놓고 출근준비를 하며 잊어버린 모양이었다. 남편 1주기 때 먹고 남은 걸 냉동시켜 놓은 건데 용케도 찾아냈다.

그러고 보니 강이가 절편을 좋아했다. 팥 앙금이 들어가거나 콩고물이 묻힌 떡을 좋아하는 나하고는 달랐다. 꺼내놓았으면 먹고나 갈 것이지, 나도 모르게 혼잣말을 했다.

머리를 감으려고 욕실에 들어갔다. 강이가 욕실 물때를 청소했는지 왁스 냄새가 났다. 물은 뜨거웠다가 미지근했다가를 반복했다. 그러다 찬물이 왈칵 쏟아졌다. 어제저녁에 강이가 샤워를 했을 때나 오늘 아침에 샤워를 했을 때도 찬물은 계속 나왔을 것이다. 미간의 신경 줄기 하나가 곤두섰다.

오늘은 연말연시를 맞아 시민회관에서 '이웃사랑 빵 만들기' 봉사활동이 있다. 오전 10시부터 봉사활동이 시작되어 서둘러 준비하고 나가려는데 인터폰이 울렸다. 701호 영감이다. 남편이 살아 있을 때 701호 영감은 남편을 졸라대며 같이 골프장에 가자고 줄기차게 말을 걸었다. 남편은 한 번도 응한 적이 없었다. 나이가 들었는데도 상체 근육이 탄탄하고 팔뚝에 힘줄이 굵은 사람이었다. 가끔 엘리베이터에서 마주치면 가슴이 두근거렸다. 현관문을 열고 인사를 건넸다. 701호 영감은 카레를 좀 만들었는데 너무 많이 만들었다며 뚜껑이 있는 타원볼 접시에 카레를 담아 건네주었다. 며칠 전에는 소쿠리 채 귤을 주고, 그 전에는 부추전을 가지고 왔었다. 가지고 올 때마다 고맙기도 했지만 한지에 분홍색 물감이 번져나가듯 설레어 나는 가슴이 뛰었다.

701호 영감은 내가 살고 있는 집 현관 앞에 쌓인 눈도 쓸어주었다. 복도식 아파트라 눈이나 비가 많이 올 때는 난감할 때가 많았다. 답례로 701호 영감에게 뭐라도 주고 싶은 마음이 들었으나 간만에 전화가 온 울산에 사는 막내에게 701호 영감이 자꾸 뭘 준다고, 덕분에 음식 안 해서 좋다는 이야기를 장난삼아 했더니 정색을 하고 무슨 생각을 하고 있냐는 지청구를 들었다. 아무 생각도 안 하고 있다고 얼굴이 붉어져서 이야기했다. 막내의 의심스러운 목소리에 701호 영감하고 몸이라도 섞었다 들킨 것처럼 얼굴이 화끈거렸다.

생각보다 눈이 많이 쌓였다. 강이가 다 마르지 않은 와이셔츠를 걸치고 속옷은 어제 것을 그대로 입고 나갔을 터였다. 내복이나 남성용 레깅스도 입지 않은 맨몸이었다. 굳어지기 전에 강이가 먹으려고 꺼내놓은 절편을 씹어 먹다 나는 그만 혀를 깨물고 말았다. 아버지에게 뺨을 맞고 집을 뛰쳐나가 앞만 보고 무작정 걸었을 때, 강이가 눈물과 콧물을 줄줄 흘리면서 따라왔던 것이 뜬금없이 생각났다. 너 때문이야, 네가 태어나고부터 모든 게 뒤죽박죽됐어. 따라오지 말란 말이야. 이 멍청아! 흙바닥에 내 주먹만 한 돌이 있어 냅다 집어 강이에게 던졌다. 그 돌이 그대로 강이 배에 맞았다. 강이 뒤로 엄마가 달려왔다. 강이처럼 엄마도 울고 있었다. 엄마는 돌에 맞아 바닥에 주저앉아 있는 강이를 감싸 안고 나를 향해 집으로 돌아가자며 애원했다. 그때 나는 엄마가 내게 달려와 나를 안아주기를 바랐다. 잠시만이라도 나를 안고 네 잘못이 아니라고 말해주길 바랐다. 아버지가 몰아붙이는 바람에 제대로 대답도 하지 못했다고, 새장 속에 있는 앵무새가 옥상에 두면 얼어 죽는다는 것을 정말 몰랐다고, 새는 털이 있어 옥상에 놔둬도 괜찮을 줄 알았다고, 엄마가 나와 시선을 맞추고 내 이야기를 끝까지 귀기울여 들어주기를 바랐다.

강이가 학교 산수 경시대회에서 1등을 했을 때 아버지가 앵무새 한 쌍을 강이에게 선물로 사줬다. 그날 강이를 목마 태우고 덩실덩실 춤을 추던 아버지 환한 얼굴을 기억한다. 일요일 아침부터 나도 산수경시대회에서 1등을 해보려고 우리 반에서 산수를 제일 잘 하는 이연이네 집에 가서 공부를 하고 왔었다. 그 틈을 타 강이를 데리고 아버지와 엄마가 시내에 있는 중국집에 갔던 것도 나는 잊지 않고 있었다. 그날 유난히 바람이 강해 틈새가 성글었던 미닫이문이 덜컹거리는 소리도 생생했다. 바람소리 때문인지 앵무새 두 마리가 새장에서 부산스럽게 날갯짓을 하며 잠시도 가만히 있지 않았다. 경시대회에서 1등을 해야 하는데 앵무새 두 마리가 깃털까지 날리며 요란스럽게 구는 것을 참을 수 없었다. 나는 낚아채듯 새장을 틀어쥐고 옥상 위로 올라갔다. 겨울이라 아무것도 자라지 않는 화분 위에 새장을 올려놓았다. 그러고는 한참을 노려보다 내려와 마저 공부를 했다. 저녁밥 때가 되어서야 아버지와 엄마, 강이가 돌아왔다. 엄마 손에는 군고구마 봉지가 들려 있었다. 강이는 집에 들어오자마자 앵무새를 찾았다. 시끄러워 옥상에 올려두었다고 했다. 강이가 후다닥 옥상으로 올라갔다. 곧이어 새장을 들고 내려오는 강이가 목청을 드러내놓고 울었다. 내가 배가 고파 군고구마를 한 입 베어 문 순간이었다. 아버지가 성큼성큼 내게 다가오더니 어깨를 붙잡았다. 아버지의 손아귀 힘이 너무 강해 나는 내 어깨가 부러지는 줄 알았다. 아버지, 너무 아파요. 놔

244

주세요, 라고 말하고 싶었는데 입 안에 있는 군고구마가 말을 막았다. 이 엄동설한에 저 작은 새를 바깥에 두면 얼어 죽지 버티겠어? 아무리 동생이 미워도 그렇지, 산 짐승한테 이런 몹쓸 짓을 하는 거야? 이 독한 년! 지 애비 버릇 남 못 준다더니. 순간 엄마의 낯빛이 창백해지며 바짝 굳은 채로 아버지를 바라보았다. 나는 아버지가 무슨 말을 하는지 몰랐다. 어리둥절한 눈으로 아버지를 올려다보니 독살스럽게 아버지를 쳐다본다고 내 뺨을 때렸다. 그와 동시에 엄마가 정신을 차린 듯 다급하게 달려와 아버지 손을 잡았다. 강이가 울음을 뚝 그쳤다. 아버지가 한 손으로 내 어깨를 붙잡고 있어 쓰러지지는 않았지만 나는 이미 몸에 힘이 빠졌다. 아버지가 엄마 손을 뿌리치고 재차 내 뺨을 때렸다. 뺨을 맞은 건 난데, 아버지가 더 붉어진 뺨으로 시선 둘 곳을 몰라 허둥대는 것이 눈에 보였다. 그러고 나서 아버지는 바짝 마른입을 몇 번이고 손으로 거칠게 문질러댔다.

절편을 먹다 씹은 혀가 퉁퉁 부풀어 올랐을 때쯤 강이에게 전화가 왔다. 오늘 회사에서 야근이 있어 늦게 끝난다고 했다. 밤에 혼자 여관 가기도 그렇고 오늘 하루만 더 누나네 집에서 신세를 지면 안 되겠냐고 했다. 아버지에게 맞은 고통이 되살아나기라도 한 듯 전화기를 대고 있는 뺨이 얼얼했다. 나는 오늘은 울산 사는 막내 아이가 손자들을 데리고 온다고 거짓말을 했다. 강이는 어제 그런 말이 없지 않았냐고 했다. 나는 오늘 아침에 막내 아이한테 연락이 왔다고 또 거짓말을 했다. 거짓말을 하면서 내가 왜 강이에게 이런 거짓말까지 해야 하는지 짜증이 나 말이 곱게 나가지 않았다. 강이는 오랜만에 막내 조카도 보고 조카손자들도 보고 잘되지 않았냐고, 누나 집 방이 세 개니 괜찮지 않느냐며 고집스럽게 집에 오겠다고 했다. 막내 내외하고 손자들 모두 한 방에서 자라는 소리냐고 돈도 벌면서 여관비가 그렇게 아깝냐고 나는 강이를 몰풍스럽게 몰아붙였다. 아버지에게 뺨을 맞고 얼마 안 돼, 강이를 광에 한나절 동안 가둬 둔 적이 있었다. 아버지와 엄마가 친척 상갓집에 갔다가 새벽에 돌아오는 날이었다. 나는 아버지와 엄마가 집 밖을 나가자마자 강이를 광에 밀어 넣고 문을 걸어 잠갔다. 깜깜한 광 안에서 강이가 문을 두드리며 꺼내달라고, 누나 잘못했다고 엉엉 울어대도 나는 이불을 뒤집어쓰고 듣는 척도 하지 않았다. 아버지와 엄마가 돌아올 즈음이 돼서야 강이를 가두었던 광문을 열었다. 강이는 그때까지도 고집스럽게 '누나'를 부르며 훌쩍거리고 있었다. 그날 미열이 있는 강이는 아버지에게 광에 갇혔다고 고자질하지 않았다. 나는 베개를 입에 물고 이불 속에서 악을 질렀다.

강이가 전화기 너머에서 말이 없다. 나는 손톱을 뜯었다. 강이는 턱을 괴며 새끼손가락을 콧대 위에 올려두고 전화를 받고 있을 것이다.

"누나가 나 싫어하는 거 알아. 나 기억해. 어렸을 때 누나가 불붙인 성냥으로 내 머리카락 태우던 거. 그때 자는 척했지만 사실 실눈 뜨고 누나 얼굴 봤어. 불이 붙은 건 내 머리가 아니라 누나 얼굴인 것 같더라. 나는 누나 얼굴에 불이 났나 했어.

어린 마음에도 누나가 나를 얼마나 미워했는지 느껴지더라고. 누나 동생으로 태어나서 미안하기도 하고……. 내 머리카락에 불이 붙었는지 누나가 큰 소리로 울기 시작했잖아. 바보 같이. 울어야 되는 건 난데, 누나가 불이 붙은 내 머리카락을 보고 막 울었었어."

바보 같은 새끼, 알았으면 일어나서 힘껏 밀치기라도 했어야지, 성냥이라도 냅다 발로 찼어야지, 그랬으면 네가 조금은 덜 미웠을 거 아니냐고 말하려다가 전화기에 대고 무슨 잠꼬대 같은 소리를 하고 있냐고 했다. 여하튼 오늘은 안 된다고 말하며 전화기 전원 버튼을 거침없이 눌렀다.

10시까지 시민회관에 가려면 서둘러야 했다. 강이 전화를 받고 나서 나는 계속 허둥대고 있었다. 할 수만 있다면 성냥불로 강이를 태워버리고 싶었다. 강이가 태어나기 전까지는 아버지의 목마는 내 놀이기구였다. 아버지의 무릎은 내 베개였다. 얼음낚시 하는 아버지의 무릎 사이에 끼어 앉아 푸른 힘줄이 불거진 아버지 팔뚝을 보는 걸 나는, 좋아했다. 눈이 더 많이 내리기 전에 단단히 옷을 차려입고 현관문을 열었다. 얼굴에 와 닿는 찬바람이 아렸다. 엘리베이터 문이 닫히려고 하자 701호 영감이 열림 버튼을 누르고 황급히 올라타며 미안하다고 고개를 살짝 숙였다. 한 손에는 음식물 쓰레기봉투를 들고 있었다. 봉투 안에서 청국장 냄새가 코를 찔렀다. 청국장 냄새가 코를 찌르는데도 나는 가슴이 뛰었다. 강이에게 뜻밖에 말을 들어서 가슴이 뛰는 건지, 701호 영감의 생각보다 탄탄한 상체와 팔뚝의 힘줄이 떠올라 가슴이 뛰는 건지 알 수 없어 숨을 깊이 몰아쉬었다. 701호 영감이 주춤거리며 내게 말을 걸었다.

"저기……, 아들 내외가 프랑스에서 사온 귀한 와인이 있는데요. 언제 같이 한잔하실래요?"

청국장 냄새가 점점 더 심해졌다. 맨발에 슬리퍼를 신은 그의 발가락이 추위에 새빨갛다. 무좀 때문에 발톱이 모두 부서지고 누리끼리했다. 음식물 쓰레기봉투를 손가락으로 집고 있는 엄지와 검지도 손톱 무좀으로 누렇다 못해 검게 죽어 있었다. 나는 갑자기 헛구역질이 나와 입을 가렸다.

"……제가 와인을 싫어해서요. 그리고…… 봉지에서 아까부터 물이 새고 있어요."

엘리베이터 문이 열리고 나는 701호 영감보다 먼저 내렸다. 뒤에서 701호 영감이 볼멘소리를 중얼거렸다. 아파트 단지에서 시민회관까지는 마을버스로 두 정거장이었다. 버스를 타기에는 가깝고 걷기에는 조금 먼 애매한 거리였다. 마을버스 배차 간격이 길기도 해서 기다리며 서 있는 것보다 움직이는 것이 덜 추울 거 같아 걷기로 했다. 걸음걸음마다 강이 목소리가 따라왔다. 누나 동생으로 태어나서 미안하기도 하고……, 찬바람에 귀가 시려 두 손으로 귀를 감쌌다. 마을버스 정류장을 지나면서 나는 발길을 딱 멈췄다. 로드킬이라도 당한 건지 흰 물체가 연석이 없는 인도와 차도 사이에 납작 엎드려 있었다. 산꼭대기 부근을 깎아내리고 거기에 지은 아파트 단지라 가끔 청설모 같은 야생동물이 나타났다. 한 발자국 한 발자국 다가가니 눈에 젖은 흰 비둘기 한 마리가 날개를 펼치고 바닥에 붙어 있었다. 솜털이 다 빠지지 않은 걸 보면 아직 어린 비둘기였다. 차가 그 위를 밟고 지나간 것은 아니었다. 제 형체를 갖추고 있었다. 눈 때문에 전봇대 위 둥지에서 떨어져 죽은 거라고 생각했다. 눈을 질끈 감고 그냥 지나가려고 했는데, 비둘기가 꿈틀거렸다. 힘은 없지만 날개도 퍼덕거렸다. 둥지가 좁으면 강한 놈이 약한 놈을 힘으로 밀어 둥지 밖으로 밀쳐버린다는 걸 알고 있었다. 살고 싶은 것이다. 살기 위해서 강이가 말한 용골돌기 주위 비상근에 힘을 주고 날아오르려 하고 있는 것이다. 날아올라 자신의 둥지로 돌아가 자신을 밀어버린 형제에게 왜 그랬냐고, 그랬어야만 했냐고 묻고 싶은 것이다. 비둘기가 아직 살아 있다. 전화기를 꺼냈다. 어디다 전화를 해야 하는지 몰라서 일단 114를 눌렀다. 자꾸만 강이 얼굴이 겹쳐졌다. 무방비로 마루턱에 서 있는 6살짜리 강이를 밀어 넘어뜨렸을 때, 비가 내려 물웅덩이가 생긴 흙바닥에 코를 박고 그 코에서 선홍색 피를 흘리던 강이 모습이 불쑥 눈앞에 나타났다 사라졌다. 야생동물보호센터에 전화하면 살려줄 거라는 막연한 생각이 들었다. 114 안내원에게 야생동물보호센터로 연결해달라고 했다. 전화가 연결되자마자 나는 숨 쉴 틈도 없이 비둘기가 눈 위에 떨어져 있다, 다행히 눈 위에 떨어져서 죽지는 않았다, 하지만 깃털이 다 젖어서 곧 죽을 거 같다, 빨리 와 달라고 성마르게 이야기했다.

"비둘기는 보호야생동물이 아니라서 저희 센터에서 관리할 조류가 아닙니다. 구청에 한번 전화해 보시죠?"

그래, 비둘기는 보호야생동물이 아닐 것이다. 보호야생동물은 두루미나 매 같은 희귀한 것이겠지. 위액이 식도로 역류된 것처럼 가슴이 쓰라렸다. 나는 서둘러 전화를 끊고 구청에 전화를 하기 위해 다시 114 번호를 눌렀다. 구청으로 연결되자 나이 든 남자가 받았다. 비둘기 이야기를 꺼내자 담당공무원이 자리를 비웠으니 10분 후에 다시 전화를 하라고 했다. 10분 후면 이 비둘기가 죽을지도 모른다고 말을 해도 남자는 같은 말만 반복하며 거신 번호로 연락드리겠다고 했다. 전화를 끊고 주위를 둘러보았다. 아무도 없었다. 마을버스도 눈 때문인지 감감무소식이었다. 전화는 오지 않고 비둘기는 다시 한 번 날개를 푸드덕거렸다. 기다리지 못하고 114 번호를 통해 내가 먼저 구청에 전화를 걸었다. 전화연결을 기다리는 동안 '구민들과 함께하는 행복한 ○○구, 자연과 함께하는 깨끗한 ○○구', 라는 자동응답이 시끄럽게 귓속을 파고들었다.

　"그러니까 지금 비둘기가 눈길 위에서 죽어가고 있다는 말씀이시죠?"

　"그렇다니까요, 제가 뭘 어떻게 해야 할지 모르겠고요. 어서 와요, 이러다 비둘기 얼어 죽겠어요."

　"구민님, 죄송합니다만 비둘기는 유해조류라 구청에서 관리하지 않아요."

　"비둘기가 유해조류라고요?"

　"네, 비둘기뿐만 아니라 까치나 참새도 유해조류로 보호대상이 아닙니다."

비둘기는 유해조류였다. 유해조류라서 살고 있던 둥지에서 떨어져 죽어가는 데도 그냥 죽게 내버려둘 수밖에 없다고 했다. '구민들과 함께하는 행복한 ○○구, 자연과 함께하는 깨끗한 ○○구'라는 슬로건이 귓가에 울려 퍼지다 바닥으로 곤두박질쳤다. 나는 시민회관에서 하는 봉사활동에 가지 않았다. 어떻게 해야 하는지도 모르면서 가방 속에 있던 휴대용 장바구니를 꺼내 죽어가는 흰 비둘기 새끼를 그 안에 집어넣었다. 흰 비둘기 새끼를 집어 들 때 미약하지만 비상근이 꿈틀거리는 움직임이 손끝으로 느껴졌다. 힘은 없었지만 왼쪽 날개도 푸드덕거렸다. 오른쪽 날개는 축 처진 게 둥지에서 떨어지면서 부러진 듯했다. 나는 왔던 길을 되돌아 아파트 단지 안으로 들어왔다. 엘리베이터 안에서 701호 영감을 봤을 때와는 다른 두근거림에 마음이 진정되지 않았다. 집에 도착해서 손을 씻으러 화장실에 들어갔다. 손에 비누칠을 하려고 비누를 집으니 비둘기를 손으로 집었을 때의 감촉이 되살아났다. 얼음 물속에서 강이 손을 잡았을 때처럼 보드라웠다. 카드게임 속에 카드가 일제히 곡선을 그리며 사각형의 화면에서 춤을 추는 것처럼 발을 딛고 있는 바닥이 흔들렸다. 집안으로 들어오니 혈관에 온기가 돌았는지 장바구니에서 흰 비둘기 새끼가 푸드덕거렸다. 비둘기가 유해조류였다니, 정말 그래도 되는 것인지 나는 몇 번이나 반복해서 되뇌었다. 비둘기가 아직 살아 있다. 젖은 털을 뜨거운 바람이 시원치 않지만 드라이기로 말려주고 생쌀을 으깨 우유에 섞여 먹이면, 제 어미가 되새김질해서 주는 먹이보다야 못하겠지만, 기운을 차릴 것이다. 어쩌면 다 죽어가는 새끼 비둘기를 살릴 수 있을지도 모른다는 생각을 하자 마음이 급해졌다. 아까보다 푸드덕거리는 왼쪽 날갯짓에 힘이 들어가 있다. 그러자 퍼뜩 제 새가슴을 용골돌기라며 너스레를 떠는 강이가, 올케에게 여기저기 맞아 집 밖을 떠도는 상처투성이 강이가, 내 뒤에서 노란 콧물을 흘리며 따라오던 강이가, '누나'하고 부르며 내 옷자락을 붙잡을 것 같았다.

12살 때, 아버지를 따라갔던 얼음 낚시터에서 나는 아버지로부터 살금살금 뒷걸음치며 멀어져갔다. 강이를 아버지 무릎 사이에 끼고 앉아 낚시찌가 잠긴 얼음 물속을 바라보는 아버지가 나를 한번 바라봐주길 바랐다. 나는 찌찌직 하며 얼음이 갈라지는 소리가 들리는 곳까지 천천히 뒷걸음질쳤다. 강이가 아버지 무릎 사이에서 이리저리 고개를 돌리며 나를 찾는 모습이 보였다. 이윽고 살얼음이 깨지며 물속에 빠졌을 때 나는 질끈 눈을 감았다. 살을 찢는 것 같이 시린 얼음 물속은 의외로 탁하지 않았다. 극도로 차가운 물속에 빠진 순간이었지만 예전에도 물속에 있었던 것 같은 기시감이 들었다. 나는 물속에서 강이를 보았다. 얼음이 깨지며 물에 빠지는 소리를 듣고 내게 달려오다 강이도 덩달아 빠진 모양이었다. 생각할 틈도 없이 나는 버둥거리는 강이에게 손을 뻗었다. 강이도 나를 알아보고 내 손을 잡았다. 나는 있는 힘껏 강이를 품 안으로 끌어안았다. 어른들이 몰려드는 물 밖 상황이 희미하게 보였다. 이 세상과 저 세상이 불과 한 뼘 차이 같았다. 섬망(譫妄)

현상이었는지 모르겠지만 물속에서 무지개를 발견했다. 강이
가, 아니 용골돌기가 유난히 커다란 흰색 비둘기 새끼 한 마
리가 얼음 물속에서 내 품에 꼭 안겨 숨을 참고 있었다. 강이
를 품에 안으면서 나는 빨, 주, 노, 초, 파, 남, 보의 일곱 가지
무지개 빛깔 외에 셀 수 없이 많은 색깔들이 반짝반짝 빛나
는 아주 짧은 시간과 마주쳤다. 그림책에서 보던 무지개의 일
곱 가지 색깔로는 설명할 수 없는 빛깔들이었다. 눈으로 식별
가능한 가시광선 외에 눈으로는 볼 수 없는 자외선이나 적외
선이 있듯 눈에 보이는 것이 전부가 아니라는 생각이 들었다.
그 순간, 물 밖으로 나가야겠다는 생각이 강렬하게 꿈틀거렸
다. 더이상 숨을 참을 수도 없었다. 강이의 용골돌기 속 뜨거
운 심장 박동 소리도 점점 더 빨라졌다. 강이의 비상근이 움
찔했다. 살고 싶다는 것이었다. 날아올라 가고 싶다는 것이었
다. 아버지가 내 이름과 강이 이름을 목이 찢어져라 번갈아
불렀다. 아버지가 얼음 바닥에 납작 엎드려 내려주는 긴 장대
를 나는 손바닥에 갈퀴라도 달린 듯, 한 손으로 잡아 쥐고 다
른 한 손으로 강이를 바짝 끌어안았다. 강이는 있는 힘껏 물
살을 차올리며 물 밖으로 솟아오르려 했다. 나와 강이가 처음
으로 마음이 맞는 순간이었다.

감각의 수사학과 그로테스크

김대현

문학평론가

1.

대개의 종교회화에서 인간이 범할 수 있는 다종다기한 죄악들은 종종 부드러운 은유의 형식으로 재현된다. 아무리 천박하고 남루한 인간의 행태를 묘사한다 하더라도 지고한 신의 위엄을 드러내는 자리에서 엄숙한 종교적 표징이나 그리스-로마의 신화적 상징을 통하지 않고 그것을 있는 그대로 전사하는 것은 품위와 교양이 부족한 것으로 여겨졌기 때문이다. 그래서 당대의 종교화를 보는 사람은 회화가 다루는 주제가 비천한 것이라 할지라도 은유와 상징을 기반으로 하는 절제된 묘사를 통해 영적인 충만과 종교적 고양감을 얻을 수 있었다.

이런 의미에서 네덜란드 출신의 화가 히에로니무스 보스는 여러모로 독특한 사람이다. 그는 〈일곱 가지 대죄와 네 개의 종말〉이라는 작품에서 크리스트교에서 말하는 이른바 '일곱 가지 죄악(교만·인색·시기·분노·음욕·탐식·나태)'에 해당하는 부분의 묘사를 고급의 은유나 비의가 담긴 알레고리가 아닌 그와 동시대를 살아가는 사람들의 일상적인 생활사를 그대로 그려넣었을 뿐만 아니라 종말 이후 죄악을 범한 자들이 당하는 끔찍한 고통을 직접적으로 묘사하여 보는 사람으로 하여금 불쾌한 감정을 야기한다. 이는 보스의 이름을 후대에 남긴 제단화 〈세속적인 쾌락의 정원〉에서 더욱 두드러지게 나타나는데, 여기에서는 현세에서 비루한 욕망에 빠진 세속의 인간들이 범하고 있는 죄악의 풍경들과 그로 인해 지옥에서 영원히 고통받는 인간의 모습을 마치 어떻게 하면 보는 사람들이 더 불안하고 불쾌하게 여길 수 있는지 연구라도 하듯이 그로테스크한 이미지들로 가득 차 있기 때문이다.

물론 이는 보스가 당대의 다른 종교화가들에 비해 종교적 열정이 부족한 사람이라는 이야기는 아니다. 그에 대한 기록은 비록 얼마 남지 않았으나 그의 신앙심을 입증하기에는 부족함이 없다. 다만 그가 예술의 시선을 피안에 두고 세속의 삶을 묘사하는 것을 저속하게 여긴 동시대의 다른 화가들과 달리 인간의 천박한 일상을 다루는 것을 넘어 그로테스크한 방식으로 묘사한 이유는 오히려 그러한 방식이 종교적 진리에 도달할 수 있다고 믿었기 때문이다. 요컨대 보스에게 진리에 도달하는 방식은 불편하고 추한 삶의 현실을 외면하고 은폐하는 것이 아니라 불편하고 추한 것을 있는 그대로 드러내는 것이라는 이야기다.

권상혁의 소설을 대하는 순간 보스의 작품을 떠올리게 하는 이유도 여기에 있다. 그의 소설에 등장하는 주요 인물들은 그것이 신체이든 정신이든 어딘가 병들어 있는 위태로운 상태에 있다. 대체로 과거의 사건에서 기인한 트라우마로 고통받는 인물들은 각각의 작품 속에서 마주하는 사건을 통해 심리적으로 견디기 어려운 한계상태까지 다다르며 신체적·정신적으로 붕괴의 위험에 처한다. 그 과정에서 소설은 조금은 과하다 할 정도의 집요한 묘사를 통해 그동안 (무)의식적으로 은폐하고 있었던 인간의 혐오스럽고 추악한 부분을 전시함으로써 읽는 이에게 모종의 불편함과 불쾌함을 선사하고 있기 때문이다.

2.

소설을 통해 인간의 내면에 은폐된 음습한 욕망과 일상의 비루함을 드러내어 추문으로 그려내는 것이 권상혁이 처음이 아님은 물론이다. 이른바 리얼리즘이라는 위대한 형식을 통해 동서고금의 수많은 작가들이 이를 선취하고 있기 때문이다. 다만 그럼에도 불구하고 권상혁의 소설이 가지는 그들과 차이를 가지는 것은 일상이라는 소재를 다루는 그의 방식이 분명히 자신만의 특유한 지점이 있다는 점일 것이다. 그중의 하나가 권상혁의 소설 전반을 지배하고 있는 '불안'의 정서와 이를 다루는 형식이다. 물론 여기의 불안은 명징한 대상이 없는 모호한, 그래서 영원히 해소될 수 없는 불안이라는 의미에서 하이데거적이다.

예컨대 「독(毒)」의 화자 이연은 고등학교 교사로 재직하며 세 번째 임신을 하고 있는 여성이다. 두 차례의 유산으로 임신의 유지에 대해 불안감을 가지고 있는 이연은 그 원인으로 히로시마에 투하된 원자폭탄 '리틀 보이'의 희생자를 조부로 둔 이른바 피폭 3세인 남편의 유전자를 지목한다. 마침 남성이 잘 걸리지 않는 갑상선 암에 걸린 남편은 탈모치료제를 비롯해 이런저런 정체 모를 약물을 복용한다. 이연은 남편의 삶을 구축하는 약들이 오히려 자신과 태아를 해치는 독으로 여긴다. 두 번째 유산 후 이연이 반복적으로 꾸는 불길한 꿈은 이의 유력한 방증이 된다. 마치 원자폭탄이 투하된 것처럼 검붉게 불타는 바다와 뜨거운 열선, 검은 폭풍이 가득한 꿈 속에서 이연의 태어나지 못한 아기들은 뼈와 살이 녹아내린다. 그 과정에서 검은 비를 뚫고 나오며 "헤이, 리틀 보이(Hey, Little Boy)!"를 중얼거리며 불길한 미소를 짓는 남자의 모습은 이연으로 하여금 남편의 유전자에 문제가 있다는 것을 확신하게 하는 장치로 작용한다. 이후로도 이연은 남편을 병균처럼 취급하며 반복적인 묘사를 통해 강박적으로 남편의 물건을 소독하거나 버리는 방식으로 세 번째 임신 역시 실패할 것이라는 불안감을 고조시킨다.

아저씨, 제발 살려주세요. 나는 마지막 힘을 다해 부탁한다. 아저씨하고 하나가 되는 거야. 자, 좀 더 다리를 벌려. 안 그러

면 아저씨가 너를 때릴지도 몰라. 아저씨가 내 팬티를 벗기더
니 돌돌 말아 그대로 내 입을 틀어막는다. 아저씨의 몸은 열선
처럼 뜨거웠고, 내 가랑이 사이에서는 검은 비가 흘러나왔다.
아저씨의 티셔츠에서 아황산가스 같은 땀 냄새가 났다. 티셔츠
정중앙에 쓰여 있던 영문이 눈에 칼날처럼 와 박힌다. 헤이, 리
틀 보이(Hey, Little Boy)!(「독(毒)」)

　　하지만 소설은 막바지에 와서야 이연이 가지는 불안이 사
실은 남편의 유전에서 기인한 것이 아니라 이연이 어린 시절
당한 아동성폭행에 기인한 것임을 밝힌다. 지금까지 사건을
주요하게 이끌어 온 요소가 서사의 본질적인 요인이 아니라
단지 편향된 정보제공으로 서사를 특정 방향으로 유도하고
사라진다는 점에서 이는 추리소설에서 주로 사용되는 일종
의 서술트릭으로 이른바 맥거핀에 해당한다.

　　　원자폭탄보다 무서운 것은 눈에 보이지도 않고, 손으로 잡을
　　수도 없는 피폭 후유증이라고 했다.(「독(毒)」)

　　　독사에게 물렸다는 걸 알면 다들 너를 무서워할 거야. 그러면
　　너는 친구가 없어지게 되는 거야. 네 주변에 아무도 없게 돼.
　　그러니 꿈을 꾼 거야. 알겠지?(「독(毒)」)

　　이로써 소설은 대를 이어 끈질기게 유전되는 방사능 피폭
의 불안과 유년기 성폭행으로 인한 트라우마와 이를 외부로

259

알리지 못하는 끔찍한 체험을 대비시키며 이로 인한 고통은 언제까지나 해소되지 않는다는 무거운 주제를 흡입력 있게 전달한다.

서사를 이끌어가는 장치로 알 수 없는 불안을 야기하는 주요한 요인을 배경으로 두고 별도의 하고 싶은 말을 전달하는 형식은 「누수(漏水)」, 「비행」과 같은 작품들에서도 마찬가지다. 「누수」의 화자 '나'는 중소기업에 다니는 남편을 두고 자신은 도서관 사서 보조로 일하는 여성이다. 외부에서 보기에 대단하지도 그렇다고 너무 못나지도 않은 보통의 삶을 사는 '나'에게 '서울에 있는 외고를 다니는 아들'은 유일한 자랑거리다. '나'는 아들이 일본의 국제학교로 유학을 가고 싶어하자 남편과 상의해 기존의 깨끗한 집을 정리하고 선뜻 허름한 아파트로 이사를 간다. '나'는 스스로 일본 유학을 준비한 아들이 대견하지만 아들은 부모의 입에서 "침 냄새"가 난다며 부모와 보이지 않는 경계를 둔다.

자꾸 화가 나는데 왜 화가 나는지 형태는 없고 풍선처럼 부풀기만 하는 불안감이, 그게 그만 터져버릴까 봐 나는 침을 꼴딱 삼켰다.(「누수」)

문제는 이사 간 집의 천장에서 누수가 시작된다는 점이다. 점점 천장을 넘어 집 전체로 침식해 오는 흙물은 간단한 시술로만 여겨졌던 남편의 심장혈관 조영술과 연동되어 '나'의 불안한 마음을 조여온다. 동시에 이는 그동안 남편의 비루한

260

외양에 실망하여 낯선 청년들에게 성적 욕망을 가지는 자신에 대한 혐오감과 결부되어 남편의 시술이 장차 실패할 것이라는 불안을 야기한다. 하지만 누수는 잡히고 약간의 고난이 있었지만 수술도 성공적으로 진행된다. 이는 불안을 조성하며 지금까지 서사를 이끌어온 '누수'라는 장치가 예정된 결말을 예고하는 진부한 복선이 아니었다는 것을 강변하는 것처럼 보인다.

> 우리가 아들을 제대로 알기나 한 건가, 더구나 나는 아들을 내 뱃속으로 낳지 않았는가. 내 아들은 이제 막 18살이 된 어린 나이인데 말이다. 아들의 어디에서부터 흙물이 나오기 시작한 건지 나는 알 수 없었다.(「누수」)

그리고 이는 일본에 유학간 아들이 일본인 여자 친구의 임신 소식을 전하는 것으로 확인된다. 이로써 소설은 가장 친밀한 것처럼 보이는 가족관계라 하더라도 구성원들이 서로 어떻게 고립되어 있으며 서로가 알지 못하는 비루한 욕망들로 움직이고 있다는 점을 보여주는 것과 함께 아무리 가까운 관계라 하더라도 영원히 서로를 이해할 수 없을 것이라는 불안을 전하고 있다.

가장 내밀한 사이임에도 상대를 이해하지 못하는 사람이 겪는 불안을 다루는 것은 「비행」 또한 마찬가지다. 항공기 승무원으로 일하다 비행에 트라우마가 있어 퇴사한 아내가 있는 '나'에게 어느 날 '아내'가 가출을 한다. 발단은 비교적 고

급 브랜드인 신축 고층아파트에 살다 오래된 구축아파트의 1층으로 이사를 오면서부터이다. 고장난 형광등을 고치는 사소한 일에서부터 관리실과 직접 연결되는 인터폰의 유무까지 모든 게 다른 현실을 아내가 낯설어했기 때문이다. '나'는 자신이 섭섭해하는 아내의 마음을 이해한다고 믿는다. 그럼에도 형편상 이사할 수밖에 없는 '나'의 마음도 아내가 이해해야 한다고 생각한다.

> 아내는 하루 종일 집안에서 있던 일들을 주절주절 이야기했지만, 나는 그 소리들이 모두 주파수가 맞지 않는 라디오를 틀었을 때처럼 잡음으로밖에 들리지 않았다.(「비행」)

하지만 그 믿음이 진실인지는 의문스럽다. "다시 비행기를 타고 있는 기분"이라며 '나'에게 오래된 아파트에 사는 고통을 호소하는 아내의 말을 '나'는 해괴한 소리로 치부하고 있기 때문이다. 결국 아내는 가출하게 되고 '나'는 여전히 이유를 모르는 채로 집안에 남겨진다. 이후 초조한 상태로 집에 있던 '나'는 양변기 레버 고장을 이유로 수리 기사를 부른다. 수리를 하는 동안 그에게서 자신이 모르는 아내의 이런저런 면모를 듣게 된 '나'는 아내와 수리 기사의 불륜을 의심하며 폭행을 시도하다 넘어지는 형식으로 자신의 왜소한 남성성을 드러낸다. 수리 기사가 떠난 후 '나'는 다시 아내의 가출을 이해하기 위해 시도한다. 하지만 아무리 생각해도 "아내에게 잘못한 것이 없었다."는 것이 '나'의 결론이다. '나'가 이런 반응을 보이는 까닭은 어렵지 않다. 이는 '나'가 아내의 정신을 온전히 유지하는 물리적 지지대와 심리적 지지대를 혼동하고 있기 때문이다. '나'와 아내는 애초에 사유의 평면이 서로 다른 것이다. 그러므로 '나'는 "정말 아내는 왜 집을 나간 걸까?"라는 질문의 답에 영원히 도달할 수 없는 것이다.

3.

권상혁의 소설을 특징지을 수 있는 또 하나의 지점은 감각적 이미지들의 배치이다. 이는 소설의 기저에 놓여 있는 불안의 정서와 결부되어 해당 서사의 인물과 사건의 분위기를 결정짓는다. 그중에서도 가장 자주 사용되는 감각이 바로 후각 이미지이다. 그가 후각 이미지를 즐겨 사용하는 이유는 무얼까? 이유는 어렵지 않다. 가시성을 바탕으로 비교적 명료한 이미지를 구축할 수 있는 시각에 비해 후각은 그 자체만으로는 대상을 재구성하는 것이 그리 용이하지 않기 때문이다. 후각의 재현성은 그래서 추상적이다. 후각이 가지는 장점 또한 여기에 있다. 불안이 가지는 모호한 대상성을 관념을 통해 더욱 확장시킬 수 있는 것이 바로 후각 이미지가 가지는 특징이기 때문이다.

장미여인숙에 장미는 없었다. 음식물 쓰레기봉투에서 나오는 악취만이 띠를 두르듯 장미여인숙을 감싸고 있을 뿐이었다.(「황혼시장」)

　인용한 바와 같이 쪽방촌에 혼자 살며 지하철역에서 오가
는 노인을 상대로 성매매를 하는 초로의 여성 군자의 이야기
를 다룬 「황혼시장」에서도 인물과 배경, 사건의 성격을 묘사
하기 위해 이러한 후각 이미지들이 주로 사용된다. "휴대용
가스버너 위에 놓인 냄비에서 쉰내"라든지 어딘지도 모르게
사방에서 올라오는 "쿰쿰한 곰팡내"는 후각 이미지를 통해
쪽방의 열악함과 그 안에 거주하는 사람의 이미지를 부정적
으로 형성한다. 또한 손님으로부터 지청구를 받은 군자가 자
신의 하복부를 확인하는 순간 "다리를 벌리고 밑을 내려다보
았다. 생선을 말린 것 같은 쿠릿한 군내가 올라왔다."는 진술
이나, "벗은 엉덩이 사이로 '푸쉬이' 하는 힘 빠진 방귀가 나
왔다. 점심으로 계란을 먹어서인지 계란 썩은 내가 났지만"
이라는 그로테스크한 묘사는 군자의 늙음과 그럼에도 불구
하고 성매매를 하는 노인에 대한 혐오의 정서를 가져다주는
데 조금의 부족함도 없다. 반면 군자가 마음속으로 동경하
는 의사와 그가 거주하는 병원의 이미지는 "은은한 페퍼민트
향"이 감도는 청정한 이미지로 표현되는 것과 대조적이다.

　이후 군자는 의사의 치료를 받기 위해 다시 성매매에 나서
지만 모멸감을 주며 폭력적으로 대응하는 낯선 남자에게 모
욕과 폭행을 당한다. 극도의 신체적 정신적 고통으로 쓰러져
있는 군자를 결정적으로 무너뜨린 건 미약하나마 군자가 인
간적 신뢰를 가지고 있던 이웃 유씨의 성폭행이다. 한 가닥

남은 신뢰마저 무너진 군자는 예전 아버지와의 기억처럼 누군가로부터 보호받고 있다는 느낌을 받기 위해 돈이 없는 상태로 병원을 찾지만 그곳에서도 외면당한다. 이미 사회적 효용을 상실하고 용도폐기되어 아무 곳도 의지할 수 없는 노인들의 삶은 이렇게 구린 냄새로 뒤덮인 곳에 은폐되어 있다.

노인의 성과 마찬가지로 자신의 성이 사회적 혐오의 대상이 되어 일상의 욕망이 억압된 사람의 내면을 다룬 「블루데이」 또한 다양한 후각 이미지를 통해 소설의 지배적인 정서를 구축한다. 어린 시절 진우는 치마를 입다 아버지의 폭력으로 퀴어의 정체성을 억압당한다. 그래서 진우에게 아버지는 "썩은 우유 속에서나 맡을 수 있는 역한 냄새"로 자리매김한다. "가난뱅이" 주제에 급식으로 나오는 흰 우유가 아닌 딸기우유를 먹고 싶다는 진우의 말에 귀싸대기로 응수한 초등학교 3학년 시절의 담임도 마찬가지다. 그는 다른 학생들 앞에서 진우의 빈곤을 전시하며 "고린내 나는 구두"를 진우에게 닦게 시킨다. 그나마 조금이라도 '나'를 보살피는 것은 엄마였지만 아버지의 폭행에 비해 '나'에게서 떠난 지 오래다. 엄마는 언젠가 돌아와 함께 수박을 먹자고 약속하지만 그마저도 잊고 혼자 수박을 배 터지게 먹고 있는 엄마의 소식에 '나'는 온전히 혼자가 된다.

진우의 마음에 결정적인 상처로 남은 건 중학교 시절의 기억이다. "공돌이 공순이의 자식들"이 다니는 중학교는 "막걸리를 부어 넣었을 때 콤콤하게 나는 알코올 냄새"로 가득 차 있다. 그곳으로부터 탈주를 꿈꾸던 진우는 공부 잘하는 친구와 인연을 맺는다. 자신을 사랑한다는 친구의 요구에 의해 키스를 나누던 둘의 모습을 목격한 다른 아이에 의해 곧 "호모 같은 새끼들! 더러운 새끼들! 추잡한 새끼들!"이라는 소문이 널리 퍼지게 된다. 진상을 요구하는 선생에게 친구는 진우에게 책임을 떠넘기고 진우는 홀로 책임을 진다는 점에서 진우의 유년기 기억은 혐오에 인한 소외감으로 가득 차 있다. 잠시 큰 집에 보내졌던 나쁜 기억과 함께 진우가 유년기의 기억이 누적된 자신의 집을 "지저분한 쓰레기들이 창자를 드러내고 고약한 냄새를 풍기는 집"으로 명명하는 것도 이러한 이유이다.

대학에 입학한 진우는 동성애 사이트를 찾아다니다 자신에게 딸기우유를 사주는 남자와 만나 성관계를 나눈 후 그에게 사랑을 느낀다. 하지만 진우가 겪은 모든 관계가 그렇듯 그 역시 "거짓말쟁이"였다. 남자는 진우에게 자신의 사업에 투자하기를 요구했고 진우가 거절하자 모든 것이 거짓이었다며 진우를 버린다. 이후 소설은, 그로 추정되는 남자가 한강에 투신했다는 소식을 들은 진우가 그를 비롯해 자신이 절실히 도움을 필요로 할 때 자신을 외면했던 부모와 담임, 첫 키스 상대 모두가 진우 스스로 자신의 영혼을 죽이도록 도운 방조범이었다는 걸 깨달으며 마무리된다. 이를 통해 소설은 절실히 도움을 처하는 하나의 영혼이 있을 때 혐오에 기인한 무관심이 그를 어떻게 파괴시킬 수 있는지에 대해 면밀하게 탐색한다.

4.

하지만 사람의 일이라는 것이 그리 단순하지 않음은 물론이다. 누군가 절실히 도움을 요청한다고 해서 모두가 도움을 줄 수 있는 것은 아니다. 때로 사람은 자신의 일상이나 안전을 지키기 위해 타인의 도움을 외면하기도 한다.

「길 위에서」의 화자 '나' 역시 그중 한 사람이다. 탑승객 23명 중 11명만이 살아남은 버스 교통사고의 생존자인 '나'는 재활을 도모하다 피부에 자잘한 상처들을 입는다. 이를 통해 '나'는 학창시절 친구에 대한 기억과 사고버스 안에서 피범벅이 된 여자아이를 목격하고도 불가항력으로 아이를 구하지 못한 것을 떠올린다. 꼬리에 꼬리를 무는 생각은 곧 친구의 자살로 이어지고 그 과정에서 자신이 절실히 도움을 요청하는 친구의 신호를 무시해왔으며 사소한 일상을 보존하기 위해 그의 기억으로부터 도망쳤다는 것을 깨닫는다. 이처럼 과거에 겪은 트라우마적 사건은 "반창고 아래의 상처"와 같이 단지 보이지 않을 뿐 기억의 깊숙한 어딘가에 저장되어 여전히 피를 흘리는 상태로 사라지지 않는 것이다.

하지만 그렇다고 해서 모두가 트라우마에 잠식된 삶을 수인하며 살아가는 것은 아니다. 「강이가 온다」의 화자 '경'은 어린 시절 아버지와 얼음낚시를 하다 동생 '강'이와 함께 물에 빠진 기억이 있다. 조리를 하는 과정에서 경은 자신이 동생에 비해 아버지의 사랑을 덜 받고 있다는 느낌을 받는다. 자신이 아버지의 친딸이 아니라는 것을 깨닫고 박탈감을 느

267

낀 경은 본래 자신의 것이었던 자리를 차지하고 있는 동생 강이를 수시로 괴롭힌다. 그러다 "이 독한 년! 지 애비 버릇 남 못 준다더니."라며 아버지에게 독한 소리를 들은 경은 그 일이 있었던 후로도 자신에게 의지하며 찾아오는 강이를 매몰차게 거절한다. 둘의 관계는 유년기를 훌쩍 지나 노년에 이른 지금까지 다르지 않다. 그러다 경은 우연히 둥지에서 형제에 의해 밀려 떨어진 비둘기를 발견하고 살기 위해 발버둥치는 몸짓에서 강이의 모습을 떠올리며 무언가를 깨닫는다. 어린 시절 아버지의 관심을 끌기 위해 살얼음 위에 서 있다 자신을 찾으러 온 강이와 함께 물에 빠진 기억을, 그리고 자신과 강이를 살리기 위해 둘의 이름을 교대로 부르며 최선을 다한 아버지의 모습을. 그리고 함께 살기 위해 강이를 안고 아버지의 장대를 꼭 움켜쥐던 자신의 모습이 그렇다. 이를 통해 경은 그동안 자신을 강제하던 트라우마를 정면으로 마주하며 강이와의 화해를 기약한다.

「너를 생각해」의 서사를 이끌어가는 서주는 유방암으로 유방절제술을 받은 뒤 복직한 교사이다. 자신의 기분이 조금 상했다고 서주의 처지를 배려하지 않는 교장과 복지부동의 자세를 유지하는 진로진학부 선생들, 인간에 대한 기본적 예의를 지키지 않는 행정실 직원들로 둘러싸여 있는 학교에서 서주는 분노와 함께 고립감을 느낀다. 그 과정에서 서주는 직업학교에 가지 않고 다시 학교로 복교하겠다는 준섭을 만나고 20년 전 연인이었던 영호의 전화를 받는다. 하지만 영호의 기억은 지우고 싶은 서주의 트라우마이기도 하다. 서주는 임신 사실을 알리기 위해 영호를 만나려 하지만 운명의 장난으로 영호를 만나지 못한다. 영호의 고향까지 찾아보지만 끝내 찾지 못하고 낙태를 하였기 때문이다. 과거의 트라우마와 함께 준섭의 복교를 돕던 서주는 뜻밖의 사실을 알게 된다. 마냥 순진해 보였던 준섭이 복교를 원한 것은 직업학교에 적응하지 못한 것이 아니라 여중생과 성관계를 한 후 그 영상을 친구들과 돌려 본 것이 외부에 공개되는 것이 두려웠던 것이다. 서주는 20년 전 지키지 못했던 것을 지금이라도 지키겠다는 듯이 준섭의 성범죄를 공론화하기로 결심한다. 그리고 이 과정을 통해 서주는 영호의 기억이 가져다준 상처를 마주하는 데 성공한다.

5.

권상혁의 소설을 읽는다는 것은 "숨을 조여오는 기계음"(「누수」)을 듣는 것과 같은 느낌을 가진다. 후각과 청각 등 소설의 전반에 걸쳐 다채로운 감각적 이미지를 통해 부과하는 불안의 정서와 조금은 가혹할 정도로 인물에게 부과하는 그로테스크한 묘사들이 그 원인이다. 이는 자칫하면 진부할 수 있는 소재와 주제에 흡입력을 부여함으로써 읽는 이로 하여금 온전히 몰입할 수 있도록 하는 것은 물론 서술트릭을 통해 소설가가 말하고자 하는 진정한 주제를 은폐하는 역할을 수행함으로써 마지막까지 호기심을 유지하는 서사적 장치로 작동한다. 동시에 이는 일상의 비루함을 있는 그대로 때로는 극적으로 재현함으로써 분명히 존재하고 있었음에도 인지하지 못하는 동시대 삶의 양상들을 드러낸다. 어떤 관습에도 포획되지 않으면서도 인간에 대한 새로운 인식을 제공할 수 있는 그의 다음 소설을 기대한다.

청색소설선 1

너를
생각해

권상혁 소설집

초판 1쇄 발행 2020년 10월 30일

지은이   권상혁
펴낸이   김태형
펴낸곳   청색종이
등록   2015년 4월 23일 제374-2015-000043호
주소   서울시 영등포구 문래동2가 14-15
전화   010-4327-3810
팩스   02-6280-5813
이메일   theotherk@gmail.com

ⓒ 권상혁, 2020

ISBN 979-11-89176-57-0   03810

이 도서는 한국출판문화산업진흥원의 '2020년 출판콘텐츠 창작 지원 사업'의 일환으로
국민체육진흥기금을 지원받아 제작되었습니다. 이 도서는 2018년 아르코문학창작기
금의 수혜를 받아 발간된 작품입니다. 저작권법에 따라 보호받는 저작물이므로 저작권
자와 출판사의 허락 없이 복제하거나 다른 용도로 사용할 수 없습니다.

값 13,000원